ALICIA KEYS

もっと、わたしらしく

アリシア・キーズ［著］
ミシェル・バーフォード（共著）
永峯涼［訳］

文響社

わたしの人生の旅に加わり、過去、現在、そしてこれからも、ともに歩んでくれているすべての人たちにこの本を捧げます。

みんながいてくれたおかげで、わたしは、もっと「わたしらしく」なることができました。心から感謝しています。

はじめに

かつてのあなたと、今なろうとしているあなた。
その間にこそ、人生の真のきらめきがある。
——バーバラ・デ・アンジェリス〈スピリチュアルケア師〉

わたしは7歳。ママと一緒にイエローキャブの後部座席に座り、極寒の12月のニューヨーク、マンハッタンの11番街を走っている。わたしたちがタクシーに乗ることはめったにない。シングルマザーとパートタイムの子役である2人には贅沢(ぜいたく)すぎるからだ。

でもこの日、イースト33丁目通りにあるわたしの学校の近くでオーディションを受けた帰りだったこと、そして吐く息が真っ白になるほど寒かったことを気遣って、ママはタクシーをつかまえてくれた。車は街をじりじりと横切り、ようやく11番街を北上しはじめる。通りにはいかがわしいのぞき部屋やマッサージパーラー、ボロボロの安アパートがチラホラ見える。家のすぐ近く、42丁目通りで車が停止すると、ある光景が目に入ってきた。

「ママ?」

シートに膝をつき、縮れ毛をボックスブレイズに編んだ頭を窓に押しつけたまま指をさす。

「あの人たち、こんなに寒いのにどうしてあんな服を着ているの?」

ママは窓の外に目をやったまま、わたしの手を引っ張ってシートに座らせる。通りの角には3人の女性が立っていて、寒さに手をこすり合わせている。3人とも丈がものすごく短い、派手な色のニットのワンピースを着ている。1人は網タイツを、もう1人は太ももの上まで届く黒いブーツを履いている。だが、この寒空で誰もコートを羽織っていない。

ダウンジャケットで着ぶくれた人々が、彼女たちなどまるで存在しないかのように、急ぎ足でその前を通り過ぎていく。女性たちの視線は広い通りのこちら側と向こう側を行ったり来たりしている。誰かを待っているみたいだ。

「ママ」

とわたしは再び尋ねる。

「あの人たち、どうしてあそこにいるの?」

ママは長い褐色の髪を片方に寄せ、息を吸い込んで、わたしを見る。

「アリ、人は困難を乗り越えるためにはね」

と、ゆっくり話し出す。

「したくないこともしなくちゃならないの。彼女たちはただ、生きるためにあそこにいるのよ」

わたしは長い間ママをじっと見つめながら、幼い頭でその言葉の意味を理解しようとする。ママは彼女たちがどんな仕事をしているのかについては語らなかった。理解するには娘は幼すぎる。彼女たちを斡旋(あっせん)するのはドラッグの売人で、薬物や現金と引き換えに売春を強要していることも教えてくれない。

それでもママが伝えようとしてくれた真実は、今もわたしの胸に残っている——あの３人は、好きで街角に立っているわけじゃない。仕方なくそうしているのだと。

わたしはそれ以上何も言わずにひび割れた革のシートに腰をおろし、心の中で自分に誓った。わたしは絶対に彼女たちのようにはならない。破廉恥な服を着て、無力で、自分の意志で生きられないような女性には絶対にならない。

わたしは11歳。いつの日か歌手になれることを信じていた。４歳からずっとそう思ってきた。それでもエージェントは、歌以外の様々な仕事を持ってくる。そのひとつが、デパートのカタログに載せる下着のモデルだ。わたしの胸はペッタンコだったけれど、ママに付き添われ少し不安げに撮影現場におもむく。更衣室のカーテンを閉め、パッドが入った白いブラとコットンのショーツを身に着ける。全身鏡に映る自分を頭のてっぺんからつま先まで眺め、この仕事をどう受け止めればいいのか分からなくなる。それでもカメラに向かっておずおずと笑いかけ、横にいるママをチラチラと見る。

〈何をそんなに緊張しているの〉自分を落ち着かせようとして心の中でつぶやく。〈それほどひどい仕事ってわけでもないじゃない〉

数週間後、完成したカタログが届く。

「来たわよ！」

わたしが載ったページを開きながら、ママが呼ぶ。手を伸ばしてカタログを受け取り、ソファに身を沈める。写真を見ていると、動悸（どうき）がしてくるのが分かる。そのときまで、スタジオという閉じられた空間で行われたことが、全世界に露出されてしまうということを、わたしは自覚していなかったのだ。

「あたしのこんな姿を友だちにも見られてしまうの？」

ママはわたしのリアクションに驚いたようだった。写真にいやらしさはまったくない。わたしのおっぱいはグレープフルーツじゃなくミカンぐらいのサイズだし。それなのに、わたしは誰かに値踏みされたような気分だった。裸にされ、辱めを受け、さらし者になった気がした。

わたしは19歳。あと数ヵ月でファーストアルバムがリリースされ、わたしの人生は劇的に変わることになる。『Songs in A Minor』が発売される前の人生と、発売されてからの、奇跡と挑戦に満ちた人生とに。でもこのときのわたしはまだそのミラクルを知らない。2000年も押し詰まってきた頃、わたしに分かっているのは初めて雑誌の表紙を飾るということだけ。

この業界では、仕事にパブリシティはつきもの。売り出し中の新人アーティストならなおさらだ。〈これは絶対に逃してはならないチャンスよ〉と自分に言い聞かせる。〈わたしの音楽を知ってもらう、またとないチャンス〉スタイリスト、マネージャー、レコード会社のスタッフなど、わたしをサポートしてくれるすべての人がこの機会に期待している。

カメラマンとがっちり握手を交わしたとき、彼の雰囲気が伝わってくる。エネルギッシュだが、ちょっと強引な感じだ。スタイリストが選んでくれた服はジーンズにジャケット、ボタンがついた白いシャツ。着替えていると、カメラマンがわたしと2人きりで撮影をしたいとスタッフを説得している声が聞こえる。更衣室から出て行くと、セットには彼とわたしだけになっていた。

「シャツのボタンを少し開けて」

続けざまにフラッシュを焚きながら、彼は指示を飛ばす。心の中で、何かが間違っている、こんなはしたない真似はしたくないと叫ぶ。でも抗議の声は喉の奥に引っかかったまま出て来ない。

「ジーンズの前を下げて」

と彼は命令する。〈イヤだと言ったら、せっかくのチャンスを逃してしまう〉わたしは不安な気持ちをぐっと呑み込み、ジーンズとお腹の間に親指を入れ、言われたとおりにする。

その日、家に帰ったわたしは、今までの人生でいちばん泣いた。肌を見せることが嫌だったわけじゃない。その後もわたしは、自分の意志で肌を露出することはあった。悲しかったのは、人に操られモノとして扱われたように感じたからだ。ヘルズキッチンの街角に立つ娼婦を見たときの自分への誓い、それを破ったことに耐えられなかったのだ。

「これは、いったいどういうことだ?」

数ヵ月後のある午後、マネージャーのジェフに問い詰められる。彼が手にしているのは例の雑誌だ。表紙に写っているのは自分ではない、別の女性のように見える。お腹の上のほうはむき出しで、乳首を腕で隠し、下げたジーンズからはアンダーヘアがのぞきかかっている。

ポーズも、けだるい雰囲気を演出する照明も、何から何まで違っている。それを見てわたしは動揺し、自分の一部を売り渡してしまったことを恥じた。

なぜあのカメラマンがスタッフを部屋から追い出したのか、今なら分かる。19歳の女の子を言いくるめるのに、百戦錬磨のマネージャーたちは邪魔だったのだ。ジェフがその場にいたら、わたしに代わって言ってくれたはずだ。「それは違うだろう。シャツの前を開けるな。乳首を見せるな。ジーンズをずり下げるなんてあり得ない」ジェフはみずからわたしのシャツを引っ張り上げようとさえしたかもしれない。カメラマンが明らかに挑発的な写真を撮りたがっていたのは分かっていた。

発売日にニューススタンドの前を通ると、あの雑誌が並んでいる。わたしは吐きそうになった。世界中の売店を回ってすべての雑誌を買い占めたい。本当のわたしを写し出していない写真など誰にも見られたくない。

そのときに強く思った。もう二度と誰にも自分の意志を奪うことは許さないと。その誓いを、今も守っている。

現在のわたしは、道のりを作ってくれたすべての人に感謝をし、たどってきた人生に恐れすら感じながら、ここに立っている。ここに至る道は都会のジャングルからはじまり、音楽業界の浮き沈みを乗り越え、わたしの野望のはるか上を行くものだった。その旅の最中にも、何度となく自問してきたことがある。本当のところ、わたしは何者なんだろう？　もし真実の自分を発見したら、その真実を受け入れるだけの強さがわたしにあるのだろうか？

　この2つの問いが、つねにわたしの人生の根幹にある。経験してきたことをパズルのピースのように集め、そこに光を当てることは、わたしにとっては真実を語るためのトレーニングなのだ。長い間、他人に気を遣って自分を抑え、自分の意志を犠牲にしてきた。でももう、自分を偽り、みずから作り出した檻（おり）の中で生きるのはやめようと思う。

　自分の輝きを、自分の手で弱めるのはもうおしまい。この本を書くのは、今までに負ってきた傷や自分の弱さも含めて、あるがままの自分と向き合い、そして自分のすべてを明かす勇気を持つためだ。真実を語ることで自由になるには、まずは真実を解き放つ勇気を持たねばならない。

　わたしは完成された人間ではない。かつての自分から今の自分へと、いまだに変化の道半ばだ。あきれるほど矛盾した人間でもある。あふれるほどの愛情を注がれた子どもでありながら、得られなかった愛を求めている。心の中に壁を作り、感情を押し殺してしまいがちだ。何事にも否定的になるかと思うと自由人のようにふるまったりする。才能を隠すこともあれば、見せびらかしたくなることもある。色々な場を経験し、様々な人と出会ったことで、今のわたしはわたしになったのだ。人に影響されない、恐れない、覚醒したわたしに。

これまでの旅について語るにあたり、ようやく周囲の雑音を遠ざけ、自分自身の言葉で話すことができるようになった。今は自分の持つ力を知り、それをコントロールできていると感じる。やっと自分を信じることができるようになり、最も知りたかった答えはみずからの中にあるのだと、理解するようになった。

そして何よりも、本当の自分は何者なのかについて、日々新しい発見がある。わたしが、もっとわたしらしくなっていくのを、今は感じている。

CONTENTS

装丁	佐々木伸
本文デザイン	木村真理子
校正	株式会社ぷれす
翻訳協力	オフィス宮崎
編集協力	岡田剛（楓書店）
編集	平沢拓＋原田麗衣（文響社）

PART ONE : DREAMING

夢想

夢は、色付きではっきりと描くこと
そして、実現するまで描き続けること
——アリシア・キーズ

1

仮面の下

UNMASKED

2006年秋、ニューヨーク・シティ

わたしは楽屋にいる。楽屋と言ってもただの小さな灰色のスペースで、まるで今日のわたしみたいにちっぽけで生気がない。美容室用の椅子に座り、電球で縁取られた鏡をのぞき込んでいる。まもなく、本日二度目かつ今週四度目の写真撮影がはじまる。3時間しか寝ていないのに。疲労で頭はズキズキ痛み、唇が小刻みに震えてきて、思わず椅子の端を握りしめる。遠くで聞き慣れた声が名前を呼ぶ。

「アリ？」

さかのぼること3年前、わたしは2枚目のアルバムをリリースした。セカンドアルバムは失敗する、というジンクスを破り、『The Diary of Alicia Keys』はわたしの予想をはるかに超えて爆発的にヒットした。血管にはアドレナリンが流れ、胸には感謝の念を抱きながら、わたしは二度目のツアーに出発した。

一度目よりもさらに過密スケジュールで、あちこちの都市に行ったはずなのに、街についての記憶がない。

「サーカスだってもうちょっと長くいるよね」

クルーとよく冗談を言い合った。夜にステージを行い、終わるとすぐに次の都市へ。次のホテル。次のステージ。車窓の外を流れていくビル群。自分がどこにいるのかさえ分からなくなることもしょっちゅうだった。

「ここはどこだっけ？」
バックステージでよくマネージャーに確かめた。オークランドやアトランタやデトロイトの観客に向かって「ヒューストン！」と叫ぶことがないように。
スタッフはわたしのすべての時間を予定で埋め尽くす。わたしはそのプレッシャーを背負い、息切れし突然倒れてしまうかもしれないと思いながら、ハードなランニングマシンに挑んでいた。雌ライオンの集中力とハスラーの覚悟を持って、前に突き進んだのだ。
その頃には、鎧（よろい）をがっちりと身にまとうようになっていた。気分が落ち込んだり、やる気が起きなかったり、不機嫌だったり嫌気がさしたりしているときも、けっしてそれを表に出さない術（すべ）を学んだ。そうした人間らしい一面が少しでも顔に出そうになると、それを振るい落として顔に笑みを貼りつける。
「アリシア、一緒に写真を撮ってもらえますか？」〈もちろん〉
「ねえアリシア、フォトセッションをもうひとつ追加してもいいかな？」〈もちろん大丈夫〉
「アリシア、サインもらえる？」〈喜んで〉
わたしはもうわたしではなくなっていた。すべてのリクエストに応えることにとらわれ、ノーと言うことが怖かった。こうして、ずっと移動し、荷造りと荷解（ほど）きを繰り返しながら、いつも誰かを喜ばせ喜ぶふりをしながら、わたしは最高のパフォーマンスを見せることに全力を尽くした。この笑みに表裏はなく、わたしは見た目どおり完璧にハッピーなのだと、世界に思い込ませていたのだから。

　その完璧なショーは、じめじめとした秋のその日、その楽屋で、終わりを迎えた。鏡をのぞき込むと、わたしの顔は何層ものメイクで覆われている。別のキャラクターになり、別の誰かのふりをし、自分ではない誰かを演じるために。すると突然、鋼鉄のマスクが粉々になり、用心深く隠してきた顔と、虚しさが露呈する。わたしは言葉が出ない。身動きすることもできない。しばらくの間は、呼吸すらできなかった。涙がひと粒こぼれ落ちる。

「アリ？」

　と呼ぶ声がまた聞こえる。顔を上げるとエリカがいた。４歳からの幼なじみで、今は日々のこまごまとしたことを引き受けてくれるマネージャーを務めている。

「何があったの？」

　心から心配するその声を聞くや否や、わたしは堰を切ったように泣き出した。泣き声が漏れないように手で口元を覆うけれど、涙はどんどんあふれて白いシャツを濡らしていく。嗚咽で時折つっかえながらも、わたしは言葉では表せない気持ちをなんとか彼女に伝えようとした。燃え尽きて無気力になってしまっていること。自分が自分でなくなっている孤独感と断絶感で押しつぶされそうになっていること。スピードを緩めず、後ろを振り返ることもなく何年間も走り続けてきて、心と身体がうまくつながらず、バラバラになってしまっていること。

「ねえ、こんなことやらなくたっていいのよ」

わたしの背中に優しく手を置きながら、エリカは言う。

「今日の予定はキャンセルしましょう。嫌なことはいったん忘れて、ひと休みしましょ」

「ひと休み」奇跡のようなスターダムを駆け上がり、多くの人が手を伸ばしてもつかみ取れない夢をつかんだわたしにとって、そこから距離を置くというのは考えてもみないことだった。スポットライトを浴び、ステージの中央に立つためには、冷徹であり続けなければならない。それは自分の音楽、自分のソウルを人々に届け、彼らとつながるために、支払わなければならない代償なのだ。

夢が魔法のように叶ってしまったわたしには、休むなんて考えられなかった。自分がハッピーじゃないそぶりを見せるなんてできない。本心を口にして、感謝の気持ちがないヤツだと思われたくない。その代わりにブーツの紐をギュッと締め、しっかりと前を見て、ひたすら進んできた。感情を押し殺し、日々鎧で自分を覆い隠してきた。しかしその午後、撮影用ライトの容赦ない光の下、25年分の抑圧と我慢が爆発し、涙となってシャツにしたたり落ちたのだ。

　ひと休みしたいわけじゃないの、とエリカに告げる。ここを飛び出してしまいたいのよ。この虚構の世界、ずっと暮らしてきた籠の中から逃げて、遠くに行きたいの。友の顔を見つめながら、頭の中をグルグル回っている問いは口に出さずにいた。〈もし休んだら、いったいどうなるんだろう。イベント、写真撮影、コンサートは？　そしてわたしはどこへ行くの？〉

　すると、魂の奥底にあるどこかから、自分でも理解しがたい、予想外の返事が返ってきた。

「エジプト」と。

2

すべてのはじまり

BEGINNINGS

アリシアの母、テリ・アージェロの話

アリシアがお腹にいると分かった1980年、わたしは30歳手前で、女優の仕事を探しにニューヨークからロサンゼルスに移ろうかと思っているところでした。予定外の妊娠だったので、母に電話で相談したわ。

「早まったらダメよ」

と母は言いました。父親候補は1人じゃなくって……なにしろその頃の世の中は「フリーラブ」モードだったから。カレンダーをチェックして、この人だろうなと当たりをつけたの。アリシアの父親とは前から知り合いだったけど真剣な交際ではありませんでした。3回目のデートで妊娠、しかも避妊していたのに。男の人って、みんな突き破りたがるでしょ？　そうなってしまったら、受け入れるしかないわよね。

母や女友だちに相談したわ。産むことのメリットとデメリットをリストアップしてね。本当にわたしが子どもを育てられるだろうか？　とじっくり考えてみたの。わたしにはちゃんとした仕事がある。住むところもある。ティーンエージャーでもない。

アリシアの父親に妊娠を告げたときには、もう心を決めていました――この子を産むと。

ママの身体(からだ)にはソバカスがいっぱいある。わたしたちは43丁目と9番街の角に寄り添って立っていた。ママのソバカスだらけの温かい手が、わたしの小さな手を包む。わたしたちはずっと2人だけで寄り添って生きていた。わたしは絡め合った、ママのベージュの指と、自分の茶色の指を見比べる。

「ママ。ママはまだ白いのね」

とわたしは言う。ママはわたしを見てから、青になった信号を見上げる。

「そうよ、アリ」

笑みを浮かべながら言う。

「ママはまだ白いわ。さ、渡るわよ」

4歳のわたしは、なぜママの肌が自分と同じ色じゃないのか不思議だった。ママの身体にある何百ものソバカスがいつか集まって、ママの肌をわたしみたいな茶色にしてくれるんじゃないかと思っていた。人種というものがあることを知らなかったし、それが人を隔てたり貶(おとし)めたりすることも知らなかった。住んでいるヘルズキッチン界隈(かいわい)の人種は多彩だったので、自分はなぜ母親に似ていないんだろうと疑問に思うこともなかった。分かっているのは、愛する母が、週末にわたしのチリチリの髪を編んでくれ、寝るときにはそばに抱き寄せてくれるこの女性が、わたしの唯一の家族だということだった。

わたしの人生は、好奇心が芽生えたこの頃からはじまったと言える。この世に生を授けてくれた女性と手をつなぎながら、わたしは様々なことに気づき、疑問を持ち、世の中のことを知っていく。たとえ肌の色は異なっても、ママとはすごく解け合っている感じがした。


母はわたしが知る白人女性の中でいちばん黒人ぽい人だ。日曜日の午後、我が家のアパートで過ごしているとき、彼女はお気に入りのジャズやR&Bのアルバムをかけて、心のおもむくままに身を委ねた。マイルスやエラやスティーヴィーやセロニアスが恋の曲を奏でると、母は目を閉じ音に合わせて腰を揺らす。わたしはソファからそれを眺めてクスクス笑い、一緒に歌った。母は怒るとものすごく怖かったが、音楽に対しても情熱的だった。わたしの愚かなところ、自発的なところ、アートへの情熱は、すべて母から受け継いだものだ。そして母は、自身の両親からそれらを受け継いでいた。

ママはデトロイト出身で、モータウン発祥のこの地に、1950年、9人兄弟の4番目として生まれた。ママの両親、ドナ・ジーンとジョゼフ・〝リトル・ジョー〟・アージェロの出会いはウェイン州立大学だった。ある日の午後、ジョーがキャンパスの芝生に座っていると、天使の歌声が聞こえてきた。近くの合唱室で１人の女性が歌の練習をしていたのだ。

「俺はあの子と結婚するぜ」

　まだドナの姿を見てもいないのに、彼は友だちに冗談でそう言った。実際にその姿を見ると、その声以上に魅力的な女性だった。そして２人は恋におちた。ジョーはカトリックのイタリア系移民の息子、ドナはイングランドとスコットランド系の家庭の生まれで、ジョーより2歳年下だった。まもなく、２人は結婚することとなった。

　祖父母はデトロイトで結婚生活をはじめたが、ラジオのＤＪをしていた祖父は、母が６歳のとき、ＷＯＨＯラジオで仕事をするため家族とともにオハイオ州トリードに移り住んだ。カリスマ性と才能をあわせ持っていた祖父は、祖母を口説いたときと同じように、またたく間にリスナーの心をつかんだ。彼は美声のＤＪだっただけでなく、ニュース番組のディレクターや、『ローン・レンジャー』、『グリーン・ホーネット』といったラジオドラマの俳優としても活躍した。ラジオ局にいないときは、１９５５年製のサンダーバードコンバーチブルで市街を流し、あちこちのパーティに顔を出しては、愛嬌（あいきょう）を振りまいていた。祖父の身長は１６５センチしかなかったけれど、母が言うには30メートル分ぐらいの存在感があり、どこへ行っても人を魅了したそうだ。

　祖母のドナは、優秀なピアニストで歌も上手だったけれど、音楽の夢をあきらめて家庭に収まった。祖父に負けないぐらい才能があり社交的だったが、少し繊細すぎるところがあり、結婚前から躁うつ病による気分の浮き沈みに苦しむようになっていた。ジョーはそんな妻を献身的に支えた。子どもたちにとっては、父は陽気で楽しい人であるとともに、厳格な存在でもあった。日曜日の昼前、家族全員でミサから帰宅すると、彼は息子たちと大騒ぎをしたり、娘たちをからかったりと陽気にふるまった。しかし、家族の誰かがルールを破ったり、いたずらが過ぎたりすると、ひと睨みで全員を黙らせることができたそうだ。

１９６３年のある晩、そんな家族のすべてが変わる出来事が起こった。当時12歳だった母は、３人の姉妹たちと２階の寝室をシェアしていたが、１人のいびきがひどいのに辟易して、ベッドを抜け出し床に寝転がっていた。すると、木の床板の隙間から悲鳴が聞こえた。母はあわてて飛び起き、階下をのぞき込むと、祖母が電話に向かって叫ぶのが見えた。

「今すぐ救急車を！」

母は階段を駆け下りた。そこで見た光景は、いまだに脳裡に焼きついているという。それは祖父が胸をおさえたまま前のめりに倒れ、苦しそうにあえぐ姿だった。しばらくするとサイレンの音が聞こえ、救急隊がジョーを担架に載せて運び出した。しかし彼は再び家に戻ることはなかった。

祖父が亡くなった後、母は何週間も学校の自分の机の上に彼の写真を置いていたそうだ。

それが亡くなった祖父を身近に感じるための母のやり方だった。一家は絶望的なまでに悲嘆にくれたものの、アージェロ家らしく立ち上がって前に進みはじめた。祖母も仕事を探したが、精神状態が不安定なために、どんな仕事も長続きはしなかった。薬を飲んでいる間は安定しているのだが、薬をやめるとうつに陥ってしまう。医者は、当時流行っていたショック療法を祖母に勧めた。患者の脳に電流を流してけいれんを起こさせ、そのけいれんが脳内の化学物質を刺激し、一時的に症状が緩和するという恐ろしいものだ。何年間もこの治療に耐えた祖母の苦しみは、想像に余りある。

祖母ドナは自分の実家から金銭的な援助を受けていたものの、9人の子どもたちを養う金額には程遠かったので、働ける者は全員働いた。ママも生きるためには働かなければならなかった。中学、高校を通じて、彼女は庭の芝刈りをしたり、ナビスコの工場で働いたりした。野球場でバックネット下のペンキ塗りをしたこともある。それでも学校での課外活動はやめずに続けていた。グリークラブ、ダンス、チアリーディング。ママは自分の父親と同じく、アーティストの道に進むことを夢見る女の子だった。

母が演劇に取りつかれたのはまだ幼い頃だ。祖父が亡くなる数年前、ベビーシッターのアルバイトを探していた母は、通りの向こう側に住んでいるリリアン・ハナム・ディクソンというダンスの先生と知り合いになった。ママは、ベッドメイクをしながら「Over the

Rainbow」を声を張り上げて歌ってしまうような、創造性あふれる子どもだったので、アーティストだったディクソンさんを気に入ってまとわりつくようになった。

　彼女がジャズダンスを教えていたユダヤ人コミュニティセンターのレッスンにも通った。そして母がセントラル・カトリック・ハイスクールを卒業する夏には、ディクソンさんの計らいでニューヨークに連れて行ってもらい、ブロードウェイの舞台を観ることもできた。

「あなたのお父さんは、子どもたちにはアーティストを目指して欲しくなかったのよ」祖母はよく母に言った。「たちの悪いビジネスだからね」しかしママの夢はもう決まっていた。

　ママが高校を卒業すると、ディクソンさんは言った。

「あなたのダンスは問題ないレベルよ」

「今度はニューヨークに行って演技の勉強をしなさい」

　1969年、彼女はニューヨーク大学芸術学部を受験し、合格した。ウェイトレスのチップを貯めたなけなしのお金を手に、世界で最も競争の激しいエンターテインメントの聖地へと向かったのだ。

　ママはめいっぱい努力した。コースの履修とオーディションの合間に電話会社で働き、それ以外に単発の仕事もこなした。オフ・ブロードウェイやオフ・オフ・ブロードウェイでいくつか役をもらえることはあったけれど、学位を取得した後も、演劇だけで食べていくことはできなかった。単発の仕事を色々とこなしながら生活していたとき、42丁目の奇跡が訪れる。ヘルズキッチンの西42丁目から43丁目、9番街から10番街の間に広がる団地、マンハッタン・プラザが、アーティストに門戸を開いたのだ。

住戸の3分の2に政府が補助金を出し、ダンス、演劇、音楽、テレビ業界で生計を立てている人に貸し出すという計画だった。そのうえ、浮き沈みの激しいアーティストにとってはありがたいことに、家賃は収入の一定割合に留(とど)めるという。ママは入居希望を出し、46階のワンルームを借りることができた。

この高層アパートは、わたしが子ども時代を過ごした場所でもある。わたしの夢が形になり、飛び立った場所だ。１９８０年の春の夜、このアパートの部屋で、ママはわたしを身ごもった。情熱的な行為の結果だったが、ママは迷っていた——つまり、わたしはこの世に生まれてこなかったかもしれなかった。

わたしが生まれたとき、父はその場にいなかった。１９８1年1月のある夕方、ニューヨークの気温が氷点下になる頃、ママはすでに分娩(ぶんべん)がはじまっている状態で病院に運び込まれた。主治医は分娩に間に合わなかったため、研修医が代わりに担当したが、必要な切開を行わなかった。ママは、身体を引き裂かれるような苦痛の中、どうやって病院代を工面しようか考えていた。その翌日、わたしの父親クレイグ・クックが新しい彼女と一緒に新生児室に現れた。出産のドタバタはとっくに終わっていたが、その光景はこの一言に尽きる、あり得ないほど異様（awkward as hell）。

その日の出来事は、色々な意味で、後のわたしと父クレイグとの関係をそのまま暗示している。彼は何か大変なことが起きると、それが過ぎ去った頃になって姿を現し、そしてまた去っていく。彼がわたしと過ごした時間もあったはずだが、その記憶は今やおぼろげになっている。

たとえば、4歳ぐらいの頃、父と父の最初の奥さんと一緒にセント・トーマス島の旅行に連れて行ってもらったこと。10歳の頃に、父が時折学校に迎えに来てくれたこと。当時わたしが好きだったお菓子にちなんでわたしを「スキットルズ」と呼んでいたこと。

でも、つねに母親のそばにぴったりとくっつき、その手を強く握りしめて生きてきた小さな女の子にとって、年に何回か、気安い笑顔でやってくる父の存在は心許せるものではなかった。それに父と一緒にいると、おろしたての靴を履いたときのような居心地の悪さを感じた。サイズ自体は合っているのに、履いている時間が短すぎて、革が足の特徴や癖になじんでいかないのだ。

クレイグは、彼なりのやり方で、わたしを愛してくれていたとは思う。当時のわたしが知らない大人の事情もあっただろう。でも年端もゆかない子どもは、自分の目から見た世界しか知らないのだ。朝早く、布団に横たわったまま天井を眺め、なぜ自分は遠ざけられているんだろうと考えたときの気持ち。わたしは父にとっていったいどんな存在なのだろうと。

　父クレイグはママより2歳ほど年下だ。偉大な祖母ヴァーゲイルに守られて、ハーレム地区で育ち、アメリカが大きな転換期を迎えていた1970年代に思春期を過ごした。ヴァーゲイルは1950年代に看護師になる勉強をするため、メリーランド州アナポリスからニューヨークに出てきた。当時としては先駆的な行動だったと思う。

　南部出身の黒人女性は若くして結婚し、職業はメイドか主婦が当たり前だと思われていた時代だったから、勉学のために何百キロも移動することは革新的だったにちがいない。彼女は在学中にクレイグを身ごもり、1人で子どもを育てながら学業を全うし、卒業して看護師になった。クレイグの父親と結婚することはなかった。

　この父方の祖母は、当時はまれだった人種間の自由交流精神を発揮して、ミゲル（マイケル）・ジュゼッペ・ディ・サルバトーレと出会い、恋におちた。彼はイタリア系アメリカ人で、義理の兄弟と一緒にハーレムのフルーツスタンドで働いていた。わたしは彼らをナナとファファと呼び（ナナ、ファファは祖母、祖父の呼称）2人は数年後に結婚した。

「君に新しい家を買ってあげる」

結婚後、ファファはナナに宣言した。ナナはすでに美しい内装がほどこされた、広々としたアパートをハーレムに所有していた。でもファファが一家の大黒柱の務めを果たせるようにと、彼が購入した家に移ることを決めた。それはロングアイランドにある簡素なランチ様式の住まいで、広さは前のアパートの3分の2しかなかった。夫婦はこの家に、さらに2人の養子を受け入れて育てた。その頃には、ファファはフルーツスタンドの仕事を辞めて警察官になっていた。2人が結婚したときに16歳になっていたクレイグは、この家で2年ほど過ごした後、アトランタのモアハウス大学に進学するため家を出た。

大学はクレイグの性に合わなかった。1年間在籍した後、彼はニューヨークに戻り、地方検事の事務所でしばらく事務員として働いてから、ハーレムの第29管区の警察官を1年間務めた。その後ようやく、アッパーイーストサイドにある高級洋服店の販売員に落ち着いた。

背が高く、粋で魅力的だったクレイグは、女性にもてた。共通の友人を通じて母と出会ったのはその頃だ。彼らの友情は戯れの恋に発展し、後に母がわたしを身ごもった夜を迎えることになる。クレイグはその後、販売員の仕事から、飛行機の客室乗務員へと転職していた。最初はクイーンズがベースだったが、後にミズーリやコロラドに移った。わたしが子どもの頃、彼はつねにニューヨークを出たり入ったりしていて、わたしの前に姿を現すときと同様、その行動は予測不可能だった。

クレイグは、自分の実の父親が誰なのか、知らされることはなかった。彼の出生証明書には、父親の名前と職業「警察官」だけが記されていた。

「お父さんに会いたい？」

彼がまだ子どもだった頃、何度か母親に訊かれたそうだ。クレイグは実父が誰かなんてまったく興味がなかった。母親と継父のマイケルからじゅうぶんに愛されていたからね、と何年も後にわたしに教えてくれた。それでもなお、クレイグに父親がいなかったことが、彼とわたしの関係にも影響を及ぼしたのだと思っている。

父親のいない彼が、ある夏の日わたしの母に妊娠を告げられ、父親はあなただと言われたとき、どんな気持ちがしただろう。彼はまだ27歳だったし、後に本人が言うには、まだ自分探しの最中だった。クレイグは、子どもは父親なしでも育つと考えていた。父親になるという重い責任を引き受ける心の準備もできていなかった。

父がいない空白は、ナナとファファが埋めてくれた。子どもが生まれる予定だと息子から打ち明けられたとき、ナナはこう言ったそうだ。

「赤ん坊をこの目で見るまでは、その話は聞かなかったことにするわ」

わたしが生まれると、ママはナナに手紙を書いて、孫娘となる赤ん坊がどれだけ可愛いか書きつらねた。まもなく、クレイグが腕に赤ん坊を抱いて、ナナの家に現れた。

「孫娘だよ」彼は誇らしげに言い、ナナに赤ん坊を手渡した。ナナはわたしを抱き、もう離そうとはしなかった。

ナナとファファからはあふれるほどの愛情を注いでもらった。月に何度か、週末を彼らの家で過ごすため、ファファはロングアイランドから車を飛ばしてわたしを迎えに来た。ピアノのリサイタルや発表会にも欠かさず来てくれた。母のお母さんであるグランマ・ドナは、ときどきは面倒を見てくれたけれど、ママの子育てのセーフティネットの役割を果たしていたのはナナとファファだった。

その頃のママはロックフェラー・センターにある弁護士事務所でパラリーガルとして働いていて、出張のときはナナとファファのところに預けられた。ママと一緒にアパートの1階に降りていくと、ファファはいつも先に来て、わたしを待ってくれていた。グレーの中折れ帽にトレンチコート、腰には拳銃の入ったホルスターという昔ながらのイタリアン・スタイルで、車のシートに背を預けている。

「アリシアだよ！」

アパートの回転扉から外に出ると、彼はそう叫んで出迎えてくれる。そしてすぐに車に乗せられ、自分の家以外で唯一安心できる場所へと向かうのだ。ナナとファファ、そして10歳年下の弟コールとの出会いをもたらしてくれた点だけは、クレイグに感謝している。

これほどまでに愛情深い祖父母に囲まれてもなお、わたしの心の奥には孤独感があった。この世界で、母とわたしは2人きり。他には誰もいない。母にはわたし、そしてわたしには母しかいない。口に出さずとも、おたがいにそれは分かっていた。

わたしにはいつも持ち歩いている大好きな写真がある。もう色あせてボロボロになってしまったけれど、そこには母が、優しいまなざしでわたしを見つめる姿がある。母の髪が格子縞のシャツに落ちかかり、3歳のわたしが隣にちょこんと座っている。母のまなざしには神々しさがある。勇気を出して産むことを決めた子どもへの深い愛情がある。父を早くに亡くして苦労を重ね、そして今は我が子を人生の荒波から守ろうと必死に立ちはだかる女性。そこには、祈りとパラリーガルの安月給を支えに、わたしをしっかりと育てようとする母の姿がある。

わたしの幼少期を決定的に変えた出来事は、何気ない一言からはじまった。

「ピアノを置く場所はある?」

それは1987年春のことだった。母とわたしは、マンハッタン・プラザの9番街のアパートに住む隣人を訪ねていた。わたしがその家に住む友だちと遊ぶ間、母親たちは近況を報告し合っていた。1人のお母さんが「もうすぐ引っ越す予定なの」と言うのが聞こえた。

ミュージシャンでピアノの調律師でもある彼女の夫は、ピアノを2台所有していた。わたしの人生を変える一言を彼女が発したのはそのときだった。

「アップライトを置く場所はある？」

母は即座に答えた。

「あるわよ！」

「自分で手配してくれるなら、持って行っていいわよ」とそのお母さんは言った。

1週間後、ベートーヴェン・ピアノズから男が2人やってきて、アップライトを台車に載せ、50ドルの運送料で運ぶのを、わたしはリビングの窓から眺めていた。ピアノは台車の上でぐらつきながら中庭を横切り、わたしたちが住む10番街の建物に運ばれ、貨物用エレベータを上がり、ついに我が家の玄関にやってきた。ピアノがリビングの真ん中に現れたその午後から、わたしの運命が変わった。

幼稚園で初めてピアノを見たときから、わたしはそれに夢中になった。幼稚園のヘーゼル先生は元ダンサーで、子どもたちを芸術の世界へ誘ってくれた。『キャッツ』や『ドリームガールズ』などの劇を計画して、オーディションで役を割り振る。わたしも一度、『オズの魔法使い』のドロシー役に選ばれた。自分が上手に歌えて、しかも歌が好きだということに気づいたのはこのときだった。

でもピアノには、それ以上に魅了された。ヘーゼル先生はよくミュージシャンを招き学校のホールで演奏会を開いていたが、あるとき、女性ピアニストがやってきて、長くて細い指を鍵盤の上で優雅に踊らせる姿を見たとき、わたしは虜（とりこ）になった。ステージに置かれたピアノの誇り高く崇高な姿、木製の武骨なフレーム、つやつや光る鍵盤の白と黒のコントラストの美しさ。その日、演奏会が終わると、あの鍵盤に指を滑らせてみたい一心で、ステージのそばから離れられなかった。

1年生のとき、まだアップライトを譲り受ける前に、わたしはピアノのレッスンを受けたいと自分から母にお願いした。レッスン料のためにあと何時間残業を増やさなければならないか、彼女は計算していたと思う。わたしがピアノに興味を持ったと聞いて、ファファは電子キーボードを買ってくれた。うちのリビングの片隅に置けるサイズのものだ。ピアノの先生は、母の友人からの推薦で、マーガレット・パインという女性に決まった。彼女は6歳から高校卒業までの、わたしの生涯でただ1人のピアノの先生となった。鍵盤の前に座り、最初の和音を奏でた瞬間から、わたしは夢中になっていた。

母は、娘が好きなことを見つけられるように、そして荒っぽい環境でトラブルに巻き込まれないためにも、アルビン・エイリー・ダンススクール、体操、バレエなど、わたしの空き時間を習い事で埋めるようになった。ママの友だちであるレッキー・ブラウンの計らいで、初めてのテレビ出演も果たした。４歳のとき、『コスビー・ショー』に出て、ハクスタブル家の末っ子ルディの友だち、マリア役を演じたのだ。演技をするのは楽しかったけれど、成長するにつれて、ピアノのほうがずっと好きになっていた。

ファファが買ってくれたキーボードも素晴らしかったけど、本物のピアノの感触や音とは比べものにならない。当時、学校にあったアップライト・ピアノにずっと憧れていた。だから、中古のピアノが突然我が家にやってきたとき、当時のわたしはスタインウェイのグランドピアノが来たかというぐらい、天にも昇る気持ちになったものだ。

ピアノは傷だらけで、音もひどく外れていた。どうやら１９２０年代から１９３０年代に流行った自動演奏ピアノだったらしい、とママは言った。自動演奏装置はついていなかったけど、それが設置されていたらしい隙間があった。白鍵は黄ばみ、ところどころひどく欠けていた。椅子はピアノ用ではなく、脚がガタガタして座面は割れていた。それでも、わたしの目に映ったそのピアノは完璧に見えた。

それまでは中国風のおりたたみスクリーンがリビングを仕切っていたが、今度はピアノがその役割を果たした。その頃には、ワンルームからワンベッドルームのユニットに移っていた。ワンベッドルームの部屋は狭かったが、わたしたちは何度も模様替えをしたものだ。母がリビングに自分のスペースを作り、寝室をわたしに譲ってくれた。背の高い本棚を部屋の仕切りにして、ピアノを壁際に動かしたこともある。それでも子ども時代のほとんどは、あのピアノがわたしの2つの世界の境界線になっていた。布団が載ったベッドとドレッサーがリビングの片側に、そしてピアノを隔てて、ソファ、テレビ、小さなダイニングテーブルはその反対側に。

年を追うごとに、パイン先生はわたしを新たなステージへと導いてくれた。習いはじめの頃は、硬い椅子に座り、日が暮れるまで何時間も退屈なスケールを練習した。少し上達すると、日本のスズキ・メソードという厳しい練習法を採り入れた。ベートーヴェンのソナタ、モーツァルトのコンチェルト、サティのプレリュードをマスターし、その後エリントン、ウォーラー、マクパートランドといったジャズのスタンダードナンバーに進んだ。

午後、ジョプリンの「The Entertainer」を練習していると、ヘルズキッチンに住むアーティストたちが奏でる様々な音が聴こえてくる。ヒップポップやサルサ、トゥパック、ソルト・ン・ペパ、プリンス、そこにフルートやバンジョー、さらにはセリフの本読みをする声まで加わって、アパート内に共鳴していたものだ。

何十年もの間、ここマンハッタン・プラザはそうそうたるアーティストたちを生み出してきた。警備員をしていたサミュエル・L・ジャクソンからテネシー・ウィリアムズ、ラリー・デヴィッド、ケニー・クレイマー、テレンス・ハワード、パトリック・デンプシーに至るまで。こんなアーティストの巣窟みたいなところに住んでいたおかげで、毎日長時間ピアノを練習していても、文句を言われたことは一度もなかった。

わたしのお気に入りはショパンだった。彼の曲はピアノ界でもひときわ詩情豊かだと思う。弾けば弾くほど奥が深く、その暗い情熱と胸が痛むような辛辣さは今もわたしの心を揺さぶる。パイン先生は、偉大な音楽はひとつのスタイルに縛られたりしないという考えの持ち主で、わたしもそれに同感だった。先生はわたしが多様なジャンルに触れる機会を与えてくれ、そこに自分の魂や情熱を乗せて演奏するよう励ましてくれた。

たとえば大好きなブライアン・マックナイトの曲「Never Felt This Way」がラジオで流れると、先生はそれをベースに曲を作り、演奏するよう指導した。教科書的ではなかったけれど、このクリエイティブなやり方はわたしにはぴったりの指導法だったと思う。じつは11歳のとき、レッスンをやめたいとママに懇願したことがある。理由その1、うちの家計ではレッスン料をまかないきれていないから。理由その2、暖かい季節は外で友だちと遊びたいから。ママはきっぱりと拒否した。

「他の習い事だったらやめてもいいわよ。でもピアノだけはダメ」

話し合いの結果、ずっと真面目にピアノの練習を続けたら、夏休み期間中は休んでもいいという妥協点で決着した。

　あのときママがなぜ断固としてピアノを続けさせようとしたのか、今のわたしには分かる。わたしはピアノを弾くために生まれてきたような子だったのだ。才能というものが、遺伝子として受け継がれたものなのか、環境によって発達するものなのかは分からない。でも、当時のわたしは鍵盤に指先が触れるだけで、本当の自分になれる気がしていた。

　ピアノとわたしの関係は、交際期間を経て愛を育んでいくようなたぐいのものではなかった。目と目が合った瞬間に理解し合える、自然にすっぽりとはまる相手だった。アパートの部屋で1人留守番をする午後には、かならずピアノに向かった。音に一心に身を委ねていると、世界はしんと静まり返る。1人きりの至福の時間、わたしの指は言葉ではとうてい表せないものを紡ぎ出していった。


「あなたは誰？」

　ママはぴしゃりと言った。家の電話で同級生の男の子といちゃついた会話をしていたら、ママが子機から割り込んできたのだ。

「アリシアはもう切らなきゃならないの」わたしたちが何か言う前に、ママは宣言した。

「もう寝る時間を過ぎてるので」〈ガチャン〉

　母は本当に厳しかった。昼間は職場で訴訟のための書類を作り、夜帰宅するとアージェロ裁判長に変身する。裁判長の唯一のミッションは娘を監督すること。母親が裁判長なら、こちらもうまく立ち回るしかない。ママのマシンガンみたいな尋問がはじまったら即座に証拠を見せて反論できるように、準備しておくのだ。

「いったい何を考えてるの？　それはどういう意味？　どうしてソファの下に使用済みのコンドームがあるわけ？」

準備をして身がまえていても、母に問い詰められると、わたしは彼氏との電話を切られたときのように間抜けな顔をしてそこに突っ立っているしかなかった。

「彼はただの友だちよ」

必死に言い訳をすると、母はあらためて我が家のルールを持ち出してくる。午後9時以降の電話は禁止。わたしが学校から帰ってから、ママが帰宅するまでの間、家に男の子を入れるのも禁止。どちらのルールもしょっちゅう破っては、ものすごく怒られた。

ママは容赦ない。それは今でも変わっていない。父の不在がわたしの人格形成に影響しているとしても、最終仕上げをしたのはママの炎のような情熱だ。ママの感情には中途半端なところがいっさいない。怒るときは、１００％激怒する。反面、母が話を聞いてくれるときは、誰よりも優しく献身的に接してくれる。

スモーキーやカーティス、スライ＆ザ・ファミリー・ストーンがかかれば、母は真っ先に踊り出し、飽きることがなかった。あんなに情熱的で、自分に正直な人はいない。ただ、今日の母はどちら側の人なのかは、その日になってみなければ分からなかった。天使のママか、悪魔のママか。

13歳のとき、友だちとジム・キャリーの映画『マスク』を観に行きたいと母に言って、お許しをもらった。すると翌日、一緒にバスに乗っていると、母が突然訊(き)いてきた。

「昨日の映画はどうだったの？」

「すっごーく面白かった！」

必死に作り笑いをした。

「あんなクレイジーなストーリー、見たことない！」

ママはにこりともせず、わたしをジロッと見た。

「何がそんなにクレイジーだったの？」

「彼が……えーと、ジム・キャリーが、引っかかったところ」

「何に引っかかったの？」

「ただ引っかかっただけ」とわたしは答えた。「よく覚えてないわ」

恐ろしく勘の鋭い母によって、わたしは1分もしないうちに、真実を白状させられていた。わたしは『マスク』を観に行く代わりに、母から禁止されていた『氷の微笑』を友だちとこっそり観に行ったのだ。取り調べのシーンでシャロン・ストーンが足を組みかえると、何も穿（は）いていない下半身が見えるあの映画である。当然のことながら、ボコボコにされるかと思うぐらい怒られた。

その年の終わり頃、わたしは勇気を出して母にポケベルをねだった。携帯電話が普及する前のことで、ポケットベルを持つのが流行っていたのだ。

「14歳の子どもにどうしてそんなものがいるわけ？」

と母は言った。わたしは知恵を働かせて、同じアパートに住むお姉さん的存在だったミーシャに協力を求めた。

「もしアリシアにポケベルを持たせれば、メッセージを受け取りしだい公衆電話（懐かしい！）から連絡をもらえるから、彼女の居場所を確認できるわ」

とミーシャは母を説得してくれた。母はミーシャを信頼していたので、めでたくポケベルＯＫになったが、母にはそれを買うお金がなかったので、名付け親のティティ・アリがお金を出してくれることになった。このラウンドはわたしの勝ちだったけれど、多くの闘いでは母に負けた。たとえばドアノッカーと呼ばれる、拳が入りそうなほど大きな輪っかのイヤリング。おねだりしたけれど、ママの「論外」の一言で却下された。

ママは、わたしが危ない目に遭わないように、厳しくせざるを得なかった面もある。わたしは今のように観光地化する前のタイムズスクエアの近くで育った。当時のヘルズキッチンは、その言葉どおりの場所だった。多くの家で、キッチンとはみんなが来ては去り、そして集まる場所だ。暑くて、汚れやすくて、騒がしくて、悪臭がする。わたしの育った場所は、まさにそういうところだった。

1990年代はじめ頃の「世界の交差点」タイムズスクエアは、夜通し眠らない悪の巣窟だった。わたしが住むアパートのそばには、子どもがふらっと入って悪い買い物ができる店がいくらでもあった。たとえば偽造IDカード（「トンネル」というクラブにこっそり入るのに使った）、マリファナ（わたしも友だちと吸った）、コンドーム（前にも書いたが、処女を失った日、なぜか使用済みのものが我が家のソファの下で発見されることになる）。

危険は至るところに転がっていた。稼ぎが少なかった娼婦（しょうふ）を殴るヒモ。寒さをしのぐためにゴミ袋にくるまるホームレス。意識朦朧（もうろう）となって倒れ込むヘロイン中毒者。悪い遊びをしにやってきた男たちを乗せるモグリのキャブ。ここはニューヨーク・シティの中でも特にはみ出し者が集まる場所だった。

1日14時間も働き、クタクタになって帰宅することが多かったママは、わたしが幼いうちから、こうした環境で生きていく術を教えた。近寄ってくる人には気をつけなさい。道の左側を歩くこと。人のことをじろじろ見てはダメ。注意を引くことをしない。そしてどんなときも、立ち止まらず動き続けること。

11歳になる頃には、もう1人で地下鉄とバスを乗り継いで家と学校を往復していた。寄り道をしないで家に帰ったか、母からチェックの電話がかかるので、それまでに帰宅しなければならなかった。

いつも、自分は年齢より大人びている気がしていた。なぜなら、ニューヨークという街は人を早く大人にしたから。また、学年を2つ、1年生と11年生を飛び級したせいもある。幼稚園に入ったときは、すでに読み書きができた。パラリーガルの母から「供述書（affidavit）」とか「召喚令状（subpoena）」といった難解な単語を教わるような子どもだった。学校生活を通じて、わたしはつねに先頭でありビリでもあった。勉強熱心な優等生である反面、同級生の中ではいちばん年下だったからだ（なぜか背はいちばん高かった）。

母が言うには、わたしには生まれながらにして老成したようなところがあり、1人でいるのを好んだそうだ。他の子どもたちと楽しく遊ぶけれど、その子たちがいなくなっても寂しがりはしない。自分の居場所を取り戻し、1人でいる静けさやピアノに向かう孤独な時間に満足していた、と。今もそれは変わらない。

わたしはボーイッシュな女の子だった。そのほうが安全だという地域の事情もあったけれど、そういうファッションがかっこいいとも思っていた。5年生以降は、オーバーサイズのセーターにバギーパンツ、ティンバーランドのブーツといった服装ばかり。このいで立ちなら、誰かが追いかけてきても逃げきることができる。それに、身体にフィットした服を着ると娼婦に間違われたり、その気があると思われたりする危険があるのだ。

わたしは豊かな縮れ毛をジェルでまとめ、ぎゅうぎゅうのお団子にしてヘアゴムでまとめた。ときには、スティーヴィー・ワンダーみたいな１９７０年代風の編み込みにすることもあったけれど、女の子っぽくするのもそこまで。ピアノを弾くには短く切っておかなければならないのでネイルはしなかった。

花柄、レース、ピンク色、スカートなど、ヒラヒラしたものは大嫌い。男の子っぽい服装に合わせ、話し方も乱暴な感じにしていた。これは、自分の繊細さをガードしつつ、悪い人たちを遠ざけるのに役立った。

わたしは自衛本能が強く、それが人間関係にも影響していると思う。まだ幼い頃から、誰かを１００％信用することはめったになかったし、本当の自分を見せることもなかった。この年になってもなお、なぜ他人との間に高い壁を作ろうとするのかは、よく分からない。もしかすると、幼少時にからかわれたことが発端になっているのかもしれない。

４歳のとき、友だちが誤ってわたしの長いお下げ髪を何本か切り落としてしまい、理髪店ですべての髪を短く切ったことがある。「男みたい！」と子どもたちはわたしをからかった。

しばらくして髪がワイルドに伸びはじめると、ママはそれをとかして、２つの巨大なフワフワにまとめた。からかいはエスカレートした。アリシア・アージェロ＝クックという名前もからかいに拍車をかけた。

「アリシアがJELL-O（アメリカで定番のお菓子）を作ってるぜ！」

としょっちゅう言われていた。

９歳の頃、学校の陸上チームに入っていたことがある。丈の短いショートパンツはわたしの育ちすぎた太ももをあらわにし、クラスメートからじろじろ見られたり、陰口を叩かれたりした。本当に内向的になっていったのは11歳のあの出来事がきっかけかもしれない。ほっそりとして華奢だったバレエの先生に、レオタードからはみ出したお尻の肉を「押し込む」よう指示されたのだ。

二度目に同じ指示をされたとき、わたしのお尻は他の生徒たちのように「押し込む」ことはできないほど大きいのだと、はっきり悟った。それまではまったく気にならなかった自分の丸みを帯びた体型を、それ以来、強く意識するようになった。

自分が内向的になったきっかけを特定するのは難しい。多くの場合、ひとつの出来事ではなく、いくつかの瞬間が積み重なって心に傷となって残り、自分も、他人も信じられなくなっていくのだろう。そうして年を重ね、気がつくと17歳とか25歳とか37歳になっていて、最後に自分のために生きたのはいつだったのかも思い出せなくなっているのだ。

ありがたいことに、わたしが内向的になっていった原因は、少なくとも人種問題ではなかった。ミックスであることは、少なくともわたしにとっては、アイデンティティ・クライシスや典型的な人種間の軋轢（あつれき）を引き起こすことはなかった。おそらく、ニューヨーク・シティで生まれ育ったからだろう。

ニューヨークは世界１５０ヵ国以上の人が集まる、巨大な人種のるつぼで、様々な人種や文化が行きかう場所だ。人の出身地や人種よりも、意志ややる気が重要視されるこの街で、わたしのルーツを詮索したがる人などいなかった。

９番街を歩くと、建設現場の作業員から「ヘイ、マミ！」とからかわれるため、多くの人にはわたしがプエルトリコ系か、南米のどこかにルーツがあるように見えるのだろうが、その程度だ。

「あなたは両方の世界のいいとこどりよ」

とママはよくわたしに言った。そのとおりだった。でも、アメリカという国はつねにどの人種に属するのかを決めたがることもママは分かっていたので、ママはわたしを黒人として育てた。

幼い頃から周囲には気の置けない友がいて、自分のすべてをさらけ出しはしなかったが、彼らといると安心できた。ポケベルのいたずら仲間のミーシャは、文字どおり生まれたときからの友だちだ。他にもそんな友だちが2人いる。キャットとエリカだ。

キャットは、母親同士が子どもが生まれる前からの友だちだ。そしてエリカはミーシャの年下のいとこで幼なじみ、何年も後にわたしのマネージャーになった。エリカとは別のミーシャのいとこ、サシャとジュリーは、女性だけの音楽グループにわたしを誘ってくれた。

当時のミーシャは18歳ぐらい、父親はノーマン・ヘッドマンという名の知れたパーカッショニストで、その頃はニュー・キッズ・オン・ザ・ブロックと仕事をしていた。サシャとジュリーは16歳か17歳で、わたしはまだ9歳だったから、グループに入った後は、彼女たちのスピードについて行くのに必死だった。わたしたちは真剣に活動し、ポップスを練習し、動きを合わせ、アパートの広場で何時間も歌いまくっていた。わたしはこのグループが次のジャクソン5になると信じていて、そうなればわたしは末っ子マイケルの立場になるんだわ、とひそかに想像していた。

11歳になると、仕事をしてお金を稼ぐことに熱中した。何人かの友だちとベビーシッター・クラブを結成し、アパート内に住む学齢期の子どもの面倒を1時間5ドルで引き受け、みずから司令塔となって、自宅のリビングルームから仕事の指示を出した。このクラブは、わたしが高校に入って別のシッター・グループに入るまで、数年間続いた。

わたしは飛び級をしたので、パフォーミングアーツスクールに入学したときはまだ13歳だった。ここでの生活は、まるで『グリー』の世界にいるみたいだった。もちろん、代数や英語、化学やフランス語の授業もあった。それでも教室やホールなど至るところに、アートの片鱗があふれている学校だった。デューク・エリントン、サラ・ヴォーン、ビリー・ホリデイ、スコット・ジョプリン、レッド・ツェッペリン、キャロル・キング。

ここで出会ったジャズの先生、ミス・アジザは、地球上で最も偉大な指導者の1人だ。嫌になるぐらいすごいピアニストで、パワフルなボーカリストでもある彼女は、わたしに作曲、アレンジ、ハーモニーの素晴らしさを教えてくれた。わたしにとってはニーナ・シモン的存在でもある。クラスメートは皆わたしと同じくらい歌やダンスや演劇を愛する人たちばかりで、すぐに打ち解けるようになった。

それでもなお、わたしはずっと仮面をつけていた。人に自分をさらけ出さなければ、自分の愚かさも見られずに済む。弱いところを見せたらそこを狙われる。本当の自分を見せるのは、日記の中だけだった。ママにまくし立てられ、言葉に詰まってしまったときには、日記を開いて自分の気持ちを整理し、言うべきことを書き留める。そうして、再び母に立ち向かった。

日記には、思っていることや不安な気持ちとともに、詩や、書きかけの歌詞や、女友だちとの衝突や、クレイグに対する思いも書き綴(つづ)っていた。紫色のインクで日記を書いている間は、わたしはタフで勇敢で有能で強い人間でいる必要はなかった。あるがままの自分になれた。

3

ソロになる

FLYING SOLO

アリシアの父、クレイグ・クックの話

アリシアが14歳のとき、手紙が送られてきた。もう会いたくないと書いてあった。その頃わたしは2番目の妻マーシャと、彼女との間に生まれた3歳の息子コールとともにコロラド州に住んでいた。

手紙を読んで心が痛まなかったと言ったら嘘になる。でも当時の状況から言えば、彼女の気持ちも理解できるし、仕方なかったんじゃないかな。父親としてあまりそばにいてやれなかったことは確かだ。彼女はティーンエージャーで、どんどん大人びていく時期だったけど、弟のコールはまだ小さかったからね。妻もわたしも航空会社で働いていたから、子育ては2人で協力する必要があった。どちらかが仕事で家を空けるときは、もう一方は家にいて息子の面倒を見なければならない。そんな生活の中で、コロラドからニューヨークに飛ぶ時間はなかなか作れなかった。

でもアリシアに言い訳するつもりはないよ。彼女が父親を必要としていたときに、わたしがそこにいなかったのは事実なのだから。手紙に返事は書かなかった。けれど、心の中で言った。〈いつまでも僕は君の父親だ〉

14歳のときは、3つの出来事があった。ひとつ目は、それから10年以上にわたって、わたしと深く関わることになる人との出会い。2つ目は、父クレイグと絶縁したこと。そして3つ目は、音楽ビジネスの世界への第一歩を踏み出したこと。まだ運転すらできない子どもだったのに。

1995年、わたしはニューヨークで歌いまくっていた。ハーレムからベッドフォード・スタイベサント、マウントバーノンからクイーンズビレッジへと、われらがガールズグループは街に出て、公園や公民館、学校やカフェなど、聴衆がいるところならどこでも歌った。ヒップポップが盛り上がっていた頃で、歩道にも、裏通りにも、ネオンが光る倉庫やガラス張りの高層ビルにも、至るところに音楽があった。

街がいちばん活気づくのは夏の週末。ビートボックスが最新のリズムを奏で、見物客がそれに合わせて踊る。目立ちたがりな連中はカーステレオを大音量で響かせながら、125丁目のアポロ・シアター付近を流している。街全体に電流が走り、バチバチと弾け合っているみたいだった。

いちばんのホットスポットはグリニッチ・ビレッジ。ミュージシャンをはじめあらゆるアーティストが夜な夜な集う街だ。ある晩、もうとっくに寝ていなくてはいけない時間にわたしはクラスメートのクーランディと家を抜け出し、6番街でミュージシャンの集まりに潜り込んだ。彼女はうちの近くに住んでいて、ガールズグループのメンバーではなかったけれど、当時よく一緒に遊んでいた。

ごく内輪だけの集まりに入っていくと、2人ともあのラッパーがいることにすぐ気づいた。背の高い、淡褐色の肌をした彼は、クルーシャルというMC名で通っていた。相棒のラカンタム・ソープ（目立つほど背が高く、長いドレッドヘアをしたキレッキレのビートボクサー）と一緒に、よくワシントン・スクエア・パークでパフォーマンスをしている。彼らはいつものようにフリースタイルのショーを行い、その後集まりは解散となった。クーランディと一緒に地下鉄の駅に向かって歩いている途中、ふと振り返るとクルーシャルが追いかけてくるのが見えた。

「俺はケリーって言うんだ」

少し息を切らせながら、彼は自分の本名を名乗った。ケリー・ブラザーズと言うらしい。クーランディとわたしは素早く視線を交わした。〈彼、キュートね〉

「パフォーマンス、かっこよかったわ」

わたしは言った。彼はありがとうと答え、数ブロック先の駐車場で警備員をやっていて、今は深夜勤務の休憩時間なんだと教えてくれた。

「連絡先、聞いてもいい？」

別れ際に、彼が言った。わたしは嬉しさで顔中笑みだらけになりそうなのをこらえてポケベルの番号を教えた。それからクーランディと8番街まで歩き、C系統の地下鉄に乗って帰路についた。すでに10時半を回っていた。

その晩、母は不在だったが、11時の門限までに戻らないと大変なことになる。1分前に滑り込みで帰宅すると、ポケベルの画面が点灯し、コード「52」が表示された。クーランディが住む通りの番号、そして彼女のポケベルコードだ。

〈別れたばかりなのに連絡してくるなんて？　何か起こったの？〉震える手で、表示された番号を呼び出す。

「もしもし」バリトンの声が聞こえてきた。知らない声だった。わたしの心臓は早鐘のように打つ。

「あなた、誰？」

「ケリーだよ」

彼の声を思い出した。

「さっき別れたばかりだろ？」

もう一度ポケベルの画面を見て、番号を確かめる。確かにクーランディの番号だ。

「あの……あなたのコードは？」

「52だよ」と彼は答えた。（ケリーの）Kはキーパッドの5、（ブラザーズの）Bは2と同じボタンだからね、と。つまり、彼とクーランディはたまたま同じコードを使っていたのだった。このすごい偶然、今思えばそれは神のお導きだったのだ。

それからの1時間、ママが玄関の鍵を開ける音がするまで、わたしたちは話し込んだ。ケリーは自分のことを色々話してくれた。ブルックリン生まれでハーレムとファー・ロッカウェイの間で育ち、子どもの頃ラジオから流れる「Rapper's Delight」に衝撃を受けて以来、ずっとMCになりたいと思ってきたこと。18歳のとき、B-Boy Recordsのプロデューサーが新人を発掘していることを口コミで知り、友だちと一緒にVHSのデモテープをにわか作りしてレーベルに持ち込み、まもなく契約にこぎ着けたこと。

結局その契約はうまくいかなかったけれど、ラップへの情熱は変わらなかった。日中は、日々鍛錬したラップを披露してビレッジで喝采を浴び、夜は生活費を稼ぐために警備員の仕事をする。わたしたちは即座に、たがいの共通点を感じ取った。わたしは、クラシックからスタートし、今はソウルやR&Bに傾倒するピアニスト、彼はヒップホップを深く愛する努力家、2人とも、いつか自分の作品を世に送り出す夢を抱いていた。

当初、2人の間に恋愛感情はなかった。1年ほどの間は、ちょくちょく電話して近況を報告し合い、友だちとして音楽の話をしたり、ミックステープを交換したりしていた。わたしがダウンタウンまで行ったときには、彼が働いている警備員の事務所にふらっと立ち寄って、とりとめのない話をすることもあった。

「何か歌ってみてよ」

ある夜、ガールズグループの最近の活動について話していると、彼は唐突に言った。冷たい夜気の中で、わたしは咳払いをし、深呼吸してから、アニタ・ベイカーのヒット曲「Been So Long」を歌いはじめた。ケリーがあまりに真剣に見つめているので、わたしは最初のフレーズで歌うのをやめた。しばらくの沈黙の後、彼は言った。

「すごい。驚いたよ！　もし俺がレコード会社のお偉いさんだったら、今この場で契約してる」

わたしは顔を赤らめ、続きを歌うことができなくなってしまった。

わたしたちはおたがいにどんどん惹かれ合っていったが、わたしは自分の気持ちを抑え込んでいた。いくらわたしが大人びていたとはいえ、彼はさすがに年上すぎた。最初に会ったとき10代かと思ったが、彼は実際には24歳だった。彼もわたしの年を訊いてきたので、14歳なのに17だと答えた。彼はわたしの嘘を信じたようだった。ケリーはまた、幼い息子がいることを告白した。子どもがいるなんて、わたしとは明らかに別世界の人だ。元妻とはすでに別れていたが、彼は子育てに協力し、子どもの生活を支えていた。やがて彼は警備員に加えて宅配便のＵＰＳの仕事もはじめた。

何年も後になって気づいたことだが、ケリーが父親としての責任を果たそうとする姿を見て、わたしは彼に強く惹かれたのだろう。彼には、わたしがクレイグに求めて得られなかった父性があった。女の子はよく、父親にそっくりのタイプの男性を選ぶか、まったく共通点のない人を選ぶかのどちらかだと言われる。要はどちらの選択も、女性の父親に対する感情を表しているのだ。当時のわたしにとって、ケリーはクレイグと真逆のタイプだっただけでなく、父親不在の傷をいやしてくれる存在だったのだ。当時のわたしは、傷を負っていることにも気づかずにいたのだけれど。

15歳になる頃には、わたしたちの関係は友情から恋愛へと変化していた。わたしは勇気を振り絞って、ケリーとデートに出かけたいとママにお願いした。

「まずは彼に会わせなさい。万が一あなたが家に帰ってこなかったときに、警察に人相を説明できるように」

とママは言った。その晩、夕食に出かけるため彼がわたしを迎えにきた。ママは彼と話をし、紳士的なふるまいを気に入ったらしく、機嫌良くおしゃべりをしながらわたしたちを送り出してくれた。もちろん、彼がすごく年上であることや子どもがいることは教えなかったのだが。ママは意外なことに彼に年齢を訊かなかった。もっとも彼は17歳にも25歳にも見える顔立ちだった。

１９９６年の春、彼とつき合うようになって数ヵ月が経った頃、わたしはケリーに本当のことを話すべきだと思った。

「初めて会ったとき、17歳だって言ったの、覚えてる？」

ある日の午後、さり気なく切り出した。彼はうなずいた。

「あのね、本当は16だったの」

とわたしは続ける。そして彼が何か答える前に、急いで付け足した。

「でも今は17歳よ」実際にはまだ15歳だった。

いつも自分より上の年齢を言っても、疑われることはなかった。顔つきには幼さが残っていたけれど、身体のラインはじゅうぶんに女性らしく、大人びていた。そのせいか同じ年代の男の子たちを子どもっぽいと感じていた。地球でいちばん頭の切れる女性と一緒に暮らして、早熟にならざるを得なかったのだ。母に鍛えられて、大人の論理的思考も早くから身についていたから、同じ年代の若い男の子といるのは退屈だったのだ。

ケリーがわたしの嘘を見破れなかったのも無理はない。わたしはもうすぐ高校を卒業予定だったからだ。高校3年生は普通、17歳か18歳に該当する。実際にわたしは2学年も飛び級していたのだけれど。ケリーはそんなことは考えてもいなかったのだろう。そしてこの嘘は何ヵ月もばれないまま、ある日突然すべてが明らかになる。

父に送った手紙の書き出しは、「大好きなお父さん（Dear Dad）」でもなければ、「クレイグ様（Dear Craig）」ですらない。紙の左上に、「7/10/94」の日付が書かれているだけ。

「あなたに対しては、嫌な気持ちしか持っていないこと、残念に思います」とわたしは書いた。「それ以外には、悲しみが少しあるだけです……もうわたしにかまわないでください。電話もしないでください。手紙もいりません。わたしを気にかけているフリはもうたくさんです。いっさい何もしないでください」

ノートに文章を書き綴っていると、父を求める気持ちが怒りへと変化していくのが分かる。母によれば、父は飛行機に乗って会いに行くと言い、日時まで約束したのに、それが実行されたことはなかったらしい。わたしはリビングの窓際に座って、父が現れるのを待ち望みながら何度もテラスから顔を出した。約束の時間を1時間も過ぎた頃、電話が鳴る。母が寝室で声をひそめながら言うのが聞こえる。

「そう、事情は分かったわ」

まもなく母は不機嫌な顔をしながらリビングにやってきてニュースを伝える。

「こられないそうよ」

以上。会話終了。期待は何度となく裏切られた。

数少ないクレイグとの面会は、ナナの家でということが多かった。わたしが生まれたときと同じように、クレイグはコールが生まれると、彼を腕に抱いて母親の家を訪れ、赤ん坊を抱かせた。実際、クレイグとのぎくしゃくした関係が一時的に修復したのは、コールが生まれたからだった。父はコールとわたしがおたがいに交流を持ちながら成長することを望んでいたので、弟が生まれてから2年ほどは、それまでより頻繁にクレイグと顔を合わせていた。

「君の弟、コールだよ」

父はちっちゃくて壊れそうな小さな生き物をわたしに抱かせた。赤ん坊はすぐにその小さなピンク色の指でわたしの親指を握った。そのときにわたしは、父にそばにいて欲しいと思うのと同じくらい、コールのそばにいたいと思った。

しかし、しばらく小康状態だった父とわたしの関係は、新たな問題により再び悪化した。わたしが高校に入学した年、我が家の家計はこれまでなかったほど苦しくなった。住んでいた格安のアパートの家賃すら払えないことがあった。経済的に厳しい状況で、綱渡り生活を送っていたわたしたちに対し、クレイグからの援助はなかった。2番目の妻と2番目の子どものことは慈しみ、養っていたのに。当時は父も家計が苦しくて、援助したくてもできなかったと後に説明されたが、わたしがいちばん欲しかったのはお金ではなかった。彼の関心と愛情が欲しかったのだ。

ママは仕事を掛け持ちするようになり、長時間家を空けることが多くなった。わたしは家で1人で過ごす時間が増え、ピアノの前に座って、クレイグについてあれこれ考え込みながら、ブルーなジャズを弾くようになった。彼に手紙を書こうと思ったのはそんなある日の午後のことだった。

わたしはもううんざりしていた。彼が守らなかったいくつもの約束に。数々のドタキャンに。年に一度のバースデーカード以外にはほとんど手紙が来ないことに。わたしは小さなダイニングテーブルに腰をすえ、丸文字で、思っていることを残らず書き出した。それからミシン目に沿って紙を切り離し、半分に折って封筒に突っ込み、郵便ポストに入れた。

手紙の返事は来なかった。父は誰かと争うよりは平和を望むタイプだった。だからこそ言い争いになれば一歩も後に引かない母と惹かれ合ったのかもしれない。クレイグ自身は、わたしを遠ざける気などまったくなかったと言う。遠く離れていてもわたしのことを気にかけていて、しょっちゅうナナに連絡して近況を確かめていたと。

クレイグに絶縁宣言の手紙を書いた後も、わたしは心のどこかで、彼が慌てて連絡してくることを期待していたのだろう。その反面、もし連絡が来たとしても、もう父とは関わらないと、14歳のわたしは決心していた。

わたしにとって2つ目のガールズグループは、Ambition にかけて、EmBishon という名前にした。競争を勝ち抜き、ニューヨークの街角から音楽業界の中央に飛び立とうという、ティーンエージャーらしい、いじらしい願いが込められている。3人のメンバーのうち、タネイシャとナタリアは16歳。わたしはまたもや末っ子の14歳だった。

3人がアカペラで歌うと、わたしが当初計画していたジャクソン5というよりは、アン・ヴォーグ（1990年代に登場した力強い4人組のボーカル・グループ）みたいになった。誰か「っぽい人」になりたいとか、誰か「に続く人」になりたいではダメだということは、もう分かっていた。他人が履き古した靴を履くのでなく、自分だけの真新しいシューズで羽ばたきたい。

年は若くてもわたしには経験がある。幼稚園時代に褐色の肌のドロシー役でデビューして以来、わたしはクラシックのレッスンを受け、作曲を学んでいった。初めて曲を書いたのは12歳、愛するファファを亡くしたときだ。彼の死に目には会えなかった。救急車がなかなか来ず、何度も電話をかけなければならなかったことを後で知り、わたしは悲しみに暮れた。

ファファが亡くなってまもなく、映画『フィラデルフィア』を観（み）た。その中で、トム・ハンクス演じるエイズに罹患（りかん）した弁護士アンドリュー・ベケットが、オペラ『アンドレア・シュニエ』の中の心揺さぶられるアリア「La Mamma Morta（They killed my mother）」を詠唱する感動的なシーンがある。映画で泣くことなどめったにないわたしも、このときばかりは、レイトショーの映画館で母と涙が涸（か）れるほど泣いた。真夜中過ぎに家に帰ると、わたしはピアノの前に座って初めての曲「I'm All Alone」を書いた。寝る時間はもうとっくに過ぎていたけれど、ママはピアノを弾くことを許してくれた。創作はわたしなりの悲しみの表現なのだと、ママは理解してくれていた。

祖父はわたしに大事な宝物を残してくれた。祖父を思い出し、記憶の引き出しを開けることで、今まで存在すら知らなかった感情が湧き起こり、歌詞となってあふれ出た。

「1人ぽつんと座り／何がいけなかったのかと考える／どうして人は死ぬの？／どうしていなくなってしまうの？」

幼い頃に作った曲には、当然のことながら深遠さはない。でも、そこには真心がある。初めて誰かを恋しく思う気持ち、胸の痛み、怒り、そして愛。そこには若者にしか生み出せない、年を重ねるにつれ薄れてしまう情熱や性急さがある。どんな芸術も、真の魅力はテクニックではなくその純粋さにあるのだと思う。むき出しの真実に、人は強く心を動かされるのだ。

初めての曲を書いたおかげで、自分の音楽の基盤固めにまた一歩近づくことができた。他のアーティストの模倣をする段階はすでに卒業し、自分の音を探していた。それでもなお、母のレコードコレクションに並ぶ天才たちの音楽は特別だった。マーヴィン・ゲイの「What's Going On」は、カセットテープがすり切れてしまうまで聴き込み、音のひとつひとつすべてが頭に入っているほどだ。聴くたびに、脳みそを吹き飛ばされるような感動を覚えた。

世の中が大きく転換していった時代に、マーヴィンやニーナ・シモンといったアーティストたちは、どのように時代と関わり、曲を作っていたのだろう。彼らの音楽は変化のスピリットをどれほど反映し、人々を導いていったのだろう。想像すればするほど尊敬せずにはいられなかった。まだやっと一歩を踏み出したばかりのわたしだが、いつか彼らのような存在になりたいと思った。

1994年、EmBishonのために作った曲がそのきっかけとなった。夏のある日、わたしたちはハーレムの警察の陸上クラブ（PAL）で歌うことになっていて、そのリハーサルをしていた。練習の最後に、わたしの初期の曲で初のラブソングでもある「Butterflyz」を弾いた。リハーサルをアレンジしてくれたのはタネイシャの叔父グレッグとその友人たち。その日は、ブロンクスで若手にボーカルを教えているコンラッド・ロビンソンがグレッグからの誘いでリハーサルを観に来ていた。

「この曲は君が書いたの？」

わたしが歌い終わると、彼が話しかけてきた。わたしは微笑みながらうなずいた。

「いいかい」と彼は言った。「君たちは磨けばもっと輝けるはずだ。一緒にやってみないか」

彼と別れて建物の外に出るや否や、わたしたち3人はハイタッチをし、喜びを爆発させた。コンラッドからそんな話をもらえるということは、わたしたちには才能があるのかも、と。

当時は知らなかったけれど（そして、ティーンエージャーには刺激が強すぎるから知らなくて良かったと思っているけれど）、コンラッドはR＆B部門のマネジメントで有名なジェフ・ロビンソンと兄弟だったのだ。ジェフはエンターテインメント業界では広く顔を知られた存在だった。

コンラッドとグレッグに助けられながら何週間も練習を重ね、音がバッチリ合うようになった頃、コンラッドはジェフに電話をかけた。

「一度でいいから僕が手がけてる女の子たちを見にきて欲しいんだ」

ジェフにはその手の話がひっきりなしに舞い込んでいたので、あまり乗り気ではなかったようだ。コンラッドは執拗に粘った。ジェフはついに根負けしてＰＡＬまでやってくることになった。わたしたちには何も知らせないまま、ステージ裏のバックルームでショーを観た。

わたしたちはグループ・セオリーの「Tell Me」から歌いはじめ、ノリノリの曲をやり、最後はいつもどおりわたしがピアノを弾いて締めくくった。

ステージから降りると、コンラッドとジェフが現れた。

「僕の兄弟を紹介するよ」

コンラッドはジェフを引き合わせてくれた。

「音楽業界の人間なんだ」

わたしたちは1人ずつ彼と握手をした。平静を装っていたけれど、胸がドキドキしていた。

「良かったよ」

ジェフの感想は、たったそれだけだった。あまり関心を持ってもらえなかったようで、わたしの気持ちは急速にしぼんでいった。帰り支度をしていると、突然ジェフが現れて、わたしを人の少ないエリアに引っ張って行った。

「わたしと一緒にやらないか！　間違いなく成功するよ」

と彼はささやいた。思いもよらないオファーだが、彼は本気のようだった。一瞬、わたしの目は興奮にキラキラと輝いた。だが次の瞬間、また別の事実を悟ってしまった。彼はわたしたち3人グループをスカウトしているのではない。わたしだけに声をかけているのだ。

ジェフは最初から、わたしをソロで売り出すつもりだった。

「君は1人でやるべきだ」

後に顔を合わせたときに言われた。

「君は歌える。演技もできる。作曲ができる。君1人で完璧じゃないか」

わたしは嬉しさに言葉を失った。あのボロボロのピアノが我が家に来てからずっと夢見ていたこと、その夢が実現するかもしれない。それでもわたしは、1人でチャレンジする勇気がなかった。グループでしかパフォーマンスをしたことがなかったし、それが心地良かった。14歳だったわたしには、親しい仲間を捨て、新しい未知の世界に踏み込んでいくだけのパワーはまだなかった。小さなアリ、末っ子のアリとして世に出る姿を思い描いていたのだ。仲間とともにスターダムに上がった後には、マイケルみたいにソロになってムーンウォークをするのもいいけど、今いきなり1人でやるのは嫌。それに当時のわたしには、ソロはとても寂しいもののように思えたのだ。ツアーに出かけても友だちは誰もいない。家族みたいな存在が近くにいない。そんなの耐えられない。

「君の考えは間違ってる」

ジェフは繰り返した。わたしも迷う気持ちを頑なに繰り返し伝えた。ついに彼は、こう言って決断をわたしに委ねた。

「決心がついたら電話してきなさい」

その一言で、わたしはガールズグループのレベルを上げることを決意した。そうすれば、

3人でデビューできるかもしれない。

本当のところ、わたしたちのハーモニーはぴったり合っているとは言えなかった。歌い方も単調になりがちだったし、ときにはキーが外れてしまうことすらあった。わたしたちは、コンラッドとグレッグ、そして他のミュージシャンの指導も受けながら、今まで以上に努力した。

確かに数センチは上達したものの、目指すべき高みは何キロも先だった。いまだアマチュアの域を出ていなかった。わたしたちは練習時間を倍にし、ハモる練習に没頭した。しばらくして、グレッグがレコード会社の重役とのオーディションをアレンジしてくれた（その人がわたしを覚えていないことを祈るばかりだ）。本番で、わたしたちはまったくハモることができなかった。

わたしはこのグループで成功したいと切に願っていた。メンバーは一緒に夢を目指した仲間、彼女たちと別れることはものすごく辛（つら）かった。でも、音楽業界の厳しい現実は、そのまま人生の現実とも重なる。人は成長するためには動かなくてはならない。そしてときには、前に進むために出口から退出する方法しか選択できない場合があるのだ。

オーディションに不合格になってすぐ、わたしはジェフに電話をかけた。

「決心がつきました」

とだけ言った。この宣言から数ヵ月後、わたしは輝く摩天楼の最上階近くでピアノを弾くことになる。この先何が待ち受けているのか、何ひとつ分からないままに。

4

コロムビア・レコード

COLUMBIA

ケリー・ブラザーズ（通称クルーシャル）
アリシアの音楽パートナー、そして初めての恋人

　アリシアが母親と住んでいたヘルズキッチンの家を出た後、俺たちはハーレムのエレベータなしのワンベッドルーム・アパートで同棲をはじめた。日中に仕事を掛け持ちし、夜はアリシアとジャム・セッションという日々さ。はじめの頃は、キーボードとドラムマシンしかなかったんだけど、彼女がレコード会社と契約したとき、「もっと機器がいるんじゃない？」って話になって。サム・アッシュ・ミュージックストアに行って、色々買い込んだよ。寝室をスタジオに作り替えてね。

　アコースティック系の音は、狭くて閉じられた空間のほうが良い音が出るんだ。防音のために毛布を釘で壁に打ちつけたり、天井に緩衝材を貼ったりしてね。夜中から明け方まで、その部屋でセッションやったり、踊ったり、大御所の曲を聴いたり……スティーヴィー・ワンダーやニーナ・シモン、アレサ・フランクリン、カーティス・メイフィールドなんかさ。彼らの素晴らしい曲に比べて、どうして俺たちの曲は薄っぺらに聴こえるんだろうって、２人してスティーヴィー・ワンダーのレコードのクレジット欄を見ると、「そうか！　音を重ねてるんだよ。ワーリッツァー使ってるんだ」って。あ、ワーリッ

ツァーって、エレクトリックピアノのことね。キーボードっぽい音が出るものを探してきて、「聴いて聴いて、ワーリッツァーみたい！」ってはしゃいだり。そうやって試行錯誤を繰り返しながら、より厚みのある音楽を作ろうとしていたんだ。

大理石仕様のベビーグランドで、魂の演奏を終えたところだった。こんなゴージャスなピアノ、初めて見た。右側にはマネージャーのジェフと、コロムビア・レコードの重鎮たちがずらりと並んでいる。トミー・モトーラ、ドニー・イェンナー、マイケル・モウルディン。左側には、床から天井まで届く一点の曇りもない窓ガラスを通して、マディソン・アベニューが見おろせる。

「契約締結ができたあかつきには、彼女にこのピアノをプレゼントしよう」

とドニーがジェフに言う。

「15分後に返事が欲しい」

それだけ言うと、さっさと部屋を出て行ってしまった。

オーディションを受けるのはこれが初めてではなかった。１９９６年1月、15歳の誕生日の直前に、わたしはついにジェフとタッグを組むことを決め、彼はわたしをソロプレイヤーとしてトップレーベルに売り込むべく奔走した。ジェフは手はじめに、長年の友人で、ワーナー・ブラザーズでアーティスト発掘部門の役員を務めるピーター・エッジにわたしを引き合わせた。ピーターはとても乗り気になったが、彼自身に転職の計画があり、タイミングが合わなかった。

彼はその頃すでにワーナーを辞める決心をしていて、クライブ・デイビス率いるアリスタ・レコードに移ることになっていたと、後になって知った。わたしのパフォーマンスを見て、ピーターはサインをしたがった。ただし、アリスタに移った後でという条件がついていた。

そうしている間にも、わたしはあちこちのレコード会社に配るデモテープ作りに励んだ。テープを作って配り歩き、その合間を縫ってライブ活動もした。タレント発掘番組やニューヨーク市内のイベントがほとんどだったが、隣接3州のバーやクラブにも出かけて行った。未成年だったので、客として入ることは禁じられている場所に、エンターテイナーとして乗り込んでいったわけだ。

1997年春、ジェフはショーケースの話をいくつか持ってきた。レコード会社の幹部がわたしの演奏をライブで聴く、1人だけのプライベート・セッションのことだ。バンドなし。バックアップシンガーなし。サウンドトラックもなし。そこにあるのはピアノと、わたしと、わたしの震える指だけ。その指で、ショパンやバッハの洗練された曲とともに、オリジナル曲を披露した。

どのオーディションも、これが最後のチャンスだという気持ちで臨んだ。実際そうだった。貧民街で育ったわたしは、人生をたったひとつの視点から見るようになっていた。それは「サバイバル」だ。チャンスとは、人が走り続けるための希望や原動力にはなるけれど、何かを約束してくれるものじゃない。わたしにとってショーケースは今の環境から抜け出すためのパスポートを手に入れることを意味していた。

その必死さが伝わったのだろう。オーディションを受けたすべてのレーベルが関心を示してくれた。わたしはそれまでにないタイプだったのだ。クラシックのレッスンを受けたピアニストでありながら、スティーヴィー・ワンダーみたいな細い三つ編みを垂らしている。若いのに昔の音楽に対する造詣が深い。そして1970年代を彷彿（ほうふつ）とさせるようなネオ・ソウルな音を奏でることができる。

ジェフは契約金を吊（つ）り上げようと、わたしの獲得合戦を繰り広げた。結局、ピーターはこの競争に加わらなかった。デモテープを配ってからレーベルとの面接まで、すべてがものすごいスピードで進んだので、彼はまだアリスタに完全に移籍できていなかったのだ。

多くのオファーがあった中で、最も好条件を提示したのがコロムビアだった。マイケル・

モウルディンが最終ショーケースのために、そしておそらくは契約獲得を確実にするために、大理石の床を張ったコロムビアの豪華なオフィスに招待してくれたのもこのときだった。

ジェフは、ブロンクス出身の抜け目のないビジネスマンだったので、金銭面の条件を重要視していた。わたしもそうだった。でも、契約金額以上に惹かれたのが、あの豪華なベビーグランドだった。2万5千ドル以上はするだろう。実際、このピアノをあげると言われた瞬間から、わたしは自宅にあるボロボロのピアノを運び出し、代わりにこの美しいピアノを運び込むところを妄想した。妄想はジェフにばっさりと切り捨てられた。

「ピアノぐらいのことで、言いなりで契約なんかしないぞ」

ドニーが立ち去るや否や、ジェフは言った。わたしの考えていることなどお見通しだったのだ。あのピアノは、わたしにとってハリー・ウィンストンのダイヤモンドを目の前にぶら下げられたに等しかった。わたしはジェフに向かって、ピアノを手に入れなければならない理由を思いつく限り並べたてた。

「そんな馬鹿げたことで、ビジネスを考えるな」

と彼は取り合ってくれなかった。

しかし1週間後、わたしは最初に提示された条件で、コロムビア・レコードとの契約書にサインした。ベビーグランドのみならず、レーベルは破格の前払い金を提示して、ジェフとママを喜ばせたのだ。ドニーは新しいピアノをプレゼントするという約束は守ったが、それはあの日弾いたピアノではなかった。契約を結んでからずっと後になって、特別仕様ではない同じブランドの別のベビーグランドが届けられた。

そのときに、音楽業界で生きていくための最初の教訓を学んだ。契約書は、細かい字で書かれている部分までよく確認すること。そして可能な限り最高の条件で契約をし、ピアノは自分のお金で買うこと。

1997年春、わたしはパフォーミングアーツスクールを総代で卒業した。生徒を型にはめようとする教師を批判する、今から思えば顔から火が出そうなスピーチをしたことを覚えている。片手には卒業証書とコロンビア大学の奨学生の証明書。もう一方の手にはサインしたばかりのレコード会社との契約書。わたしの進路は予想もしなかった状態になっていた。卒業式には、誇らしげな親たち、親戚や友人たちに混じって、わたしの恋人も出席していた。彼は、わたしが選挙権すらない年齢であることをまだ知らなかった。

14歳でもう大人になった気でいたぐらいだから、16歳になる頃には母の言うことなどまったく聞かなくなっていた。ママはずっと変わることなく、率直で熱心な母親だったけれど、わたしのほうが変わっていったのだ。子どもの頃の内向的な性格から、じょじょに自分の意見を口に出すようになると、わたしは事あるごとに母に反抗するようになった。朝晩、時間を問わずケリーと遊び歩くようになり、母からひっきりなしにくるポケベルのメッセージを無視し続けた。法律的には未成年だったが契約を得たわたしは、大人に頼らなければ生きていけない子どもから、自立心ある大人へと、急速に変化していった。

レコード会社との契約は、わたしに金銭的な自由をもたらしてくれた。ビレッジからハーレムまで、好きなときに好きなように遊び回りたい。門限など気にせずに、一晩中ケリーの腕の中で過ごしたい。それでいて、まだ子どもでいることの安心感も欲していた。食料がいっぱいに詰まった冷蔵庫。そこにいるだけで安心感を与えてくれる母親。家の玄関を入るたびに感じる、揺るぎない安定感。つまり、わたしは相容れない2つのことを求めていたのだ。ずっとママの庇護のもとにいたいという気持ちと、完全な自立を欲する気持ちと。

2つの矛盾する気持ちと折り合いをつける代わりに、わたしはまったく別の道を選んだ。卒業してから数週間後、137番通りとマルコムXブルバードの近くにあるケリーのアパートに転がり込んだのだ。母はもちろん大反対だったし、法律上わたしを止める権利があった。レコード会社との契約だって、わたしが18歳未満だったため母が保護者としてサインしている。それでもなお、娘を強制的に家に縛りつけてしまえば、2人の間の溝はより深まってしまうことを、賢い母は悟っていた。結局、彼女はわたしを行かせてくれた。

引っ越してまもなく、ついにわたしの年齢が彼にばれる日がきた。ある日の午後、わたしはジェフに向かって母の愚痴を言っていた。母の家を出て自立したはずなのに、彼女はいまだにわたしの人生やキャリアに口を挟んでくるのだ。

「裁判所に行って、未成年に対する親権を放棄してもらうこともできるよ」

とジェフはわたしにアドバイスした。その瞬間、横に立っていたケリーが声を上げた。

「〈未成年に対する親権を放棄〉って、どういうことだ？　なぜそんなことをする必要がある？」

その夜アパートに帰ってから、わたしは白状した。

「初めて会ったとき、17歳だって言ったでしょ？　その後、本当は16歳だったって言ったわよね？」

彼はこちらを見たまま黙り込んでいる。

「本当は14歳だったの」

ケリーはしばらく、口を開くことができなかった。わたしがずっと年齢を偽っていたことにショックを受け、動揺していた。数日の間、口もきいてくれなかった。当然だと思う。事実は、わたしたちの間に重くのしかかっていた。2年間、素晴らしい時間をともにした後、わたしたちはおたがいへの愛で身動きが取れなくなっていた。

それまでの人生では、勉強で苦労したことはなかった。アート系の高校に行ったけれど、アートと学問のカリキュラムを両立するのは難しくなかった。英語やフランス語や三角法でA評価を取るのは、日々ピアノを練習するのと同じくらい簡単なことだった。ところがコロンビア大学に入学してみると、状況はがらりと変わった。

ママは、自分と同様わたしも大学に行くことを望んでいたし、わたしもそのつもりだった。レコード会社と契約した後もその点についてママは頑なだった。コロムビア・レコードのスタッフとの初期のミーティングで、母は事あるごとに口を挟んだ。

「それで、アリシアが大学を卒業したら……」

そのセリフが飛び出すたび、ジェフをはじめその場にいる人は皆黙り込み、まるで彼女がわたしを木星に行かせようとしているかのような目で見た。誰も本当のことを言って母と対立したくはなかった。でも、フルタイムで音楽活動をしながらアイビーリーグのハードなカリキュラムについて行くのは、歯医者で歯を抜きながら出産に臨もうというぐらい無理があった。

それでもわたしはチャレンジするつもりだった。ママと同じく、わたしも良い大学に行って学ぶことは大事だと思っていたし、今までずっと成績も良く勉強も楽しかった。むしろキャンパス生活を楽しみにしていたぐらいだった。

わたしはコロンビア大学に入学し、リベラルアーツを専攻して、必要な科目をめいっぱい取った。そして、皆の予想どおり初日からついて行けなくなった。教授たちが出してくる課題は膨大で、ときには週に何百ページもの本を読まねばならなかった。

日中はすべての授業に出席し、夕方スタジオに向かう電車の中で課題を片づけるというのが当初の計画だった。しかし電車の座席に座り、ホメロスの『オデュッセイア』の長い詩を読んでいるうちに、いつのまにか眠りに落ちている。だいたいニューヨークの地下鉄は、集中して何かをやるには、まったく適していない。駅に停まるたびにストリートミュージシャンが乗り込んできて、演奏しはじめるのだ。

午後6時頃にスタジオ入りし、午前2時か3時まで練習する。そして午前11時の授業では教室のいちばん後ろに座り、フードを頭からかぶって居眠りをする有様だった。〈いったい何の話をしているのかも分からない〉クラスメートたちが課題について議論している間、ずっとそう思っていた。〈教授、お願いだからわたしを指さないで〉ほんの少し予習してきた箇所すら寝不足のため思い出せない。

同時に、この時期はひどく孤独も感じていた。ケリーは複数の仕事を掛け持ちしていて、わたしと時間が合わない。母のところに行っても、留守がちだった。残業をしているか、子どもが巣立った自由な時間をエンジョイしているのか。子どもの時分は母が仕事に出かけ、誰にも干渉されない1人きりの時間を心待ちにしていた。でも、初めて本当に独り立ちしたと感じている今、わたしは不安に陥っていた。

大学に通いはじめて数週間後、わたしはついに救いの手を求めて、大学の学生部長に相談に行った。

「わたし、じつはレコード制作の仕事もしなくちゃならないんです」

と打ち明けた。

「それと同時に、大学の単位も取りたいと思っています」

「それで、どちらもうまくいっているの？」

彼女は答えが分かっているかのように、優しく訊いてくれた。

「いいえ、全然」

いつのまにか涙があふれそうになっていた。

「何もかもやるのは……難しいです」

彼女はゆっくりうなずいた。

「ね、アリシア」

と彼女は言った。

「コロンビア大学は逃げないわ」

わたしは彼女を見つめたまま、言葉を失った。大学に残る道を選ぶよう、諭されるものと思っていたからだ。彼女は続けた。

「今はすべての時間とエネルギーを音楽につぎ込む道を選んだとしても、大学にはいつだって戻って来られるのよ」

学生部長と面談してから1週間、わたしは悩んだ。母を失望させるべきじゃない。大学と音楽のキャリアを両立できるのだと、母にも、自分自身にも、証明してみせたかった。しかし結局のところ、何年も前にヘーゼル先生と出会ったときから、わたしの道は決まっていたのだ。あの日以来、音楽はわたしの心をわしづかみにし、けっしてその手を離そうとはしなかった。

レコード会社と契約をした日は、言葉が出ないほど興奮した。その夜、眠れないまま仰向けになって天井を見上げながら、〈これは本当に、自分に起こっていることなんだ〉と噛みしめたものだ。子どもの頃から、ずっと夢見てきたこと。それなのに、いざその夢が叶いそうになって、わたしは怖気づいていた。

ミュージシャンの多くは、世に見出されるまで何年も辛い仕事をしたり、小さな店で演奏したりして、下積み生活を送る。しかも、ほとんどの人が日の目を見ることはない。それに比べて自分はどうだろう？　16歳にして夢に続く具体的な道が目の前に開けているのだ。人生に二度とこんなチャンスはこないかもしれない。

わたしは決心した。アージェロ裁判長の前に進み出て、大学をやめたいと伝えるのだ。母を説得するには、一分の隙もなく理論武装する必要がある。わたしはそれから数日かけて、言うべきことを整理して、紙に書き留めた。そして母に電話をかけ、ランチに誘った。母は喜んで応じてくれた。わたしはヘルズキッチンにある、いつも混んでいるイタリアンの店を選んだ。

わたしの決断にママが感情的になっても、周りの目があれば少しは自分を抑えてくれるだろう。わたしは約束した時間より前に店に入り、母を迎えた。しばらく近況を報告し合ってから、本題に入る。折りたたんだメモを取り出してゆっくりと開き、テーブルの上に置いた。

「それでね、大学のことなんだけど……じつはかなり大変なの」

と切り出した。

「大変？」

母は眉間にしわを寄せながら言った。

「あなたが大変？　いつもトップの成績だったあなたが？」

わたしはメモを手でもてあそんだ。

「夜、スタジオで練習があるでしょう?」

と恐る恐る話しはじめる。

「授業に今ひとつついて行けないの。大学と音楽活動、両立するのは難しくて……それで学生部長に相談したら……」

ママはフォークを置いた。

「学生部長に何を相談したですって?」

「学生部長には、ええと……うん。それでね、今は音楽に専念して、後で大学に戻ればいいって言われたの」

ママはわたしをギロッと睨みつけた。

「それのどこが良い提案だと言うの?」

一音節ごとに、声がどんどん大きくなっていく。何人かが振り返ってこちらを見た。わたしはメモに目をやって、次の言葉を探す。

「音楽業界で成功するためにも、良い大学に行く必要があるの。あなただって分かってるでしょう?」

「うん、分かってる」

わたしはママが少しでも冷静さを取り戻してくれるよう、ささやき声で答えた。

「でも、音楽活動をやってから大学に戻ってもいいかなと思ってる」

「本当に戻る気があって言ってるの？」

その質問に、わたしは母の目を見て答えることはできなかった。

結局その日の話で、明確な結論は出なかった。母はわたしが大学をやめることを、家を出てケリーと同棲をはじめたことと同じくらい、許しがたいと思ったにちがいない。しかししばらく時間を置くと前回と同様、手綱を緩めてわたしが自分の道を進むことを許してくれた。

「自分もクリエイティブな人間だからこそ、あなたの苦しみを理解することができた」と後で母が話してくれた。大きな目標を2つも同時に追いかければ、結局どちらも中途半端に終わってしまうと。

わたしはコロンビア大学をやめる選択をしたことを、後悔していない。やめなければどうなっていたかと考えてみたこともない。わたしの人生は完全に音楽のほうに向かって流れていた。それに逆らわず、流れに身を委ねたということだ。当時は人生に流れというものがあることも分かっていなかった。でも今は分かる。すべての瞬間、すべての経験、すべての転換点や誤りでさえ、自分が行きつくべき場所に行くための大事な通過点なのだ。だから流れに逆らうよりも、わたしは身を任せることにしたのだった。

「君には別の苗字をつけないとね」

マイケル・モウルディンは強い南部なまりで言った。当時のマイケルはコロムビア・レコードのアーバン部門のトップで、歌手でプロデューサーのジャーメイン・デュプリの父親であり、わたしとの契約を決めた人でもあった。

「何か覚えやすい苗字を考えておくように」

どんな名前をつければいいのか見当もつかなかったけれど、アリシア・アージェロ・クックというわたしの本名が発音しづらいことはじゅうぶんに分かっていた。１週間かけて色々な名前を考えてみたけれど、思いつかない。そこで辞書を手に取ってAから順にページをめくり、ラストネームに良さそうな単語がないか、探してみることにした。アリシア・アンチョビ？　ダメ。アリシア・モノポリー？　却下。ページをめくるにつれ、焦りがつのる。

「アリシア・ワイルドっていうのはどう？」

ある晩、ママに訊いてみた。

「ストリッパーの名前みたいじゃない」

ママはにべもなく答えた。確かに、そのとおりだわ。

数日後、マイケルから名前を考えてきたかと訊かれる。

「はい、〈ナダ〉はどうでしょうか」

「僕にもアイデアがあるんだ」

　とマイケルが言った。

「昨晩、ブリーフケースの鍵を失(な)くす夢を見た。書類を出すのにどうしてもケースを開けなくちゃいけないのに、いったい鍵はどこに行ったんだ？　と探す夢さ。そして朝目覚めたとき、この単語がひらめいた……。〈keys〉アリシア・キーズ(Alicia Keys)というのはどうだい？」

　わたしの顔に笑みが浮かんだ。

「キーズ」

　ゆっくりと言ってみる。

「アリシア・キーズ」

　口にした途端、ずっとこの名前だったみたいに自然な感じがした。わたしの活動の中核である、ピアノの鍵(キー)とも重なる。そして鍵は、扉を開けてくれるものだ。

「気に入ったわ。この名前でお願い」

　とマイケルに伝えた。

　こうして名前はスムーズに決まった。しかしアルバム制作はそうはいかなかった。春に契約を結んだときは有頂天になったわたしだが、夏には地に落とされた。レコードの作り方など何ひとつ知らないという現実を突きつけられ、もがいていた。

レーベルと契約するということは、開け放たれたドアから中に入るようなものだ。いったん中に入ってしまったらたった1人ですべてをやらなくてはならないが、入る前は誰もそれを教えてくれない。定期的なチームミーティングのようなものもない。創作上の方向性を示してくれる人もいない。そこには自分と、手柄を我がものにしようと手ぐすねを引いているプロデューサーが何人かいるだけ。わたしは心底怯（おび）えていた。16歳にして、商業的に成功するアルバムの作り方など、皆目見当がつかなかった。

そこで、有名プロデューサーと一緒に曲を書くことになったが、このコラボレーションはすぐに挫折した。スタジオでのセッションに新しく作った歌詞を持ってきて、最近ブラッシュアップさせたピアノ曲に合わせて歌ったときのことだ。

「ピアノ先導じゃない、もっとアップビートな感じにしないと」

しばらく歌っていると、そんな指摘が飛ぶ。〈ピアノ先導じゃない？　この人、わたしのこと分かって言ってるの？〉またあるときには、プロデューサーたちが書いた歌詞はわたしの視点とはまったく異なるものだった。アーティストとしてのわたしと、俎上（そじょう）に載せられる音楽との間に、大きな隔たりができていた。

異議を唱えると、レーベルの幹部は別のプロデューサー連中を送り込んできた。その人たちとも感性が合わない。ある日のセッション後、最悪な出来事が起こった。1人のプロデューサーが、何か言いたそうな顔をして近づいてくる。ジーンズの前からは、硬くなったものが飛び出していた。

「なあ、この後ちょっとうちに寄らないか？」

　馬鹿らしくて返事をする気にもなれない。こんな状況が続く中、コロムビア・レコードからは毎週のように催促される。

「曲はまだできないのか」

　何ヵ月もの間、わたしは胸がむかつくような気持ちでスタジオに通っていた。制作プロセスに嫌気がさしていたし、自分に自信も持てずにいた。闇雲にわたしを売り出そうとするだけで、ちゃんとコラボする気もない、頭が凝り固まったプロデューサーたちに囲まれて、良い作品など作れるわけがない。どうにかして自分のやり方を見つけて、前に進まなくては。

　コロムビアのスタジオにいるよりも、ケリーと住むアパートの手作りのスタジオのほうが、仕事ははかどった。前払い金で手に入れた機器を使い、ケリーとわたしはときには夜明けまで踊ったり、即興で曲を作ったりして、ただ音楽を楽しんだ。

　そこには自由と遊び心があった。単純に音楽を好きだという気持ちでいると、曲があふれてくる。ミュージシャンとしてのわたしたちの結びつきは、恋人同士としての関係と同じくらい素晴らしいものだった。コロムビアと契約してから数ヵ月後、わたしはプロデュース・

パートナーになってくれないかとケリーに頼んだ。彼は承諾し、仕事を辞めてわたしのプロデュースをすることになった。

これは、わたしがそれまでに下した判断の中でも最高のものだった。それ以降、わたしは行き詰まることがなくなった。ケリーは複雑なプロデュース技術を独学で身につけていて、そのすべてをわたしのために使ってくれた。即興セッションは、もはや毎晩の習慣となり、おかげで隣近所とは微妙な関係になった。午後6時、仕事開始の時間になると、ポケベルや携帯の電源を切る。そしてそこから6時間、ぶっ続けで演奏するのだ。わたしたちは自分たちが感動できる音を見つけることに没頭していた。

素晴らしい曲がいくつかできた時点で、ジェフは機器がちゃんと揃(そろ)った本物のスタジオを予約した。ベーシストやドラマーに来てもらって演奏を録音し、後でわたしのピアノや歌と合わせるということもやった。母から成功のために必要な2つの〈d〉、自律(discipline)と勤勉(diligence)を教え込まれていたおかげで、自分の仕事に集中することができた。

どうやってアルバムを作り上げるのかはまだよく分かっていなかったけれど、集中する術は知っていた。魂を込めて曲を書く術も。2人がプロデュースした曲はすべて、わたしの目から見た人生の一部を切り取って、表現したものだった。わたしが1人で創作を行うことを支持してくれたジェフとマイケル・モウルディンも、出来上がった作品に満足してくれた。

1998年夏、アルバムは完成に近づいていた。と、わたしは思っていた。この時期、コロムビア・レコードは大幅な人員整理を行い、わたしの最大の擁護者だったマイケル・モウルディンはレーベルを去り、新たな幹部たちがトップになった。

「これはいったい何だ？」

わたしの曲を聴いた後、新しいヘッドの1人はジェフに向かって言った。

「確かにソウルフルだけど……。でもポップじゃなく、ラジオ受けしそうもないよね？　デモテープみたいな曲だな」

わたしに期待されることが、変わっていった。わたしの曲も、わたしのイメージ戦略も。彼らはわたしのチリチリの髪をストレートに伸ばして、背中に垂らすよう指示した。体重を落とすよう要求した。ドレスの丈を短くし、歯を白くし、胸の谷間をめいっぱい強調するよう命じた。ヘルズキッチンのボーイッシュな女の子だったわたしを、次のポップアイドルに仕立て上げようとしたのだ。つまり、わたしのアイデンティティそのものを変えさせようとした。

レコード会社はマーケティングの鬼だ。新人アーティストはレーベル幹部が売れると判断したイメージどおりに作り替えられる。そして1990年代に売れていたものは？　ホイットニー・ヒューストン、マライア・キャリー、ジャネット・ジャクソンといった女性ポップスターたちである。レーベル幹部の多くは、革新的な音楽というものにはあまり興味がなかった。

　大事なのはニッチな市場を開拓することではなく、今ある市場で売れるように、アーティストを作り上げることだった。最終目標は創造力ではなく、商業的な成功。ポップスの歌姫が悪いと言っているのではない。ただ、それはわたしじゃないということだ。問題だったのは、髪をコーンロウに編み、クラシック曲をヒップホップのリズムとバスラインに乗せつつ、ゴスペルも少し入れるような天才ピアニストをどう売り出したらいいのか、誰にも分からないことだった。

「もっとラジオ受けする曲を作ってあげるよ」

とコロムビア・レコードの新しい幹部はわたしに言った。でももう手遅れだった。右も左も分からなかった小娘は、数ヵ月で知恵をつけ、もう彼らの言いなりにはならなかった。わたしはケリーとのプライベート・セッションを続けるうちに、自分なりのやり方で、自分のやりたいように物事を進めることに慣れてしまっていた。レーベルが連れてくるプロデューサー連中とスタジオに入る気なんてさらさらない。

　アルバムのための曲が「デモテープ」と評されたことを聞いたときは、心からショックだった。まるで生まれたばかりの自分の子どもを醜いと言われたような気分だった。

「きっとうまくいくよ」

わたしが深く落ち込み、何週間もの間ベッドから起き上がれないうつ状態に陥ったときも、ケリーはそう言い続けた。

「あきらめるな」

わたしが臥せっている間、ジェフは弁護士を雇い、コロムビアとの和解案を模索してくれた。こういうとき、多くのマネージャーはタレントに対して激怒したり、レコード会社の言うとおりにしろと圧力をかけたりするのだろうが、ありがたいことにジェフはずっとわたしの味方でいてくれた。

「君の才能が分からないって言うなら」

と彼は言った。

「分かるヤツを探してきて契約するまでさ」

そこから、わたしの曲の所有権をコロムビアから取り戻すための闘いがはじまった。

「曲の権利だけ返してくれたら、黙って去ろう」

ジェフと弁護士たちはコロムビア幹部とかけ合った。しかし彼らは権利を譲ろうとはしなかった。明らかにわたしの曲なんか大嫌いという顔をしていたのに。

自分が作った曲を残したまま、ここを立ち去るのは嫌だった。わたしが将来売れたときにコロムビアが得をすることになるからだ。それに、権利を残していけば、彼らはマスター録音をわたしの同意なしに第三者（テレビ番組や映画など）に使用させることもできる。多くの新人アーティストは、曲の権利をレコード会社にサインひとつで売り渡す。それがとりあえずこのビジネスに食い込むために支払わねばならない代償だからだ。そしてこれがまさに、モータウン系のアーティストたちに起こったことだった。

彼らはミリオンセラーのヒットアルバムを数多く出したにもかかわらず、曲の権利はすべてレコード会社にあったので、後年多くのアーティストが破産したり、経済的に困窮したりするはめになった。レーベルは通常、一度手に入れた権利を売ったりはしない。権利を手に入れ、それを頑なに維持することが彼らの仕事なのだ。

わたしに自分の曲と言えるものはまだないかもしれないが、わたしの声はわたしのものだ。わたしのイメージ、わたしの行動や意志もわたしのものだ。1日何時間も中古のピアノに身をかがめ、いつの日か自分の曲を世界に発表できることを祈っていた女の子。弱い心を隠すため、一生懸命強がっていた女の子。キラキラした服ではなくパーカーを、ハイヒールの代わりにティンバーランドのブーツを好んだ女の子。

今も自分の中にいるその子を裏切ってレコード会社に屈服し、自分というものを売り渡したら、もしかしたらわたしは売れっ子になっていたかもしれない。しかし同時に、ものすごくみじめな気持ちにもなっただろう。ステージに上がり、好きでもない歌を歌うこともできた。でもそれは誰か別の人の夢を叶えているだけ。自分の夢ではない。それは自分には考えられなかった。

コロムビア・レコードを去るための闘いは、わたしがアーティストとして示した初めての抵抗であり、とてもパーソナルなものだった。わたしは周囲の声ではなく、自分の心の声に耳を傾けた。誰もが持っているはずの、自分の内側から湧き上がってくる、静かな声。何が正しい答えか、わたしには分かっていた。

多くの人が分かっているはずなのだが、周囲の同調圧力が強すぎて抵抗できなくなってしまう。お尻の肉をしまい込むよう指示するバレエ教師。太いももやクルクルのアフロを笑う同級生。わたしたちはそういう声に負けて、他人の価値観に合わせようとしてしまう。それを繰り返すうちに、気がつくとすべてを失ってしまい、自分らしさなど何も残っていない。

著作権を取り戻せなくても、どうにかしてコロムビアから離れたい、とジェフに伝えた。完全に袂（たもと）を分かつためには、アルバム1枚分の曲をすべて一から作り直さなければならないかもしれないけど、それでもかまわない。少なくとも、わたしの音楽、わたしのイメージは守れる。少なくとも、鏡を見て自分が自分じゃなくなっていることはないだろう。

5

変化

TRANSITIONS

アリシアの長年の音響エンジニアであり、ジャングル・シティ・スタジオの設立者でもあるアン・ミンシエリの話

音楽に対するアリシアのアプローチ方法は、レトロでもあり、未来的でもある。昔ながらのレコーディング方法を用いいつつ、それをモダンなセッティングでやるの。たとえばアレサ・フランクリンの1970年代のビデオを観て、実際そのときに使われたギターやドラムを探し出す。そして、ミュージシャンをスタジオに呼んで、当時の楽器を使って演奏してもらうの。

今は技術が発達しているので、ドラマーやギタリストやキーボーディストに一度も会わずに、レコーディングするアーティストもたくさんいるわ。離れたところにいるミュージシャンにデータを送ってもらえば、ひとつの曲に編集できるから。でもこういう作り方だと人間臭さがなくなっちゃって、それが音にも表れるのよ。ミュージシャンが集まって、同じ場所で音を作り上げていく、それが音楽のマジックを生み出すの。アリシアはいつもこの方法でレコーディングを行う。そうすることで、音楽に深みや思い入れや純粋さを込めることができるの。

遅刻した。ものすごい勢いでアリスタ・レコードのロビーに駆け込むと、ジェフはすでに待ちかまえていた。音楽業界の大物にして天才肌のクライブ・デイビスとの面会をアレンジしてくれたのはジェフだ。クライブは、ジャニス・ジョプリン、ホイットニー・ヒューストン、カルロス・サンタナ、ブルース・スプリングスティーンといった大物ミュージシャンを見出したレジェンドだ。このアリスタ・レコードの幹部が、１９９８年のある日の午後、この遅刻娘と面会してくれることになっていた。

約束の時間は午後3時だったが、わたしが駆け込んだのは3時15分。息を切らせ、言い訳を並べ立てるわたしに、ジェフは腕を組んだまま無言のメッセージを送ってきた。「お前、この面会の重要性が分かっているのか?」もちろん分かっている。だからこそ、着ていくものに迷って遅れてしまったのだ。ただ、わたしはラッキーだった。クライブも前のスケジュールが押して、わたし以上に遅れたからだ。

その頃にはアリスタのアーティスト&レパートリー（A&R）部門のヘッドになっていたピーター・エッジが、クライブとわたしたちとの橋渡し役になってくれた。コロムビアとの関係がどんどんこじれていく中で、ジェフは別のレコード会社を模索しはじめた。彼はわたしの歌を録音したものをピーターに渡して、彼の上司であるクライブに聴いてもらった。クライブは心を動かされ、面会と、簡単なオーディションが行われることになったのだった。

「さあどうぞ、入って」

クライブは手を伸ばしてジェフとわたしを迎え入れた。そしてつき合いの長い友人同士が家の庭でバーベキューをしながら話すみたいに自然に、そして単刀直入に、本題に入った。スーツにネクタイ、胸ポケットからはお揃いのハンカチがのぞく隙のないいで立ち。だが、クライブに堅苦しさはなく、親戚のおじさんのように気安く接してくれた。わたしはと言えばガチガチに緊張して、彼の言葉がほとんど耳に入らず、ぼうっとするばかりだった。

クライブの部屋は、まるで音楽史のタイムカプセルに足を踏み入れたかのようだった。壁には、彼が関わった大物ミュージシャンのスコアのコピーが額に入れられ、所狭しと飾られていた。パティ・スマイス。アース・ウインド&ファイアー。グレイトフル・デッド。サイモン&ガーファンクル。バリー・マニロウ。ビギー&パフィ……。多くはクライブが見出したアーティストたちだ。彼らもまた、クライブのリーダーシップと才気に惹かれたのだろう。数々の奇跡がはじまったこの部屋で、あのクライブと向かい合っている。わたしはそれだけで胸がいっぱいになった。

「君のビデオをピーターに見せてもらったよ」

わたしを現実に引き戻すかのように、クライブは切り出した。

「君の音楽には格別な何かがある」

〈わたし？　わたしの音楽に？〉

直後、演奏を見せて欲しいと促された。クライブの部屋にあるピアノの前に腰かけて、わたしはたった1人の観客を相手にショーを行った。作った曲のほぼすべてを演奏し、一節一節に魂を込め。これはわたしにとって一度きりのチャンスなのだ。

最後の音の響きが吸い込まれていく。クライブは両手を組み、じっと目を閉じたまま長いこと動かなかった。それから彼はにっこりと笑って、満足そうにうなずいてみせた。

「わたしはね」

と彼は話しはじめた。

「アーティストがわたしからのインプットを必要とするときだけ、スタジオに行くことにしているんだ。たとえばアレサは最高に偉大な歌手だけど、自分で曲を書いているわけじゃない。だからわたしもレコーディングに参加して彼女のサポートをする。ディオンヌやホイットニーもそうだ。でも君は違う。君はパティ・スマイスだね」

全身が震えるのが分かった。〈わたしを、17歳の無名の若造のわたしを、天才ソングライターみたいだって？〉

「パティについて言えばね」

彼は続けた。

「わたしは彼女のレコーディングに顔を出したことは一度もない。その必要がないからだ。君も同じタイプだと思う。自分で詞を書き、ピアノで曲を作る。1人ですべてをこなせる。君自身は自分のことをどう思う？」

わたしは驚いて彼を見つめた。その質問は、まさにクライブがわたしを理解してくれている証(あかし)だった。何事も自分で決め、スタジオに入って自分だけの音楽を作り上げる。それがわたしにとってどれほど重要なことか、彼は理解していた。

面談が終わる頃には確信した。わたしは彼のチームの一員になるのだ。自由に前に進むことを許されたシンガー、そしてソングライターとして。

「いいかい」

と彼は言った。

「君には正真正銘、驚異的な才能がある。アリスタとしては君と契約したい。でもコロムビアは君が契約解除すると言ったら激怒するだろう。彼らが君を手放すとは思えないんだ」

ジェフが口を挟んでくれた。

「その件はわたしに任せて欲しい」

と彼はクライブに受け合った。

１９９８年の終わりに、ジェフは約束を果たした。それは信じられない手際だった。裏でコロムビアと交渉し、わたしとの契約解除と、曲の著作権をアリスタに売却する合意を引き出したのだ。著作権の価格交渉は熾烈をきわめた。それでもクライブはわたしの才能と将来性を強く信じ、50万ドルというとてつもない金額を投資し、わたしを移籍させてくれた。数ヵ月後、クライブが窮地に陥ったとき、わたしは彼が寄せてくれた信頼に少しだけ恩返しをすることになる。

行く先に困難が待ち受けていることが分かっていても、それが自分にマッチした道であれば、後ろを振り返って思い悩むことはない。わたしは自分の道を探し当てたと確信した。アリスタとの契約書にサインしたとき、わたしの内なる魂が〈やった！〉と叫ぶのが聞こえた。アリスタへの移籍によって、わたしはしばらく充電期間を得ることができた。休息して自分の曲を見つめ直し、今度こそ密度の濃い作品を世界に向けて発表できるように。とりあえず、２０００年にアルバム発売を目指すことになった。新しいサウンドやコラボレーションについてジェフとピーターの意見も聞きながら、わたしは脳みそをリフレッシュさせてスタジオ入りした。ついに、創作だけに集中し、表現することを許されるときが来たのだ。

わたしのメロディや歌詞はどこからくるのか、という質問をよくされる。正直なところ、何もないところから曲がどのようにして生まれ、形となっていくのかは自分でもよく分からない。ひとつのコードや言葉に命が宿り、それが奇跡のように育っていくのだ。その過程にある言葉にできない神秘こそが、アートをロジックや理屈とは異なるものにしている。わたしは法則や定型に沿って何かを作り出すことはない。自分の内にある感情や経験と向き合い、導いてもらうのだ。

クリエイティビティとは、本質的に混沌（こんとん）としたものだ。カオスであり、計算できるものでもない。突然目覚めたり、いなくなったりする気まぐれな面もある。わたしの場合、そのカオスは一瞬のインスピレーションからはじまる。アイデアや音が突然、爆発したかのようにひらめくのだ。それは読んでいる小説の一文からやってくることもあるし、ふと聞こえてきた会話や、週末に公園を散歩している平和な時間に訪れることもある。

外にいた場合はすぐ家に引き返し、ピアノの前に座って、感じたことをポロポロと音にしてみる。あるいは、ある曲を聴いてその中に美しいコードがあれば覚えておいて、後で弾いてみることもある。そのコードから新たな自分だけのコードが生まれ、曲ができたりする。それ以外のときは、音に展開することなど何も考えないまま、紙に詞を書きなぐる。音が自分に降りてくる瞬間は、予測不可能だ。分かっているのは、完成した歌はどういうわけかいつも自分の経験を映し出していること。わたしの友人でもあるソングライターのヴァン・ハントはよくこう言う。

「(良い曲を作るのに)本当に必要なのは、スリーコードと真実だけさ」

「Troubles」はまさにそういう真実のひとつだ。コロムビア在籍中、暗いトンネルの中にいるような不安にもがき、かすかな希望すら見えない日々が続いた。制作方法が決められているアルバムを作るという虚しさに、完全にやる気を失っていた。その冬は、1人で過ごすことが多かった。落ち込んだときは、気分を変えるために母のところに行き、曲を書いたりした。翌日、ハーレムのアパートに帰ると、自分がどれほど迷い、混乱していたかを実感する。ベッドに横たわったまま、窓から光が差し込み、長くて不吉な影を作るのを眺めたものだった。

「Dear Lord, can you take it away（神よ、この痛みを取り去ってください）」

詞が突然訪れたのも、そんな朝のことだった。

「This pain in my heart that follows me day by day And at night it stalks me like the shadows on my wall（くる日もくる日も追いかけてくる心の痛み。夜には壁に映る影のように忍び寄ってくる）」

本当に感じていた痛み。本物の影。現実に経験した感情がそのまま歌詞になった。当時わたしが感じていた不安やフラストレーションをあまりにもはっきりと表現した詞だったので、「神との対話」というタイトルをつけようと思ったほどだ。

　詞が降りてくると、身体は自然とピアノに向かった。指が奏でたコードは、今の気分を表している。わたしは何かに取りつかれたように、そのコードを繰り返し弾いた。コードが曲として形になってくると、ケリーとわたしは録音機を手にハーレムを歩き回り、街の音を集めた。サイレンの音、誰かが叫ぶ声、通りを走り抜ける車の音、地下から聞こえてくる何本もの地下鉄の轟音。これをレコーディングのバックに使うのだ。「Yeah, I'm going to take it nice and slow!」と道行く誰かが叫んだ。ケリーとわたしは目を合わせてニンマリする。2人とも同じことを考えていた。あの曲のあの部分にこの声を入れよう。そして実際に曲になった。

「The Life」は姉妹みたいな親友、タネイシャと一緒に作った。わたしがピアノを弾き、彼女がベースを弾く。時折、自分が1960年代か1970年代の人間じゃないかと思うことがある。その頃のサウンドやファッションが自分にはしっくりくるのだ。豊かで、厚みがあって楽しく、生き生きとしてファンキー。カーティス・メイフィールドやニーナ・シモンといったアーティストたちはヒットを狙うのではなくて、自分たちが真に感じていることを曲にしていたことが、歌を通じて伝わってくる。

メイフィールドのアルバム『Super Fly』はすり切れるほど聴いたが、今でも聴くたびに、管楽器から飛び出す一音一音、ギターの弦の音、ピアノの鍵盤がバラバラと奏でる音、ベースラインからビリビリと伝わってくるストーリーにしびれてしまう。カーティスはどのパートも、その楽器をきわめた本物を招いて演奏をした。そんなコラボレーションは代えがきかないものだ。どんな電子技術をもってしても、ミュージシャンがひとつの場所に集まって奏でる音には絶対にかなわない。

わたしのレコーディングチームも当然ながら、キーボードやバーチャル音の基礎を作るため、Pro Toolsやドラムマシンといった現代的な機器を使っている。でもその基礎の上には、かならず人間の感性を積み上げていく。それによって、曲がレトロかつ未来的な感じになるのだ。デジタル機器の用途は広く、とても便利だと思う。でも人間の感覚をけっして侮ってはならない。人が奏でるドラムやギター、発する声からは、スピリットがあふれ出すからだ。「The Life」はそうしたスピリットをとらえようと思って作った曲だ。ケリーとわたしは様々な楽器の演奏者に参加してもらうことで、自分が育ったこの街の雰囲気を表現しようと工夫した。

ときには、メロディと歌詞を合わせるより前に、曲のコンセプトが頭の中で出来上がってしまうこともある。まだコロムビアに在籍していた頃、感謝祭の休暇をマイケル・モウルディンとその家族とともにノースカロライナで過ごしたことがある。大量のご馳走(ちそう)を食べて眠くなってしまったので、部屋のソファに寝転んでテレビをつけると、ロレアルのヘアカラーのCMをやっていた。コマーシャルの終わりに、モデルがこのブランドお決まりの宣伝文句を口にする。「Because you're worth it.（なぜならあなたにはその価値があるから）」

ロレアルのCMなど数えきれないほど見てきたはずなのに、その瞬間、どういうわけか、宣伝文句がわたしの中に入ってきた。これこそが、わたしが曲に込めたいメッセージだ。後日、わたしはその思いを込めた曲「A Woman's Worth」をスタジオで録音した。

コロムビアに在籍してまもなく、「Fallin'」に取りかかった。オリジナルのメロディでありながら、ジャクソン5が歌いそうな、1960年代っぽいエナジーのある曲を作りたいと思った。イメージしていたのは、小さなマイケルがステージの上できりっと顔を上げ、その年では絶対に理解できない恋心について歌うシーン。様々なアイデアが浮かんだけれどこれだと言うものが出なかったので、しばらくの間その案は放っておくことにした。だが、その曲のことを考えなくても、曲のほうが時折向こうから顔を出してきた。

ハーレムのにわか作りのスタジオで作業をしていると、歌詞の一節やコードがちらほら思い浮かぶのだ。ケリーとわたし、それにジェフやレコード会社のチームメンバーも、このアルバムにはまだ何かが欠けていると感じていた。聴いた瞬間に鳥肌が立ち、誰もが引き込まれてしまうような曲が。そこで、わたしは「Fallin'」の下書きを引っ張り出した。「Fallin'」の歌詞はケリーとの関係に刺激を受けて書いたのは間違いないが、そこにはわたしたちの個人的な恋愛以上のものがあった。2人の関係もいつも順調だったわけではなく、立ち止まることもあれば引き返すこともあり、文字どおり山あり谷ありだった。わたしが最初にケリーに惹かれた理由は、彼が父親としての責任を全身全霊で果たす姿を見たからだ。

彼は実の息子のことを気にかけ、経済的に支えていたし、元妻がケリーとの結婚前にもうけた息子に対しても父親のように接していた。息子たちは一緒に住んではいなかったけれど、わたしたちが住むアパートにしょっちゅう出入りしていた。彼らが生活の一部となったことは楽しく幸せではあったけれど、同時に自分の周りで起こっている様々なこととバランスを取るのが難しくなっているのも事実だった。わたし自身がまだとても若く、ステップマザーの役割を演じるには未熟だった。とりわけ、自分自身がこれから自立しようともがきながら、同時にアルバムを作ろうとしていた時期だったからなおさらだ。

当時のわたしは人とコミュニケーションを取るのが下手で、それはケリーも同じだった。自分より発言力のある母親のもとで育ったため、意見をきちんと伝えることがうまくできなかったのだ。ケリーに対しても言いたいことをうまく伝えられず、子どもの頃そうしていたようにピアノに逃げ込んでしまうことが多かった。何ヵ月間もわだかまりを溜め込んだ挙句、ある日感情が一気に噴き出し、彼と激しく言い争い、その後は前よりも内にこもってしまう。そして母の住むアパートに駆け込み、数日間そこで過ごして頭を冷やすのだった。

ケリーと別れ、数ヵ月ほど自分のアパートを借りたこともある。２人の間に流れるエネルギーはある瞬間信じがたいほどスパークするが、次の瞬間には奈落の底にまで落ちてしまう。彼といるのは難しい。彼といるのは最高だ。そして再び難しくなる。それでも、離れようと思うと、彼の大好きなところがたくさんよみがえってくる。いつもわたしを守ろうとしてくれること。優しくて穏やかな物腰。そして何よりもオープンな心。

ケリーは、対話を通じてわたしに気づきを与えてくれた。原因と結果の法則、つまり自分が発したエネルギーは巡り巡ってかならず自分に返ってくることを教えてくれたのも彼だ。自分の意志や言葉、行動こそが、自分の現実を作る。

ケリーは、言葉の持つパワーについても語ってくれた。それまでのわたしは、なにかと「わたしの力では、それは無理よ」と口にするタイプだった。それを聞くと彼は「どうしてそんなことを言うの?」と諭した。「特に意味はないわ」とわたしは返し、この話題を終わらせようとした。「そういう言葉を発するのはやめたほうがいい」とケリーはさらに言った。「信じないかもしれないけど、言葉は口にすると真実になってしまうんだ。〈自分は何もかもうまくいかない人間だ、そういう運命のもとに生まれているんだ〉これが負のエネルギーを呼び寄せてしまうんだ。人は言葉どおりの人間になってしまうんだよ」

以来、わたしはそのセリフを口にするのをやめた。

わたしたちの間にはこうした精神的な対話、つながりがあったが、2人をいちばん強く結びつけていたのは音楽を愛する気持ちだった。何度離れても再び惹かれ合う、その原動力となるのは音楽だった。アルバム作りがはじまると、2人はすべての雑音や相手への個人的な不満を脇に押しのけ、団結した。

「Fallin'」はレーベル移籍という、辛い時期を描いた曲でもある。トラブルを回避してクライブと契約できるのか、その時期は何もかもが不安だった。いつになったら、何年も前から書き溜めてきた曲をアルバムにして発表できるのだろう？　何を修正しなくてはいけないのだろう？　リスナーはわたしが愛してやまないこのいくつもの曲を気に入ってくれるだろうか？

「Fallin'」にはそうした浮き沈みする気持ち、不安や疑念が込められている。

まだ確かなことなど何ひとつない。うまくいったかのように見えても、数ヵ月後にはすべてがダメになっているかもしれない。でもそのときは、すぐに立ち上がってまた歩きはじめればいい。

今になって振り返れば、分かることがある。足元の地面は突然揺れ出したわけではなく、もともと不安定だったのだと。そして不安定な道のりを歩むのを楽しむことこそが、わたしの生きる道なのだと。

2000年にはもうひとつ、大きな変化があった。舞台裏では様々なことが起こっていた。アリスタの親会社であるベルテルスマン・ミュージック・グループ（BMG）が、クライブに、親会社のA&R部門のトップの地位を打診してきた。就任にあたっては、所有しているBMG株を手放すこと（つまり配当収入を失う）が条件だった。不意打ちを食らった形になったクライブは、株を手放すことを拒否。BMGは彼を引き留めるため、破格の条件を提示した。1億5千万ドルを出資してクライブのためのレーベル、J Recordsを立ち上げ、販売はBMGが行う。クライブはアリスタからアーティストを10人、引き抜くことができる――プラチナムまたはマルチプラチナム級を5人、無名を5人。

ただし、それには条件があった。10人の意志を尊重すること。また、クライブはアリスタより良い条件を提示してはならない。さらに、アリスタは引き留めたいと思ったアーティストに対しては、より良い条件を提示し再度交渉することができる。

アリスタのトップは、幹部の1人だったL・A・ライドが引き継いだ。どちらにつくか迷いはなかった。もちろんクライブについて、新しいレーベルに移るつもりだった。ずっと面倒を見てくれたピーター・エッジはすでにクライブとともにJ Recordsに移っていたし、クライブもわたしを新レーベルに引き抜き、そこのイチ押しアーティストにしたいと明言していた。

しかし状況が変わってきた。アリスタのL・A・ライドがものすごく良い条件を出してきたのだ。L・A・はいつかわたしと仕事がしたいと言ってくれていて無下にはできない。ジェフは、この絶好のチャンスを逃すべきでないと「L・A・について行くべきだ」とわたしに進言した。

ジェフとは何日もかけて話し合った。57番通りに立ったまま、「クライブについて行きたい」と言い合いになったときの、骨にまでしみわたる風の冷たさを今も覚えている。ジェフは繰り返しわたしを説得しようとした。

「アリスタとの契約を続行しよう。もちろんクライブは素晴らしい男だ。だがL・A・も負けちゃいない。2人ともアーティストとしての君をよく理解してくれている。つまり、どちらについても君は音楽に専念できる。だったら、条件が良いほうに行くべきでは？」

ジェフの理屈はじゅうぶん理解できた。大金が入ってくることもすごく魅力的だった。それでもなお、クライブのもとに行くべきだと思っていた。彼は初めて会ったときから、わたしのキャリアを心から気にかけてくれた。コロムビアから移籍するときも、大変な労力とお金をかけてくれた。それに、アリスタと縁ができるずっと前からわたしに注目してくれたピーターにも恩義を感じている。

「わたしは、どうしてもクライブについて行きたい」

最終的にジェフにそう告げると、彼はあきれたように白目をむいて両手を挙げてみせた。マネージャーに逆らったのは、これがほぼ初めてだったと思う。その後、このときの選択が正しかったことで、ジェフは折に触れて言うようになった。

「君の本能に従うよ」と。


ついに『Songs in A Minor』のリリース時期が2001年6月に決まった。ニューレーベルに移ったジェフ、ピーター、クライブ、そして制作チームは、このアルバムを華々しく宣伝し、売り出すための準備に取りかかった。リリースの何ヵ月も前から、ステージに立つ機会があればどんな仕事でも受けた。わたしの顔を売り、アルバムへの関心を高めるためだ。当時、アルバムを成功させるためにはラジオのプロモーションは欠かせないものだったので、クライブはアメリカで最も影響力のあるラジオ・プロモーター10人をパークアベニューの自宅に招き、その場でわたしにライブ演奏をさせた。

業界のイベントでスピーチを依頼されれば、わたしを一緒に連れて行き宣伝した。「アーティストとしてのアリシアを知るには、まず彼女のライブパフォーマンスを観てください」と。そして髪をビーズで編み込んだ20歳のアリシアは、クラシックテイストの入ったソウルを披露するのだった。

アルバムのリリースまでに、やらなければならないことがひとつ残っていた。考えるだけで髪の毛が逆立つほど緊張する。アルバムに入れる予定の「How Come You Don't Call Me」は、わたしが子どもの頃から崇拝してきたアーティストのカバー曲だった――彼の名はプリンス。アルバムにこの曲を収録するために、レジェンドから直接許可を得る必要がある。彼は他人が自分の曲を使うことをめったに許可しないと聞いていた。２００1年春、わたしはぶつかってみることにした。

レジェンドにいきなり電話できるわけではもちろんない。まずはジェフがプリンス側の関係者に電話をかけ、コンタクト可能な番号を教えてもらう（もちろん本人の直通番号ではない）。わたしは勇気を振り絞ってその番号にかけた。感じの良い女性が出て、保留音の後、電話が転送される音がする。その後さらに3回の転送を経て、ついにあのかすれた、すぐにそれと分かる声が聞こえてきた。「もしもし？」

「こんにちは！」声が震えているのを隠そうとして、声が大きくなる。けれど、それ以上の言葉が出てこない。

「じつは君には注目していたんだよ」

と彼は言った。心臓が口から飛び出しそうだった。

「本当に？」

信じられない気持ちで尋ねた。

「ああ、本当さ」と彼は言った。「君の音楽、とってもクールだね。自分で曲を書いて、プロデュースしているんだって？」そうだと答える。「それは素晴らしい！」と彼。「これからも、そのスタイルを続けるといいよ」

わたしはアドバイスに感謝し、咳払いをして、電話をかけた目的に話題を移した。

「あなたの曲『How Come U Don't Call Me Anymore』のカバーをしたいんです。わたしが今まで聴いてきた中で気に入っている曲で……本当に素敵で。それで、ええと、自分のアルバムに入れさせてもらえないかと思って……」

しばらく沈黙が続いた後に彼は言った。

「ペイズリー・パークまで来てくれないか？」

彼は言った。

わたしは驚きのあまり言葉を失った。

「わたしが、ペイズリー・パークに？」

「そうだよ」

と彼は言う。

「今から、場所を教えるから。そこで、僕の前で歌ってみせて欲しい」

何週間か後、わたしはミネソタ州チャナッセンにある、プリンスのスタジオ兼自宅の前に立っていた。面積6千平方メートル、コンクリート製の建物はまるで要塞のようだ。冬の間ずっと着ていた革ジャケットでは薄すぎて震えがくる。正面玄関でスタッフの人が丁寧に出迎えてくれ、まもなくプリンスが長い廊下の向こうから歩いてくるのが見えた。踊るように足を踏み出すたびに、ヒールがカツカツと音を立てる。彼は手を差し出し、わたしたちは握手をした。

「よく来てくれたね」

と彼は言った。

「家の中を案内しよう」

豪邸ツアーは、プリンスの輝かしいキャリアをたどっていくようだった。壁には過去に使用したギターや額に入ったプラチナムレコード、楽譜などの記念品や、1984年の『Purple Rain』で着た衣装などが飾られている。ある部屋にはグランドピアノが置いてあり、トップ部分に「How Come U Don't Call Me Anymore」の歌詞が彫られていた。他にもピアノが置かれた部屋が複数あり、どのピアノもその持ち主と同じぐらい個性的だった。白いハトが何羽も入れられた籠の前を通り過ぎる。廊下の角を曲がるたびに新しいレコーディングスタジオと豪華なラウンジスペースが姿を現した。ラウンジにはパンパンに膨らんだ革製のソファが置かれ、そこかしこが紫色で埋め尽くされていた。

いくつか角を曲がった先に、パフォーマンス用の部屋があった。学校の体育館ほどの広さで、きらびやかでありながら、どこかこぢんまりした雰囲気がある。200人ほどの人たち（プリンスがたびたび招いてパフォーマンスを披露している彼のコアなファン）はすでに集まっていた。バックアップシンガーたちとともに音のチェックをはじめるわたしを、プリンスは脇に引っ張って行った。

「君へのリクエストはただひとつ」

と彼は言った。

「汚い言葉を使わないこと。それだけだ」

「分かりました」

わたしは顔を赤らめながらうなずいた。

プリンスは部屋の片隅のわたしからは見えない場所に座った。わたしは黒いフェルト帽を片目にかかるようにかぶり、汗ばむ手をキーボードに置いて、「Fallin'」の最初の音を奏でた。そして、わたしをここペイズリー・パークに連れてきてくれた曲も含め、アルバムに収録するすべての曲を演奏した。パフォーマンスが終わると、プリンスはステージ裏の楽屋にやってきた。

「素晴らしいショー、素晴らしいサウンドだった」

と彼は言ってくれた。わたしたちメンバーはみんな嬉しさで顔を輝かせる。帰り支度をしていると、彼は再びわたしを脇に引っ張った。

「汚い言葉を使った罰に、罰金箱に1ドル入れて帰るように」

青白い顔をニンマリさせながら言う。Ｆワードは絶対に言わなかったと誓うけど、確かに、もう少し緩やかな何かは言ったかもしれない。わたしは笑って彼にお礼を言い、彼はわたしたちを見送ってくれた。

その晩、ホテルに戻った後は一睡もできなかった。〈あれは本当にわたしに起こったことなの？〉夢なら覚めないで欲しいと思った。

プリンスは彼の曲をカバーすることを許可してくれたが、彼がわたしにくれたものはそれだけにとどまらない。彼はその存在によって、わたしに大切なものを見せてくれたのだ。ワイルドなまでの個人主義、自分を表現しようとする意志の強さ。さらにプリンスは、自分の足で立つことを体現してみせてくれた。キリキリするような反抗心。自由、創造。ルールを壊すこと、ルールを作ること。イマジネーション。彼はそのすべてを体現していた。あの夏、わたしが人生最大のステージに立ったとき、プリンスのスピリットもまたそこにあって、わたしを導いてくれた。

6

世界の舞台へ

WORLD STAGE

クライブ・デイビス、レコード業界の伝説的人物にしてアリシアのメンター

『Songs in A Minor』がリリースされる数ヵ月前の2001年2月、毎年恒例のグラミー賞前のイベントが開催され、わたしがホスト役を務めた。エンターテインメント業界の大御所がずらりと顔を揃える、ビッグイベントだ。そのとき、わたしは「良い知らせと悪い知らせがある」ことをアリシアに告げた。

「わたしは通常このイベントに新人は呼ばない。けれど今回はベスト・アーティスト部門をもうけて、君に歌ってもらうことにしたよ」

彼女は顔を輝かせた。

「それで、悪い知らせは何？」

「君のすぐ前に歌うのはアンジー・ストーンだ。そして彼女は、グラディス・ナイトの名曲『Neither One of Us』を選曲に入れている。当日グラディスは客席にいて、歌がはじまったらわたしが彼女をステージに導き、アンジーと一緒に歌ってもらうという演出だ。そして、グラディスがその後壇上で『Midnight Train to Georgia』を歌うんだ。その後で、レジェンドの次にはピカピカの新人アーティストを紹介します、という流れで君が登場する。つまり君はグラディス・ナイトの素晴らしいパフォーマンスの余韻が残る中で歌わな

ければならない」

それに対するアリシアの返事は、わたしにとってとても満足のいくものだった。

「分かったわ。究極のベストを尽くさなくちゃならないってことね。最高のパフォーマンスを見せると誓うわ」

当日グラディスは、もちろん、満場の喝采を浴びた。そしてアリシアは、ステージに上がると、誰もが息を呑み虜になるような「Fallin'」を聴かせたんだ。観客は総立ちになった。アリシアが素晴らしいのはそのクリエイティビティだけじゃない。自分で自分の見せ方が分かってることなんだよ。


人前でクラシックの演奏をするのは、いつも以上に緊張する。子どもの頃から、バッハやショパンやブラームスの複雑な曲を人前で弾くとき、わたしは取りつかれたかのように何時間も練習し、いつも本番で固まってしまう恐怖に怯えていた。実際にそうなってしまったこともある。ピアノの前に座ったものの、手は震え、ペダルに置いた足はガクガク。ママやナナやファファが心配そうに見守る中、必死で最初の一音を思い出そうとした。一節を弾きはじめたところで、ようやく少しだけリラックスすることができたものだ。

あれから年月を重ね、緊張状態を楽しむことができるようになった。しかし2001年6月、『オプラ・ウィンフリー・ショー』のセットに足を踏み入れたときは、かつての恐怖がよみがえってきた。

その数ヵ月前、「Fallin'」が発売されたものの、曲は思ったように売れなかった。最初はR&B部門でリリースしたのだが、アーバンマーケットでも、期待していたほどオンエアされなかった。リスナーの反応は複雑だった。わたしの曲を聴いた人は、懐かしい感覚や、昔のソウルを感じさせるサウンドをどう解釈したらいいのか分からないようだった。「Fallin'」の冒頭部分は、かつてのジャズ・クルーナーたちのサウンドを思い起こさせる。たとえばビリー・ホリデイやエタ・ジェイムズが昔の恋人について歌っているような。ラジオのDJたちの反応も鈍く、オンエア回数はどんどん減っていった。

クライブは素早く対応してくれた。彼はわたしの1枚目のシングルと、これから発売予定のアルバムが音楽業界に衝撃をもたらすと心から信じていた。『Songs in A Minor』はわたしのキャリアのはじまりというだけでなく、クライブ率いる新レーベル、J Recordsの社運も担っていた。クライブは、前代未聞の行動に出た。あのオプラ・ウィンフリーの番組に出演できるよう、本人に掛け合ったのだ。

クライブとオプラは長年の知り合いだったが、彼は電話で済ますのでなく、わざわざ彼女宛に手紙を書いたのだ。「本当に特別な、唯一無二のアーティストだから、ぜひあなたに会ってもらいたい」と。オプラが、すでに名声を得たアーティストしか番組に出さないことは知られていた。クライブはわたしの素晴らしさについて、情熱的に手紙で語ってくれた。

そして手紙と一緒にわたしのビデオを同封したのだ。

すると、番組のエグゼクティブプロデューサーからクライブに電話がかかってきた。オプラがビデオを観て、わたしを番組に呼びたがっている、と。ただ、番組としては何らかのコンセプトを打ち立ててショーを演出したい、ということだった。様々な可能性を話し合う中で、クライブはジル・スコットやインディア・アリーといったソウル系の新人アーティストを紹介する形にしてはどうかと提案した。プロデューサーはその案を気に入り、対象をヨランダ・アダムズやメアリー・メアリーなどのゴスペル歌手にまで広げて、出演メンバーを決めることになった。

わたしは、そんな話が進んでいることなど微塵(みじん)も知らないでいた。だから、ある日の午後、クライブの尽力によって『オプラ』への出演が決まったこと、「Fallin'」を番組の最後に歌う予定であることをジェフから聞かされたときには、卒倒しそうになった。

「オプラの番組で、このわたしが歌うの？」

聞き間違いではないかと思い、何度も確かめた。

「そうだよ」

とジェフは目をキラキラさせながら言った。

「しかも来週にだ」

『オプラ・ウィンフリー・ショー』は15年も続く大人気番組だった（その後２０１１年まで続いた）。トーク番組としても、文化を紹介する番組としても、これほど人気がありパワフルなショーは他にない。この番組から、様々な流行やムーブメントが生まれ、とりわけ出版業界にとってはベストセラーを生み出す革命的な存在となった。途方もない夢が現実となり、笑いがあり涙もあり、オプラのお気に入りグッズがキャーキャーと叫ぶ観客に配られる。番組を貫くＤＮＡは、真実の追究、そして一瞬の輝きによってそこにいる人の人生を変えてしまうこと。

わたしは子どもの頃から夢中でオプラの番組を観ていたし、ナナの家でもみんな観ていた。たとえ番組を観ていなくても、その内容はメディアの見出しや、家庭や美容院で話題になり世の中に広まっていく。わたしは、この社会現象になっている番組に出るのだ。〈心臓よ、落ち着いて。指よ、震えずにいて〉

出演前に小さな奇跡があった。本番前に、オプラに会う機会ができたのだ。番組プロデューサーとの打合せで、「実際アリシアは、どのぐらい上手なの？」と訊かれたクライブは、群を抜いていると保証した。それがオプラに伝わり、彼女が主要な広告主向けに開催している夕食会で歌って欲しいとのリクエストを受けた。夕食会は番組に出演する数日前、シカゴで行われた。会場に到着すると、オプラが「ヘイ、ガール！」と温かく声をかけてくれ、ガチガチの緊張感が少しだけ解けた。ほんの少しだけ。

その夜はミスなく演奏でき、観客もわたしのパフォーマンスを称えてくれた。が、本番はこの後のテレビ出演だ。わたしは他の何よりも、このチャンスをものにしたいと思っていた。オプラの番組にふさわしいパフォーマンスを披露して、運をつかみたい。

心はまだまだおてんば娘だったので、本番の衣装はタキシードのジャケットにした。髪はこの日のために新たにジグザグのコーンロウに編んでもらい、ビーズで留めて背中に垂らす。チェーザレパチョッティのキラキラしたスニーカーを履いて、人生初の番組セットに足を踏み入れた。まばたきするのも忘れて周りをキョロキョロ見回す間、ずっと同じセリフが頭の中を駆け巡る。〈わたしは今テレビの中にいる！〉何もかもが初めての経験だった。

ついに出番がきた。ピアノの前に腰かけ鍵盤に両手を置いた瞬間、手が震え出した。深呼吸して、ベートーヴェンの「エリーゼのために」を弾きはじめる。その間も、指先の震えを止めようと必死だった。小節をひとつ弾き終えるたび、指先の力が少しずつ抜けていくのが分かる。〈とにかく、ひとつずつ乗り越えるのよ〉と自分に言い聞かせた。1小節、そしてまた1小節。そして「Fallin'」のオープニングコードを弾いたとき、観客は一瞬静まり返った。わたしは顔を上げ、目を閉じて、魂の奥のほうから、最初の音を紡ぎ出す。「I keep on fallin'……」

世界ががらりと変わったのはこのときだった。

歌に全身全霊を込められたとき、その超常現象は起こる。周りのものがいっさい消え去り、ひたすら音楽に没入していくのだ。音に囲まれ、音に導かれて天に昇っていく。それがわたしの経験したことだった。オプラの番組という公開ステージで、わたしは神に触れる経験をしたのだ。

何百万人が観ていようと気にしない。わたしはその場を飛び立ち、星すらも越えたどこかに昇っていた。母と住んだアパートのリビングが見える。ボロボロのアップライトを奏で、音楽の言葉にできないパワーにおののいたあの日の午後。拍手の音が聞こえて、わたしは現実へと引き戻された。

演奏を終えると、オプラがステージに上がってきた。

「14歳から自分で曲を書いているんですって?」

と彼女は訊いた。

「はい、14歳のときからです」

　とわたしは彼女の言葉を繰り返した。

「本当に、他に自分の進むべき道はありませんでした。これがわたしの道だと信じて、ずっと進んできました」

「このCDに入っている曲は、プリンスの1曲を除いてすべてあなたが書いて、プロデュースもしたのよね？」

　とオプラが訊く。わたしはうなずいてにっこりした。

「アメイジング！」

　と彼女はいつものように熱のこもった口調で驚き、ゴッドマザーのようなオーラを振りまいてわたしのほうに向き直った。

「初めてのCDなのに！」

　わたしは顔を赤らめた。

「自分が今感じていることをちゃんと表現することが、わたしにとってはとても大事なことなんです。誰かのフィルターを通して表現するのではなくて……」

「そして自分の人生を自分で歩むということもね！」

　オプラは答えた。

「ああ、あなたはわたしみたいな女の子だわ！」

そしてわたしの肩に腕をまわし、カメラの赤い点滅に顔を向けた。

「アリシア・キーズでした！」

そしてクレジットが表示され観客が歓声を上げる中、最後にこう言った。

「クライブ、ありがとう！」

その後まもなく、『Songs in A Minor』はヒットチャートの1位に躍り出た。アルバムは1週目に26万3千枚、2週目には45万枚を売り上げ、最終的に全世界で1600万枚売れた。ラジオでオンエアしてもらえず苦しんだ「Fallin'」はチャートのトップへと昇り詰めた。ついにこのときが来たのだ。そして、自分でも抱えきれないぐらいの夢を抱えたヘルズキッチンの女の子は、その夢が花開いて行くのを信じられない思いで見つめていた。


「君はアリシア・キーズではないかい？」

80代の白人男性が身を乗り出してささやいた。わたしはオプラの番組への出演を終えて、ニューヨークに戻る飛行機に乗っていた。まだ夢の余韻にひたっていて、上空3千フィートよりも高いところでフワフワしていた。

「はい、そうですけど」

この人とどこで会ったのか思い出そうとしながら、わたしは答えた。彼の次の言葉で謎が解けた。

「『オプラ』で君を観たよ！」

この言葉は、わたしが「名声（Fame）」という奇妙な世界に足を踏み入れたことを示していた。この世界には、少しずつ慣らしながら入っていくことはできない。すべてが突然、一気にやってくるのだ。『オプラ』に出演する日の朝、わたしはあまり知られていないアーティストの1人だった。それが同じ日の夜の空港では、たくさんの人が振り返ってこちらを見ている。『ドリームガールズ』で、無名だったグループが一夜にしてセンターステージに押し出されたシーンのようだった。あれは映画のお話であって、現実に起こるはずなどないと思っていた。でも実際には、まさにそういう状態になっていた。

わたしは、オプラの番組を観ているのは一部の人だけだと考えていたが、それは完全に間違いだった。わたしに近寄って話しかけてくる人たちを見れば、あの番組がいかに様々な層の視聴者に支持されているかが分かる。老いも若きも、男も女も、ラテン系もアジア系も、黒人も白人も、田舎の人も都会の人も。

番組出演後、初めて実家の近所を歩いたときのことだ。ママのアパートでスウェットに着替え、8番街をぶらぶらして、（まだ21歳になっていなかったので）偽のIDを作ってくれる店でものぞこうかと思っていた。アパート入口の回転扉をくぐり抜けて2歩踏み出したところで、ランチの配達に来たらしい配達業者の人がわたしを見て立ち止まり、荷物を置いてビックリしたように言った。

「君、先週テレビに出てたよね！」

そこからお店にたどり着くまでの間、わたしはすれ違った人全員から二度見された。テレビに出たときのままの、ジグザグの編み込みが目立ってバレたのだと分かってからは、帽子をかぶり、顔の3分の2が隠れるサングラスをかけて変装した。この戦略は成功するどころか、目立ちすぎて逆効果だった。ある女性など、こちらへずかずかやってきて言ったものだ。

「その帽子をかぶっているあなた、アリシア・キーズでしょ？」

周りに注目されるようになったことは、大変だったがスリリングでもあった。わたしは勝利の甘い美酒に酔ったように、浮かれた気持ちで過ごしていた。称賛の声は波のように押し寄せてくる。その年の9月には、マンハッタンのメトロポリタンオペラハウスで行われた『MTV・ビデオ・ミュージック・アワード』の表彰式に招待され、「Fallin'」を披露した。また、『ローリングストーン』誌には「次世代のクイーン・オブ・ソウル」として紹介され、9・11のトリビュートとして「New York City」と書かれた破れTシャツを着て、11月号の表紙を飾った。翌年1月には、アルバムからのセカンドシングル「A Woman's Worth」がチャートのトップ10入りを果たした。

わたしは自分の音楽が世界に受け入れられたという満足感にひたっていた。自分が好きなものを人も好きだと思ってくれて、それが広まっていくことに勝る喜びはない。わたしの夢は有名になることではなく、自分が見つけた光を周りの人にも知ってもらうことだったから。

ケリーもまた有頂天になっていた。わたしたちが6年をかけて『Songs in A Minor』を作り上げる前から、彼は音楽業界で独自の居場所を模索していた。アルバムがヒットすると、彼は自分のやり方が間違っていなかったことを喜んだ。

「君がアリシアと一緒に書いたあの曲さ……」

クレジット欄に彼の名前を見つけたファンからケリーはよく声をかけられたという。

「あの曲は、俺の人生を変えてくれた」

ケリーにとっても有名になるより、ずっと多くの充足感を与えてくれるのは、誰かの役に立つことだった。その点は2人とも共通していた。

『Songs in A Minor』がチャート上位から下降線をたどりはじめた頃、わたしは抜群の声を持つネオ・ソウル界のプリンス、マックスウェルとツアーに出た。25日間、14都市をめぐるツアーはニューヨークからはじまり、その後シカゴ、アトランタ、ミネアポリスなどを回ることになっていた。

主役はもちろんマックスウェルだ。新人のわたしは前座として、アルバムの曲をメドレーで歌い、コンサートのオープニングを盛り上げることになっていた。

じつはアルバムが大ヒットしても、すぐにお金が入ってくるわけではない。マックスウェルとのツアー中も、わたしは何年も前にコロムビアと契約した際の前払い金で生活していた。アリスタに移籍した際にもお金は支払われたが、クライブがわたしをコロムビアから移籍させるためにかなりの金額を費やしたため、その額は控えめなものだった。マックスウェルのツアーと、それに続く自分自身のツアーによって、わたしはようやく一息つけるだけの収入を得ることができた。みんなが思うほどのお金持ちになったわけではないけれど。

音楽業界は、コミッションの世界だ。アーティストとプロ契約を結んだマネージャー、弁護士、エージェント、その他様々な仲介者たちに対し、決められた割合のロイヤルティを支払う仕組みになっている。

当時のわたしは、自分の売り上げのうちどの程度がコミッションとして抜かれているのか、まったく知らなかった。しかしその後、税引き前の収入の30%以上をコミッションとして支払っていたことを知った。つまり１００ドル稼いだら、そのうち30ドル以上をコミッションとして支払い、わたしは残りの70ドルで、ツアーをはじめとする必要経費を支払い、さらには税金も支払わねばならない。

ツアーで何百万ドルもの収益を上げながら、ミュージシャン自身の儲けはほとんどなかったという悲劇的な話をよく耳にするが、これは本当だ。多くの場合、アーティストはビジネスの複雑な仕組みに無知なのだ。自分に知識さえあれば、損をすることも少なくなる。初期の頃の経験を教訓に、わたしは業界の仕組みを知り目を光らせることを学んだ。

金銭面では、わたしは昔も今も保守的だ。母は一生懸命に働いてお金を稼ぎ、その使い方には慎重だったし、わたしにもそうするよう教えた。コロムビアとの契約後に購入した音楽機器が、初めての大きな買い物だった。後に、18歳で運転免許を取得したとき、あちこちに行く足として金色のマツダ６２６をリースした。

ファーストアルバムを制作した数年の間に、ケリーとわたしが住むワンベッドルームのアパートは手狭になっていた。夜通し音楽をかけるので隣近所からも頻繁にクレームがくる。わたしはケリーと共同でアルバム制作に没頭する一方、彼との関係が煮詰まってしまい、少し距離を置くために橋の向こう側のニュージャージー州に引っ越すことを決めた。

この決断は、すぐ後悔の念に変わった。ニューヨークに行くのに毎日ジョージ・ワシントン橋を車で渡るのだが、その通行料が馬鹿にならなかったからだ。数ヵ月後、わたしはクイーンズのオゾン・パークにあるアパートの地下に引っ越した。クイーンズボロ橋は無料で渡れるから問題ない。そこにしばらく住んだ後、ケリーとよりを戻したので、今度は２人でクイーンズのローズデールにある小さな家に移り住んだ。ここは住居兼仕事場としてじゅうぶんな広さがあり、わたしはアリスタから受け取った前払い金でこの家を購入した。音楽機器、車、家。すべて自分のアルバムを成功させるために必要な、賢いお金の使い道だったと思う。

『Songs in A Minor』でわたしの経済状況は大きく変化したけれど、金銭感覚は以前のままだった。大金が入ってくるたびに、恐怖心が湧き起こる。〈このお金が突然なくなってもやっていけるぐらいの貯蓄はあったっけ？〉状況が変わればお金などすぐなくなってしまうことは、身をもって分かっていた。母の父が突然亡くなり、一家の大黒柱がいなくなってしまったときみたいに。

わたしはかつてのスターが経済的に破綻して、坂道を転がり落ちるように困窮していく有様を見て、自分はああはなるまいと、心に決めていた。だから、特にキャリアのはじめの頃は、お金の使い方にはとても、とても、慎重だった。そして自分のためにお金を使うときには、派手なものは選ばないようにしていた。5千ドルもするブーツだの、ベントレーだのを買う代わりに、125番通りのティンバーランドで白いTシャツを買って着ていた。

マンハッタンの5番街にある高級デパート、バーグドルフ・グッドマンに初めて行ったときのことは忘れられない。幼なじみで、今はわたしの身の回りの世話をするマネージャーになったエリカも一緒だった。アルバム発売とツアーを経て、初めてまとまったお金が入ったのだが、わたしはそれを使おうとせず、何週間も口座に入れたままにしていた。

「ショッピングに行きましょうよ！」

とエリカは促した。わたしはしぶしぶうなずいた。〈見るだけなら財布は痛まないわ。少しくらいなら贅沢（ぜいたく）をしてもいいかもしれない〉

バーグドルフに行ったことがある人なら、欲望がいかに人の心をわしづかみにするものか、理解してもらえるだろう。欲しいものなど何ひとつないと思っていたのに、それまでは存在すら知らなかったデザイナー・スニーカーを見た瞬間、欲しくてたまらなくなってしまうのだ。デパートに入った30分後、わたしは靴1足、革ジャケット、スカーフ、そしてキラーベルトを手にしていた。

「３４８２ドルです」

カウンターの係員の女性が、顔色ひとつ変えずに合計金額を告げる。わたしはポカンとして彼女を見つめた。

「これ、全部返すわ」

商品をすべて回収しレジを後にしながら、わたしはエリカにささやいた。

「びっくりした！　あんな金額払えるわけないわ」

「何言ってるの」

とエリカは言う。

「自分へのご褒美も、たまには必要でしょ」

わたしは彼女をじっと見つめたが、何も言わなかった。

「これ、気に入ったのよね？」

わたしが棚に戻したスニーカーを指さしてエリカが訊く。わたしは首を縦に振った。「だったら買うべきよ」

と彼女は畳みかける。

「少しくらいは贅沢しなくちゃ」

結局、わたしは4つの商品のうち、ハイカットのスニーカーと革ジャケットの2品を購入したが、その後何日間も、そのことで頭を悩ませた。2品に減らしても千ドル以上という、自分にとっては尋常ではない金額を支払ったからだけではない。あのベルトも買うべきだったと後悔したのだ。数ヵ月後、意を決して店に行ってみると、ベルトはもうなくなっていた。

エリカは、身分不相応の買い物をするようわたしをそそのかしたわけではない。むしろ、わたしが今まで考えもしなかったような価値観、メンタリティにシフトするよう、促してくれたのだ。それまでのわたしはつねにサバイバルモードで生きてきて、手に入ったお金は1

ドルたりとも逃さないよう必死に生活していた。しかし、お金は人生の他のすべてと同じように、エネルギーの交換なのだ。

自分が夢中になれることにお金を使えば、それは自分のエネルギー源になる。自分が手に入れたものとどう関わるかは、自分を信じられているか、ということにもつながる。今欲しいものがあるとして、自分はそれを手に入れるのにふさわしい人間だろうか？　自分にそれだけの価値はあるのだろうか？　その答えによって、手に入るものは変わってくるのだと思う。

バーグドルフで馬鹿げた浪費をするべきだと言っているのではない。むしろ逆で、お金は、物理的な視点ではなく、精神的な視点で見るべきだということだ。ケリーと同じくらい精神的な視点で世の中を見ているエリカは、その基本的なことが分かっていた。彼女の両親はヘッドハンティング会社を興して成功した起業家で、賢いお金の使い方や投資方法を娘に教えてきた。そして大人になったエリカは、「魅力」というものの普遍的な法則に基づいて、お金とのつき合い方をとらえるようになる。つまり、人が何かに魅力を感じてそこに注目すると、注目した世界はおのずと自分の中で広がっていくということだ。

自分の人生にある良い部分に注目すれば、人生はもっと良くなっていく。手を握りしめずに開いておけば、その手には計り知れないほどの幸福が流れ込んでくる。これはエリカが教えてくれた、人生の大きなレッスンだった。

レッスンと言えば、初めてのツアーでも学んだことがある。母親をマネージャーにしてはならないということだ。ツアーに出るにあたりママに付き添いを頼んだところ、彼女は恐ろしいほど「保護者」になってしまい、しまいには冗談でブルドッグと呼ばれてしまうほどだった。わたしに課されたあまりのハードスケジュールに腹を立て、PR担当に嚙みつくなどもした。母にとって大事なのは子どもを守ることであり、そのためには自分がどう思われてもかまわない。母が母としてわたしを守ろうとしてくれるのはありがたかったけど、周囲の人たちからひんしゅくを買わないよう、少しトーンダウンして欲しいと伝えた。

「つまり、わたしはクビってこと？」

にんまりと笑いながら母は言う。クビではないわ、少なくとも今すぐではない。そんなわたしの気持ちが変わったのは、大好きな母がツアーバスの小さな2段ベッドの下段にもぐり込むのを見たときだった。〈どうしてわたしの大切なママがあんな小さなベッドで寝なくてはならないわけ？〉そんなの間違ってる。母に助手をやってもらうのも間違ってる。時間の経過とともに、母とは仕事仲間よりは家族でいたほうがおたがいにうまくいくことに気がついていった。つまり、マネージャーは自分を産んでいない人にやってもらったほうがいいのだと。

２００1年12月、わたしは少し早めのクリスマスプレゼントをもらった。グラミー賞の6部門にノミネートされたのだ。その中には、「Fallin'」の最優秀楽曲賞へのノミネートも含まれていた。ロサンゼルスのステイプルズ・センターで行われるセレモニーの司会はジョン・スチュワート。わたしは会場で歌うことになり、成層圏の上をフワフワ浮かんでいるような気持ちになった。

当日は何とひどい風邪を引いてしまったが、意を決してベッドから這い出た。たとえ鍵盤の上に倒れ込んだとしても、初めてのグラミーの舞台を逃すつもりはなかった。声がかすれてしまっていて、これでは「Fallin'」の冒頭部分を歌いきれるかどうかも怪しく、わたしは怖気づいた。というわけでその朝、まず医者に行き、お尻にビタミンB12を注射してもらった。長い針の注射はものすごく痛くて、針を抜く瞬間は手を口に当てて叫び出すのをこらえたほどだ。ビタミンB12がどれほど効いたのかは分からないが、声は少なくとも一時的には元どおりになった。

声が復活した後も、頭はずっと朦朧としたままだった。風邪の薬の副作用でボーッとしていたのと、夢の舞台にのぼせ上がっていたのと、半々だったと思う。衣装担当は伝説のスタイリスト、パティ・ウィルソン。脳みそには霧がかかっていたけれど、衣装に関しては自分の考えをきちんと伝えることができた。ドレスとジーンズを組み合わせたスタイルがいい。

わたしの音楽のノリを表現してくれる、ストリート系とグラム系を合わせたような衣装を希望した。

パティはわたしが望むイメージをすぐに理解してくれた。白いTシャツとジーンズの上に、海の泡をイメージしたグリーンの、クリスチャンディオールのスリップドレスをまとう。メイクアップアーティストがまぶたの上に宝石をずらりと貼りつけてくれた。そのけばけばしい感じはすごく気に入ったけど、あのフェイクダイヤの重かったこと！　ステージ上のわたしを見た人は、立ったまま眠っていると錯覚したかもしれない。本当に、目を開けていられないほどまぶたが重かったのだ。

現実離れした1日だったが、レッドカーペットを歩きはじめた瞬間、すべてがトップギアに入った。カーペットを歩いている間にも、自分がここにいることが信じられない。周りはスターばかりだった。セリーヌ・ディオン、メアリー・J・ブライジ、パティ・ラベル、グウェン・ステファニー。ずっとインスパイアされてきたアーティストたちに「ヘイ、アリシア！」と声をかけられることがものすごく奇妙に感じられた。

それは、入会申し込みをしていない社交クラブに突然迎え入れられたような経験だった。みんなに声をかけられて何と答えたのか、まったく記憶がない。身体は確かにそこにいたけれど、頭はどこかに行ってしまっていた。オプラの番組のセットで感じたような、「今テレビのハコの中にいる」感覚をここでも感じた。

　正真正銘の、混じりっ気なしの至福――往年の偉大なミュージシャンたちが一緒に「Fallin'」を歌ってくれたときの気持ちは、こうとしか言い表せない。フラメンコを採り入れたわたしのメドレー・パフォーマンスをホアキン・コルテスが横で一緒に踊りながら盛り上げてくれた。わたしは、フェイクダイヤで閉じてしまいそうなまぶたを必死にこじ開け、アドレナリンと風邪の薬でハイになりながら歌い踊ったが、事前にハードな練習をしたフラメンコのステップはいくつか抜けてしまったと思う。

　人にはそれぞれ得手不得手があるものだが、ダンスはわたしの得意分野とは言えない。もちろん身体は動くし、音とリズムに乗せてグルーヴするのは得意だけど、ステージの上で、背後に20人ものダンサーを従えて、あらかじめ決められた十通り以上の動きをするのは難しかった。たぶん向いていないんだと思う。それでも世界的に有名なフラメンコダンサーと同じステージに上がることができたのは嬉しかった。ステップはいくつかしくじってしまったけれど、歌は**もちろん**しくじりはしない。

　授賞式がはじまる前、わたしはすでにテレビには映らない賞を2つ受賞していた。そしてその夜、あの場で、わたしの名前が呼ばれた。一度、二度、三度……。ノミネートされた6部門のうち、5部門を受賞した。最優秀R&Bアルバム賞で名前が呼ばれたとき、わたしは恍惚（こうこつ）と同時におどおどした表情を浮かべながら、ステージに向かって歩いた。アルバムを1枚出しただけの新人アーティストが5部門も受賞なんて、あり得るの？　ともにノミネートされたミュージシャンたちの途方もない才能を考えると、5部門も受賞するなど信じがたいことだった。とても現実とは思えなかった。

「この賞をいただけてとても光栄に思っています」

片手を胸に、片手で金色のトロフィーを握りしめて、わたしは言った。

「この賞は、型にはまらない活動の結果いただいたものです。人からどう言われようと、自分らしくあることを恐れず進んだことで、いただけたものだと思っています」

わたしをここまで連れてきてくれたのは、それだけではない。もっと大きな力があった。神だ。わたしの旅は、神の心（Spirit）に導かれていたと思う。1987年、突如としてわたしのもとに来たボロボロのアップライト。ガールズグループを目にとめ、それを兄弟に教えたボーカルコーチ。ビレッジの路上で出会い、音楽の運命をともに歩んだ人。それを偶然のなせる業だと言う人もいるだろう。でもわたしは神の思（おぼ）し召しだと思っている。

7

ダイアリーノート

DIARY NOTES

リー・ブレイク　アリシアが初めて設立したNPO、Keep a Child Alive の共同設立者

アリシアにとって大事なのは音楽で、名声ではないの。南アフリカから帰国する機内で、セレブでいることがどんなにクレイジーなことか、さんざん話し合ったものよ。キャーキャーと押し寄せるファン、どこに行っても人目にさらされること。世間が自分の音楽を愛してくれることには感謝しつつ、彼女はプライバシーがないことに悩んでいたわ。2003年に共同で Keep a Child Alive を立ち上げたことで、アリシアは自分が持つとてつもないプラットフォームを世の中に役立てる方法があるのだと気づいたのよ。
20代前半でアフリカの国々を訪れ、苦しみの中でも信じられないほどの精神力と優しさを見せる人たちと出会い、アメリカに帰って自分に何ができるかを考える。その経験がアリシアに良い影響を及ぼしたの。彼女の名声に、意味のある目標が加わったことは大きいと思う。

名声は、次から次へと色を変える。『Songs in A Minor』が大ヒットしたときは、強い高揚感を帯びた鮮やかな蛍光パープルだった。最初の興奮が過ぎ去り、プライバシーと平和な

生活に土足で踏み込まれたと感じるようになると、パープルは少しずつくすんだグレーへと変わっていった。わたしはこの2色の間をしょっちゅう行ったり来たりしていた。自分と自分の音楽が受け入れられたことへの喜びと感謝、そしてその喝采が連れてくる錯乱。シーソーのように気分が浮き沈みする中で、わたしは本能的にグレーゾーンの気分を世間に隠そうとしてきた。これまでは。

ファーストアルバムをリリースしてから、セカンドアルバムを出すまでの間に、わたしは奇妙な感覚と格闘するようになっていた。いつも行くスーパーで、20年間何の問題もなく買い物ができていたのに、ある日を境に買い物客からレジ係の店員までそこにいる全員がイチゴをカゴに入れる自分をジーッと見ているような感じ。最初は人が自分に興味を持ってくれることが嬉しくて、信じられないような気持ちになる。でもそれが何ヵ月も続き、あらゆる公共の場で人の視線にさらされるようになると、注目されることのありがたみはなくなり、無名だった頃の気安さを渇望しはじめる。

よれよれのスウェット姿で、耳にイヤホンを突っ込んだまま、誰の目にとまることもなく、街をうろつきたい。どこにでもいる若者ではなくなったことが、わたしのニューノーマル、わたしのグレーゾーンだった。

名声という監視下に置かれて生活している人は、誰もがそれぞれのやり方で、栄光に伴うグレーな現実とつき合っている。わたしはもともと、ジョプリンのラグタイムに何時間もひたったり、日記に没頭したりするタイプだったので、はじめは人からどう思われても気にしなかった。でもそうすると、別の強い欲望が頭をもたげてくる。好かれたい、性格の良い女性だと思われたい、自分の気持ちを押し殺してでも人を喜ばせたいという欲望だ。

それは幼少の頃に育まれた性質で、そうなってしまった土壌は2つある。ひとつは、母を怒らせないようにするため、カメレオンのように臨機応変に立ち回っていたこと。もうひとつは、女性は自分の都合は後回しにして他人に尽くし、意見があっても黙っているべきだという大昔からの慣習に心のどこかで縛られていたことだ。

この頃、わたしは公私の線をきっぱり引くことができずにいた。周囲がわたしのスケジュールを仕事で埋め尽くしてしまって、自分の時間がまったくなくなった。しかし、それを押し返し、ノーと言う術を知らなかった。30枚も写真を撮った後でファンがやってきてさらに撮影をねだられても、かならず応じていた。断ってワガママと思われるのが怖かったのだ。わたしの作品を大好きでいてくれる人に、どうして背を向けることなどできるだろう？

スポットライトを浴びることで、もうひとつ、予期していなかったものの見方をするようになった。自己観察だ。

ファーストアルバムが大ヒットして顔が売れると、わたしのセクシュアリティが取り沙汰されるようになった。

「彼女、すごいハードエッジだよね」

あるコメンテーターは指摘した。

「もしかして同性愛者？」

そうだったら、とっくに堂々とレインボーフラッグを振っている（実際にはわたしは同性愛者ではないもののＬＧＢＴへの連帯の気持ちはつねにある）。そんなコメントに反発しつつも、わたしは自分が他人にどう見えているかを気にするようになった。自分の姿をテレビでしょっちゅう見るという人はそう多くない。最初はテレビに映る自分を見るのが嫌だった。プレスインタビューや、ジェイ・レノのトーク番組『トゥナイト・ショー』に初めて出たときの映像を見て、自分の動きや表情を分析した。〈もう少しソフトな話し方をすれば良かったかな？　ドレスを着るか、髪をストレートにすれば、もう少し女性らしく見えたかも？〉人がわたしに期待する外見を裏切らないように、自分を変えていきたいと考えるようになったのだ。

『Songs in A Minor』のカバー写真には、わたしらしさがよく出ている。ふちの広い緑色の帽子をかぶり（わたしは帽子顔で、だいたい何でも似合う）、頭をもたげている。大きなビーズを編み込んだ何本ものブレイド。手は腰に当て、丈の短い緑のストライプのシャツに、黒い革のコートを着ている。この写真を撮影したときは、後にグラミー賞でもわたしを担当してくれた有名スタイリスト、パティ・ウィルソンが、シフォンやリボンをたくさん用意してスタジオで待っていた。

「わたしはリボンとか着けないんです」

と彼女に伝えた。自分らしさを表現する服装については、はっきりしたイメージがあったので、パティと相談して、その方向で服を選ぶことにした。１９７０年代のボヘミアン風に、都会らしいひねりを加えた感じ。ヒッピーっぽいけど、コンクリートジャングル版フリースピリットと言うか、フラワーチャイルドからフラワーを引いたみたいな感じ。ドレスアップしているんだけど、すごく頑張ってる感が出ないやつ。シンプルに、やりすぎは絶対にダメ。素材のままで、リアルで、フレッシュに。その後、活動を続けていくにつれ、わたしらしいスタイルは少しずつ変わっていくことになる。

リー・ブレイクは、わたしの20代に大きな出来事を2つ、もたらしてくれた人だ。ひとつ目は、素晴らしいハートと声を持ったロックのレジェンド、ボノを紹介してくれたこと。２つ目は、何も知らなかった海の向こうの世界に目を開かせてくれたこと。

リーは走り出したら誰にも止められない、ハリケーンのような情熱の持ち主だ。ロンドン南部出身、155センチの身体からあふれ出すエネルギーで、アフリカにおけるエイズ感染問題を解決する活動を行っている。彼女がボノと知り合ったのは1990年、アメリカのテレビで初めて放映されたエイズのチャリティー番組、『Red Hot + Blue』を制作しているときのことだった。

2001年、リーはボノと共同で別の活動を立ち上げることを思い立つ。エイズ危機への関心を世界に広めるため、有名ミュージシャンを集め、マーヴィン・ゲイの1971年のヒット曲「What's Going On」をリメイクして歌ってもらうのはどうだろう？　ボノはもちろん賛成した。12月1日の世界エイズデーに先駆けてリリースされるシングルの収益は、アフリカの医療クリニックの運営に使われる。

この年のイベントには、40以上のアーティストが参加を表明した。ジャスティン・ティンバーレイク、クリスティーナ・アギレラ、マイケル・スタイプ、ジェニファー・ロペス、ナズ、デスティニーズ・チャイルドなど。『Songs in A Minor』でデビューしたわたしも、ピーター・エッジを通じて招待された。〈幼い頃からわたしのアイドルだった人たちの、世代を超えた素晴らしい曲を、偉大な目的のために歌うなんて！　絶対やりたい〉

ニューヨークで行われたスタジオセッションで初めて顔を合わせた瞬間から、わたしはボノが大好きになった。彼からはクールさがにじみ出ていた。人の視線をとらえるときのしぐさ、自虐ネタを言うときの気安い雰囲気、温かくて穏やかな物腰。会った瞬間から兄みたいな気がした。レコーディングセッションが終わった後、わたしはリーにくっついて、彼女がボノと一緒にアフリカで行っている活動について話を聞いた。リーはＨＩＶがアフリカ大陸の存在を脅かすほどの脅威になっており、わたしたちアーティストがそれを変えられることを、情熱と説得力をもって話してくれた。わたしは彼女の言葉と、戦士のような戦う心に感動し、別れ際にこう言った。

「この活動のためにわたしにできることがあれば、何でもやるわ」

自分の中のどこからこの言葉が出てきたのかは分からない。ただ、心からそう思って言ったことは確かだった。

その後まもなく、わたしはツアーに忙殺されるようになってしまったけれど、リーとは連絡を取り合っていた。２００２年、ツアーもそろそろ終わりに差しかかった頃、ＭＴＶが、南アフリカのケープタウンで行われるＨＩＶの啓蒙（けいもう）とチャリティーコンサート「Staying Alive」に招待してくれた。イベントの様子は撮影され、12月の世界エイズデーに放映された。旅立つ前、わたしはリーに連絡をして初めてアフリカに行くことを伝えた。

「向こうであなたと落ち合って、エイズの蔓延（まんえん）によってあの大陸がどうなってしまったかを見せたいのだけど、いいかしら？」

と訊かれ、わたしは同意した。

あの旅の間に見たものは、永遠にわたしの胸に焼きつけられた。リーは、ヨハネスブルグのすぐ外にあるソウェト地区のいくつかのクリニックにわたしを案内した。ひとつ目のクリニックに入って行くと、新生児を抱いた若い母親の集団がいた。全員がＨＩＶ陽性と極貧という二重苦を抱えている。

彼女たちが住む村では、母親の免疫機能を破壊している治療不能のウイルスが母乳にも含まれていることを、誰も教えてはくれなかった。母親たちの目には、絶望と恐怖が宿っていた。が、そこには希望も感じられた。地球の反対側の、とてつもない富がある土地から来た歌手ならば、きっと自分たちを助けてくれるだろうという希望だ。

「わたしにできることはありますか？」

答えは分かりきっていると思いながらも尋ねた。１人の母親は目に涙を溜めたままわたしを見つめ、ささやいた。

「とにかく薬が欲しいんです。それだけです。薬がもらえるように助けてください」

ＨＩＶの母子感染リスクを軽減する抗レトロウイルス薬は、南アフリカでは裕福な人しか手に入れることはできない。そして薬がなければ、母親と子どもは死んでしまう。日々の食べ物にすら事欠く彼らが、１回分が何百ドルもする薬を買えるわけがない。誰かの命を救える薬はあるのに、それが最も必要としている人のもとには届かないという現実に、わたしはショックを受けた。その理不尽さにキレそうになった。その気持ちは今も変わっていない。これは人権問題だと思う。

別のクリニックでは、エイズで親を失った子どもたちに囲まれた。その数、数十人。親が亡くなると、年かさの子（と言っても7歳とか10歳とか14歳だ）が弟や妹を養わなければならない。自分も社会から差別を受ける病を抱えているのに。

21歳のわたしは、茶色い、あどけない顔をした彼らに、子ども時代の自分を見た。〈もしこれが自分だったらどうする？　わたしを気にかけ、話を聞き、助けてくれる人が誰もいなかったとしたら？〉

世界中でＨＩＶに感染した子どものうち、約50％は何の治療も受けられないことを、そのとき知った。父か母、もしくは両方がエイズに倒れ死ぬのをなす術もなく見ているしかなく、親がいなくなったら、その悲しみに暮れるまもなく、自分と弟や妹たちを養っていかなければならない。

ソウェトでは、キャロル・ダイナスティという女性を紹介された。彼女を母親代わりとして慕う大勢の子どもたちは、愛情を込めて「ママ・キャロル」と呼んでいる。エイズがもたらした悲しみや苦しみを見て最初は泣くことしかできなかったキャロルは、やがて行動を起こした。1976年のアパルトヘイト反対運動のときには、同級生とともにソウェトの通りを行進し、議論し、声を張り上げた。何年も後、地域開発の勉強を終えた彼女は、自分の情熱を新しいことに傾ける使命を感じた。そして、HIVに傷ついた何千人もの子どもたちを受け入れる活動をはじめた。

親を失った子どもは、経済的にどうやって生きていくのか？　お金がない子どもは、性的な搾取のターゲットになり、男の子も女の子も、売春を強要されることになる。そして多くはホームレスになる。こうした状況に心を痛めたママ・キャロルの活動は、じきにIkageng Itireleng AIDS MinistryというNGOに成長した。ここはソウェトに拠点を置くエイズセンターで、2千人以上の身寄りのない子どもたちに門戸を開いている。ここは単なる施設ではない。計り知れない重荷を背負った子どもたちを慈しみ、見守り、話を聞く場所なのだ。

セシィに出会ったときのことは今でも忘れない。14歳だった彼女は、ママ・キャロルがしょっちゅう召集している小さな輪の中にいた。これは木の周りに集まって問題を解決するというアフリカの伝統に基づくものだ。ママ・キャロルの輪は、子どもたちが抱えている悩みや恐れ、傷ついたことをオープンに話すためにあった。

ほとんどの子どもが天涯孤独だったけれど、このサークルの中にいる間は1人ぼっちではない。

「両親は2人とも死んでしまったの」

とセシィは言った。声が震えている。目から涙があふれ、濃い茶色の、すべすべの頬を伝っていく。

「お金もないの」

と嗚咽をこらえながら言う。すると、セシィの隣に座っていたママ・キャロルが、何も言わずに、彼女の手を取って自分のほうに引き寄せた。わたしのママやナナが子どもの頃よくやってくれたみたいに。その瞬間、この問題はわたしにとって重要事項になった。そのときから、わたしの活動ははじまった。その日、可愛いセシィと会い、他にも愛する人を失った多くの人の話を聞くうち、わたしもここを去ることができなくなっていた。

このままアメリカに帰り、何事もなかったかのように今までと同じ生活を続けるなんてできない。ここの女性たち、子どもたちがわたしを見つめたそのまなざし。リーは、抗レトロウイルス薬がアフリカの最貧の人たちの手にも届く方法を模索していると言った。

「具体的な方法を考えてくれたら」

とわたしは彼女に言った。

「かならず協力するわ」

２００３年、Keep a Child Alive（ＫＣＡ）がスタートした。わたしがヨハネスブルグを訪れる前から、リーはこのＮＰＯの設立とテレビを通じたキャンペーン活動の構想をあたためていた。まずテレビのキャンペーンを行って、ケニアの貧困家庭への栄養食、薬、基礎的な医療の費用をまかなうため、アメリカ国民に１日１ドルの募金を呼びかけた（コーヒー１杯の値段より安い）。

このキャンペーンは瞬く間に広がり、わたしたちが提携していたケニアのクリニックは、数ヵ月後には必要な物資や費用を得られるようになった。わたしたちにとっても、こうした取り組みがうまくいくことを確認できる、ケーススタディとなった。そしてこの成功事例をモデルとして、リーとわたしはＫＣＡを立ち上げたのだ。

ＫＣＡはアフリカ大陸の複数のクリニックと提携し、わたしも折に触れアフリカを訪れた。他に類を見ないこの美しい土地を訪れるたび、今まで出会ったこともないほどスピリチュアルで、クリエイティブで、強靭（きょうじん）な人々との出会いがあった。ＨＩＶがサハラ砂漠以南に住む人々の人生を決定的に変えてしまったことも知った。この病の患者の約70％、さらに１日の新規感染者数約５７００人のうち約66％がこの地域に住んでいる。

ＨＩＶの患者は女性が圧倒的に多い。何と、１分に１人の割合で、若い女性がＨＩＶに感染しているという。ＷＨＯ（世界保健機関）によれば、出産年齢にある世界中の女性の死因の１位は、がんや心臓病や脳卒中ではなく、エイズだそうだ。彼女たちはひどく苦しんだ後、やはりエイズに罹患した子どもを残して、亡くなっていく。

治療さえ受けることができれば、状況は劇的に改善する。それが実際に現場を訪れて分かったことだった。ＫＣＡはアフリカ、そしてインド（やはりエイズによる壊滅的な打撃を受けている）の草の根組織と提携した。でも単に薬や食べ物を渡すだけではダメだと思った。もっと長期的な、継続した支援方法を考えなければ。単に病気の治療を助けるだけでなく、病気にかかった人のすべてをケアしなければ。生まれてくる赤ん坊への感染リスクを減らす方法を、女性たちに教えよう。なぜなら、女性に知恵と力が備われば、家族やコミュニティ全体がパワーアップするからだ。

14歳のわたしが音楽を志して行動していた頃、世界ではわたしと同じ年頃の何千人もの女の子たちが、ＨＩＶに家族やコミュニティを奪われていた。その多くが、自分だってまだ子どもなのに、残された年少の子を守るために勇敢に立ち上がっていた。名声は旅のようなもの、とよく言われる。でも最終目的地が人への奉仕であるなら、その旅は踏み出すだけの価値がある。

名声のスポットライトは、わたしとわたしの音楽のためだけにあるのではない。自分に手渡されたメガホンを通して、声なき人々のために全身全霊で声を上げるためでもある。セレブリティという名前の通貨を、わたしの個人的な贅沢よりも大切なことに使うということだ。

最高の喜びは、何かを受け取ることではなく、他と分かち合うこと。それを忘れてはならない。

名声を維持するのは大変なプレッシャーだ。成功はお腹を空(す)かせたトラのようなもので、つねに次の食べ物を求めてうなり声を上げている。そしてたくさん食べれば食べるほど、トラはより貪欲になっていくのだ。新人ミュージシャンがヒットを飛ばすとファンは曲を一気に搔(か)き込み、まだ次の曲の準備ができていないのに、もう次の一皿を求めて騒ぎはじめる。レコード会社は大衆の要求に早く応えればそれだけ儲けが大きくなるので、早々とアーティストをスタジオに押し込め、次の作品を作らせようとする。

わたしも２００３年はじめ、南アフリカからの帰国後に大きなプレッシャーをかけられた。パスポートは片づけてすぐにキーボードに向かえ、と。

『Songs in A Minor』のツアー中から、セカンドアルバム『The Diary of Alicia Keys』に取りかかってはいた。でも、週に4、5回のライブをこなし、合間に数百キロ、ときには数千キロも移動する生活をしていると、新しい曲を作るエネルギーはあまり残っていない。ツアー中はなるべく喉を休ませなくてはならないという事情もある。ツアーバスに乗り込んでから、ホテルのベッドに倒れ込むまでの間に、わたしは少しずつジャズっぽいインタールード「Feeling U, Feeling Me」を書き上げていったが、２００２年秋にツアーが終了したとき、完成していたのはこの1曲だけだった。

音楽業界には2年目のスランプという言葉がある。セカンドアルバムを出すときにささやかれるジンクスだ。レーベルの言いなりになり、ファーストアルバムで自分らしさを出せなかったアーティストが陥ることが多い。セカンドアルバムは好きなように作っていいよと言われてそのとおりにすると、ファーストアルバムのファンが待ち望んでいたような曲ではなくなっているというわけだ。

だが、わたしはその悩みとは無縁だった。自分らしさを懸けた最大の闘いは、すでに何年も前にコロムビアを相手に経験済みだったし、その結果として、自分らしさをじゅうぶんに表現した『Songs in A Minor』をリリースすることができた。わたしが感じていたプレッシャーはスランプへの恐怖ではなく、自分がアーティストとしてこの座にとどまり続けたいという欲望と、どんどん近づいてくる締め切りへの焦りからきていた。

ファーストアルバムは、デビュー前から書き溜めた曲を使うことができる。つまり、いくらでも時間をかけることができた。でもセカンドアルバムに費やせる時間ははるかに少ない。わたしの場合は、２００３年末のリリースを目指すよう求められていた。

レコーディングクルーは速やかに動き出した。ケリーとわたしはすでに、KrucialKeys

Enterprisesという自分たちの小さなプロダクションを立ち上げていた。個人的な友人をはじめ、音楽への夢を持った様々なアーティストを集めてアルバムを作るという構想があった。最初に名前が挙がったのは、『Songs in A Minor』の中の「The Life」でわたしと共作した、EmBishion時代からの仲間、タネイシャだ。それに幼なじみのエリカ。エリカは叔父でニュー・キッズ・オン・ザ・ブロックのパーカッショニストのノーマンを紹介してくれた。わたしは彼のアイデアを気に入り、組んでみることになったのだ。

今まででいちばん重いコラボレーションがはじまったのもまた、このアルバムだった。ケリーとわたしはポール・レ・グリーン、イルズ、クマシといった才能あるアーティストに声をかけていた。それぞれに自分の音楽を作ってもらい、いずれはKrucialKeysのレーベルでのデビューを目標にする。そして同時に、わたしのアルバム制作にも参加してもらおうというわけだ。

２００３年春からは、アルバム完成を目指してカンヅメになった。コアメンバー（ケリー、音響エンジニアのアンとトニー・ブラック）とKrucialKeysのアーティストたちとともに、マンハッタンのノーホー地区にあるカンポ・スタジオにこもった。スタジオを２つ借り、わたしはほぼそこで暮らしていた。

サウンドブースの中でクリエイティビティを爆発させ、ピアノでメロディを紡ぎ出す合間に、みんなでテイクアウトの食事をシェアし、歌詞に磨きをかけ、新曲のアイデアを出し合った。夜を明かしてしまうことも多く、そんなときはスタジオの折りたたみベッドに倒れ込み、野球帽を顔に載せて仮眠を取った。そして3、4時間後に目覚めると、腫れぼったい目のまま再びキーボードに向かうのだ。濃厚で、誰にも邪魔されないクリエイティブな空気感が漂っていて、前回とは違うアルバムができそうだった。

『Songs in A Minor』は様々なスタジオを転々としながら、7年もかけて制作したアルバムだった。その点、『Diary』には連続性があった。リズムがまとまっている感じ。制作途中から、これはすごいアルバムになるという予感があった。

様々なアーティストが入れ替わり立ち替わりやってきて、レコーディングに参加してくれた。スティーヴ・ジョーダン、ワー・ワー・ワトソン、ドゥエイン・ウィギンス。カニエ・ウェストは嵐のように現れて、「You Don't Know My Name」のリズムを決め、（有名になる前の）ジョン・レジェンドがバックボーカルを担当した。プロデューサーのドレとヴィダルも、スタジオに来たときは何日間もつき合ってくれた。

ピーター・エッジからは、ブラジリアンやアフリカンのビートが、とめどなく送られてきた。2つのスタジオを行ったり来たりしながら同時に複数の曲を制作し、世界中の音やビートや雰囲気がごちゃ混ぜになった作品を作ろうと試みた。へとへとに疲れる毎日だったが最高に楽しかった。

レーベルでは、２００３年第４四半期のリリースを計画していた。そうすればホリデーシーズンに間に合う。秋には、「Karma」「Diary」「You Don't Know My Name」などのシングル曲は仕上がっていたが、残りは完成には程遠い状態だった。それでも発売日が迫っていたため、アメリカとヨーロッパへのプロモーションツアーに出なければならない。続きのレコーディングは海外で行われることになった。ジェフがカンポ・スタジオにやってきて、ぎりぎりまで制作を続けるわたしを文字どおり引きずり出し、飛行機に乗せた。

それから数週間は、パリがわたしたちの拠点になった。わたしは朝6時に起き、記者との連続インタビューに備える。彼らはイギリス、ドイツ、スウェーデン、オランダ、スペイン、その他ヨーロッパのありとあらゆる国から来ていた。12時間ずっと座りっぱなしで、30分ごとに入れ替わる相手とのインタビューをこなす。

「せめてエッフェル塔が見える位置に座ってもいい？」

ツアー前、スタッフにお願いした。ありがたいことに、プレスとのインタビューはすべて、遠くにエッフェル塔を望むレストランの最上階で行われたため、その願いは叶えられた。インタビューが終わり、夕食を掻き込むと、疲れた身体を引きずって借りていたスタジオに入り、午前3時までレコーディングを行う。そしてまた6時に起きてプレス対応をし、合間の貴重な時間でレコーディングに情熱を傾ける。この繰り返しだった。

数週間後アメリカに戻ると、わたしは「Harlem's Nocturne」を書いた。クラシック曲のようにはじまり、ハーモニーを経てヒップホップ風に変化していく曲だ。アルバムの1曲目でありながら、最後に完成させた曲だった。この曲は単なるアルバムの冒頭曲のつもりで書いたのではない。このアルバムのノリにリスナーの耳を慣らすための重要な導入曲にしたかったのだ。

この曲を冒頭に持ってくることで、自分の音楽の特徴となるトレンドを確立したかった。『A Minor』の「Piano & I」でそうしたように、アルバムの1曲目は、ピアノのソロから入りたい。わたしは締め切りぎりぎりまで「Harlem's Nocturne」に取り組んだ。マスタリング・エンジニアのデーブ・カッチがヒット・ファクトリーというスタジオで待ちかまえていて、録音後の編集作業となるマスタリングを大急ぎで完成させてくれた。

このチームは、『The Diary of Alicia Keys』を制作するために合計90以上にも上る楽曲に取り組んだことになる。アルバムにこのタイトルをつけたのは、それが曲そのものを表しているからだった。どの曲も、わたしの人生の1ページについて歌っている、とてもパーソナルなものだ。「If I Ain't Got You」「Wake Up」「Slow Down」「Nobody Not Really」、どれをとっても、当時わたしが経験していたことばかりだった。

このアルバムはわたしなりの、自分を開け放つ方法だった。ほんの短期間にせよ、自分の頭の中にあるものをすべて吐き出す。今聴いてもこのアルバムは、とても身近で懐かしい感じがする。自分の弱さを正直にさらけ出したからだと思う。それに、寝不足のハイ状態で何かを作ると、すごく正直なものができるのだ。

最後の１曲を仕上げたとき、わたしはシャンパンを開ける代わりに、しばしホッと一息つく。〈今回もやり遂げた。でも、そろそろ次に行かなきゃ〉これがせっかちなニューヨーカーの感覚なのだ。ゆっくり寛（くつろ）いでいる暇なんかない。次の給料日、次のプロジェクト、次に食べる食事、それが何であろうと、それはもうすぐそこまで来ているのだから。

『The Diary of Alicia Keys』がリリースされた。アルバムからのファーストシングル「You Don't Know My Name」は２００３年12月にR&Bチャートのトップに昇り詰め、９週間トップを維持した。アルバムも発売後１週間で売り上げ60万枚を突破してチャート１位を獲得し、レーベルの予想を超える数字を叩き出した。『Songs in A Minor』を荒っぽいドライブだとするなら、『Diary』は別の銀河への宇宙旅行だった。アルバムはグラミー賞で４つの賞を獲得し、北米とヨーロッパを回る36ステージのツアーにもつながった。

タイトル曲はリリース後にちょっとした波風を立ててしまった。曲を書いている段階で、

「Diary」は難しい曲になる予感はしていた。曲は、わたしの指先からコードが飛び出してきたところからはじまった。何時間もピアノの前に腰かけて、この美しいコードを何度も何度も弾いたが、何の歌詞もメロディも浮かんでこない。そんなある晩、映画『マディソン郡の橋』を観た。2人の男女の秘密の恋を描いたこの映画のタイトルとストーリーにインスピレーションを得たわたしは、それをなんとか歌詞にしようとした。

「わたしはあなたのマディソン郡の橋」と書いてみた。明らかにダメだわ。

「この曲、いったいどうすりゃいいの？」

とわたしはケリーに問い、考えていた詞をつぶやいた。すると彼はこう応えたのだ。「わたしはあなたの日記の1ページ」

これだ。翌日、ピアノに向かって曲を書き上げた。2番の歌詞には、使わなくなった自分の電話番号を滑り込ませるという芸当までやってのけた。そのときは、その番号の留守番電話にわたしのメッセージを入れておき、電話してきたファンがそれを聴けるというお遊びが、イケてると思ったのだ。予想したとおり、リリース後まもなく電話が鳴り出した。

ただし、わたしの歌詞にはエリアコードが入っていないというオチがあった。おっと、やっちゃった。アメリカ中のファンが歌詞の番号にかけると、それはその人が住む州内の同じ番号にかかってしまい、電話がひっきりなしにかかって来たジョージア州のある人からは、訴えを起こされることになってしまった。

「アリシア・キーズは？」

彼が電話を取るたびに、相手は訊いてきた。彼が激怒していたというのは、かなり控えめな表現だ。もう二度とあんな間違いはするまい。

『Diary』のツアーはすぐにははじめられなかった。２００４年春、わたしはビヨンセ、ミッシー・エリオットと組んで、Verizon Ladies First Tourと銘打ったコンサートツアーを行った。これはR&Bの女性シンガーが行う、初めての３人コンサートだった。もちろんエンターテインメントとして楽しんでもらうためのコンサートだったが、そこにはいくつかのパワフルなメッセージも込められていた。女性も作曲やプロデュースができる。女性も自分でステージをコントロールできる。そして世間一般の認識に反して、女性は団結してたがいに支え合うことができる。

ツアーがはじまる前から、わたしはこの2人の女性を知っていたし、尊敬もしていた。ビヨンセとは、コロムビア・レコードのオーディションを受けていた頃に、その舞台裏で知り合った。当時の彼女はまだデスティニーズ・チャイルドのメンバーで、わたしはソロアーティストの道を模索していた。そして今回、全米30ヵ所のツアーを一緒に回ったことで、２人の絆（きずな）はより強まった。

『Diary』ツアーがスタートしたのは２００５年、グラミー賞授賞式が終わった直後からだ。はじまる何週間も前からケリーは準備を手伝ってくれた。一緒に機器を微調整し、新しいステージ道具を調達し、あちこちに目を光らせ、２人が数週間離ればなれになってもわたしが気分良くステージに上がれるよう、気を配ってくれた。多くの恋人たちにとってツアーは試練であり、わたしたちもその例外ではなかった。

ケリーは時折ツアー先に駆けつけてくれ、束（つか）の間、一緒の時間を楽しんだ。でも、ツアーには独特の雰囲気がある。ツアーメンバーではない立場でバックステージに座っていると、〈自分はいったいここで何をやってるんだ?〉という気分になってしまうのだ。ツアーマネージャーとか、照明ディレクターとか、バックシンガーとか、決められた役割がないと、みんなの邪魔になっているような気がしてしまう。

ケリーは来られるときは来て、一緒にいられない日はかならず連絡を取り合った。クイーンズでの彼は様々な仕事を同時進行でこなしていた。KrucialKeysのアーティストたちのマネジメント、息子たちの面倒を見ること、歌詞を書くこと、そしてわれわれの次のアルバムやステージの準備。

もう何年も一緒にいる２人だったが、恋人としての関係を公にしたことはなかった。つき合い出した当初から、わたしたちは２人の関係を誰にも言わないでおこうと決めたのだ。他人には関係のないことだというのが主な理由だったが、２人の年齢差についてあれこれ言われるのが嫌だったということもある。

　世間のスポットライトを浴びるようになると、プライバシーを守りたいという気持ちはより強くなった。世間はすでにわたしの私生活について詮索しはじめていた。これ以上ネタを提供する必要なんかない。さらに、ケリーは人から注目されたがるタイプではなかった。彼は目立つことを嫌い、人を押しのけてステージ中央に出ようとする人ではなかった。どちらも固く口をつぐんで秘密を守っていたけれど、わたしたちが単なる共同プロデューサー以上の関係だと邪推する人は多かった。ジャーナリストに２人は恋人ですかと訊かれると、わたしははにかんだように微笑んで答えをはぐらかした。

　その頃には友人であり姉のような存在にもなっていたオプラは、私生活を明かしたくないというわたしの気持ちを後押ししてくれた。２００４年、Verizon Ladies First Tour の最中に、わたしは再びオプラの番組に出演した。終了後、わたしたちはすごく大事な話をした。

「ラブ・ライフのことは誰にも話してはダメよ」

　と彼女は言った。

「それは、あなただけのものにしておきなさい」

と。そして自分の最大の失敗のひとつは、恋愛関係をゴシップ紙のネタにさせてしまったことだ、と教えてくれた。

「ああいったメディアは、一般人である相手のプライバシーまでほじくり返すのよ」

また、インタビューで恋愛についてのろけまくったのに、数ヵ月後には破局して、惚（ほ）れっぽい愚かな女のレッテルを貼られてしまう女性をたくさん見てきたそうだ。だったら、はじめから口をつぐんでいるに限る。わたしはオプラの金言に従った。

『Diary』前後の年月は早送りのように過ぎた。NPOの運営。正しい方向に向かうことを教えてくれた人との出会い。Verizon Ladies First Tour。わたし自身のツアー。そして2005年夏には、新たな節目となる出来事があった。「MTV Unplugged」シリーズの一環として初のライブアルバム『Unplugged』を制作したのだ。このプロジェクトによってわたしは3度目のチャート1位を獲得し、さらに5つのグラミー賞を受賞した。その中には「Unbreakable」への賞も含まれる。そして2006年には、さらなるサプライズがあった。ジョン・メイヤーから連絡があり、ボブ・ディランがその年に作った曲「Thunder on the Mountain」で、わたしのことを歌っているというのだ。嬉しさでおかしくなってしまいそうだった。

「本当に？」

ボブ・ディランがわたしのことを歌詞に書くなんて信じられない。でも、それは本当だった。それはこんな歌詞だった。

「俺はアリシア・キーズのことを考えて、泣かずにはいられなかった／彼女がヘルズキッチンで生まれたとき、俺は何をしていたのか／アリシア・キーズはどこへ行った／テネシーにいても、彼女のことを探している」

何がきっかけでこのような歌詞が生まれたのかは分からないが、偉大なアーティストの目にとまったことは光栄だった。いまだに自分のことを音楽業界の新参者、ベビー・キーズだと思っていたのだから。

２００６年、わたしのスケジュールはずっとパンパンだった。アクションスリラー映画『Smokin' Aces』のオーディションを受け、出演することになったのだ。わたしにとって初めての経験だった。写真撮影やプレス対応、ライブパフォーマンスなどで自分の時間がどんどん減っていき、いったいどうなるんだろうと思っていた矢先、ナナの具合が良くないという知らせが入ってきた。

途端に、心臓がドキドキし、身体の感覚がなくなっていく――部屋にいるのに心はここにないときの、あの感じ。仕事をしていても集中できない。日々のルーティンワークをこなしていても、祈るような気持ちでいる。悲しみと不安を押し殺して過ごしていたある日の午後、ニューヨーク・シティのとある楽屋で、突然限界が訪れる。

わたしは子どもの頃から、あまり涙を見せるタイプではなかった。むしろ、窮地に立たされれば立たされるほど、感情を表に出さなくなる。これはわたしの中のサバイバル精神のなせる業だろう。ニューヨークのストリートが作り上げた性格。弱みやもろさを見せてはならない。拳を握りしめて歩き続けろ、と。だからこそ、その日のわたしの壊れようは、自分でも信じられないほどだった。

わたしは楽屋で腰かけたまま、ナナの病の重さを感じ、今の仕事のスピード感に圧倒されて疲れ果て、与えられた大きなチャンスについて行けない恐怖におののいていた。もういっぱいいっぱいだった。そして、ダムは決壊した。

8

理想を求める旅

PILGRIMAGE

ボノ　アイルランド出身の歌手・活動家

アリシアには2つの異なる顔がある。「What's Going On」プロジェクトで初めて会い、スタジオで彼女の歌を録ったときには、元気の良い跳ねっ返り娘だなと感じた。感じのいい子なんだけど、ちょっと尖っていて、「あたしに絡むんじゃないわよ」みたいな雰囲気があった。でも何年か一緒に仕事をしているうちに、孤高の人でもあることに気づいた。その孤独、彼女の魂の深淵から、あの曲が生まれてくるんだ。

エジプトでは自分の魂と向き合い、あの国が持つ神秘に魅了されていた。あの旅は彼女にとって本当に重要な時間だったんだ。感性が豊かな人だからね。帰国したときは、自己の内面や、価値観や、芸術性をより深く理解するようになっていた。


「本日はどんなご用件でしょうか、キーズ様?」

旅行エージェントが訊く。

わたしは深く息を吸い込んでから答える。

「逃避したいんです」

「承知しました。どんな旅をお考えですか？」

一瞬の沈黙。

「船旅がしたいの」

受話器の向こうから、相手がコンピュータのキーボードをカタカタと叩く音が聞こえる。

「キーウェストへの特別なパッケージプランがありますよ」

彼女は続けた。

「それとは別に……」

「じつは」

とわたしは彼女の言葉を遮った。

「ナイル川のクルーズ船に乗りたいと思ってるの」

カタカタ音が止まった。

「ええと、つまり、北アフリカの？」

「そうよ」

と答えた。

「エジプトに行きたいの」

初めて「エジプト」が心にひらめいてから、ためらいはいっさいなかった。控室に座ったまま涙と鼻水でぐちゃぐちゃの顔で、今ここですべてを放り出したらどうなるのだろうと考えながらも、母なる大地と、アフリカのわたしの先祖たちから強く引き寄せられるのを感じていた。エリカに相談すると、彼女はその力に従うべきだと言ってくれた。それがなぜエジプトだったのか、今でもよく分からない。ただ、圧力鍋みたいにプレッシャーのかかるこの生活からできる限り遠くに逃げなければ、という思いは切実だった。

数日間の休暇程度では足りない。わたしの心は現状からの完全な脱出を渇望していた。8千キロも離れた大西洋の向こうまで行こうというほどに。つまり、これはバケーションではなく、プリズンブレイクだった。

今回は一人旅でなくてはならない。わたしを取り巻く世界は騒々しく、つねにアポイントメントや出演やプレスインタビューに振り回され、自身を見失っていた。わたしは誰にも気を遣うことなく過ごせる場所に行きたかった。誰かと一緒だと、部屋の温度は大丈夫？　今日はどこに行く？　夕食は何時にしようか？　などとつい考えてしまう。わたしは相手に合わせてしまうタイプなのだ。誰かを喜ばせるためでなく、すべて自分の思いどおりにできる自由が欲しかった。

今も昔もわたしの揺るぎない保護者であるママは、最低でも警護を付けるべきだと主張した。最初は抵抗していたけど、結局わたしが折れて、案内役の男性を1人連れて行くことになった。でも空港や目的地までの移動を手伝ってもらう以外は、1人きりでいられる。

わたしのひどい憔悴ぶりからいって、すぐにでもカイロ行きのフライトに飛び乗ったのではと思う人もいるだろう。実際はそう簡単にはいかない。3週間の旅程を綿密に練る必要があったし、レコード会社との契約責任もあった。それに、1ヵ月ほど前、わたしはギリシアで行われるマラソン大会に参加登録していた。何と、フルマラソン！　そこで、アテネに寄ってマラソンを走り、その後カイロに飛ぶという計画を立てた。

11月のはじめ、わたしはアテネに降り立った。スニーカーの紐を結び、マラソンのスタートラインに並ぶ。半分ぐらい走ったところで限界にきて、これは完走はとても無理だと感じはじめた。そこから、ずっと自分に言い聞かせた。〈とりあえず次の信号までは走ろう〉これまでわたしが、あらゆる場面で使ってきた方法だ。

5時間ほど後、わたしは這うようにして、ついに完走を果たした。ゴールした瞬間、高揚感と疲労感が混じり合い、感極まって両手で顔を覆って泣き続けた。

そして翌朝、無事カイロ行きのフライトに乗った。エジプト入りした際、最も記憶に残っているのは飛行機の窓から見たピラミッドではなく、火がついたようなひどい筋肉痛だった。とりわけ太ももの痛みは強烈だった。飛行機から降り通路をよたよた歩く姿は、それこそミイラのようだった。

しかしナイルの日の出を見たその瞬間、わたしは冒険のはじまりを感じた。普段のわたしは夜が更けて、世界が眠りにつく頃から気分が高まってくる。でも、まるでマンゴーみたいな太陽が、遠くの山から顔をのぞかせる姿に魅せられ、エジプトでは日の出とともにプライベートテラスに出るようになった。

広大な空にはまだら雲がかかり、ナイルの力強い川の流れがわたしが乗るクルーザーを地中海に向けて運ぶ。わたしは静寂を胸いっぱいに吸い込み、風に髪をなびかせ、太陽の光を浴びた。いったんテラスに出ると、何時間もそこから動けなくなってしまう。デッキチェアに身を委ね、静寂の中、好きなだけ本を読み、うたた寝をする。夕暮れが濃くなりまぶたが重くなってくると、星を見ながら眠りに落ちた。そして朝になり、遠くにかすかに聞こえる「アザーン」（イスラム教の礼拝の呼びかけ）の声で目覚める。

この旅にキーボードはたずさえていた。コードを奏でると、音はこちらに向かって語りかけてくる。しかしわたしはエジプトに来てから咽頭炎になり声が出なかったので、音を返すことができない。しかし強いられた沈黙ほど、深く聴く能力が研ぎ澄まされるものはないのだ。わたしは周囲の音を吸収し、エジプト風の、ペンタトニックな旋律を奏でる。ひとつひとつの音が瞑想（めいそう）であり、平穏だった。ニューヨークを発（た）つ前は、1人で寂しくなるのではと思うこともあったが、そんな気持ちにはならなかった。わたしは孤独ではなく、平和を感じていたのだ。これまでの環境から自分を切り離し、自分の心を取り戻したことに、勇気と、強さと、誇りを感じていた。

ナイル川で3日間を過ごした後は船を降り、ルクソールのカルナック神殿に向かった。ここは息を呑むような神殿がいくつも集まった場所で、中心にある多柱式のアメン大神殿は、天に向かってそびえ立つ砂岩の柱が134本も連なる壮大な建造物だ。世界最大の宗教施設であり、2千年もかけて建てられたものだ。

わたしは首をのけぞらせて柱を見上げ、何世紀にもわたり、いくつもの王朝を経て、このような優れた建築物が完成した事実に圧倒された。そして、自分がものすごくちっぽけな存在になったような気がした。自分は人類の歴史における、砂のひと粒に過ぎない。それでも、この壮大な物語の一部として、この場所とつながっている。わたしは同時に、自分に与えられた可能性というものを強く感じた。

古代エジプト人は現代のような工作機械なしに、これらの荘厳な建造物を作り上げたのだ。わたしにも自分で思っている以上のことができるはずだ。誰もがその能力を持っているのだ。自分で思い描いたことは、成し遂げられる。自分1人では難しいことでも、同じ夢を見てきた先人たちの力を借りれば、きっとできる。

ギザの大ピラミッドも訪れ、建物内部の階段を上った。頂上近くまでたどり着くと、まだ声は復活していないのに、歌いたい衝動に駆られた。何世紀も昔の絵や文字が彫られた壁に囲まれて、わたしはナナが大好きだったゴスペルのコーラス部分をハミングした。

幸せだから歌う
自由だから歌う
あのかたの目はスズメに注がれている
そしてわたしのことも見てくださっている

ピラミッドには驚嘆した。滑車やクレーンやブルドーザーなしに、エジプト人はどうやってこれほど複雑な墓や神殿を建てることができたのか。細工や手工芸品も見事だ。見るからに硬そうな岩が正確に彫られ、色を塗られ、千年も持ちこたえるような像に生まれ変わるのだ。そのひとつひとつが、人間の精神の力と、それを作りたもうた創造主の存在を証明している。自分の前にあるものが塵（ちり）だろうと巨石だろうと、人はそれを美しい芸術に変えられるという証拠だ。ピラミッドのふもとで、わたしは天の大いなる力と人間の無限の可能性を感じていた。

エジプトを離れたくなかった。もっとここにいたい。もっと静寂の中にいたい。自分の周波数で過ごす時間が欲しい。地平線を眺めながら、自分の音楽を奏でる時間が欲しい。ナナのことを考えていたい。

最後の週は、母の両親の出身地であり、一度も訪れたことのなかったイタリアで過ごした。トスカーナの緑多い丘陵の起伏に隠れるように存在するリゾートで、ママ、エリカ、エリカのママと落ち合った。完全な孤独の中で過ごした旅の締めくくりに、わたしは愛する人たちに囲まれてゆっくりと人間同士の生活に戻っていった。お茶を飲みながら、エジプトで経験したことを、ときには涙をまじえながら彼女たちに話した。その色や旋律。くらくらするような音。日の出。精神の奥底から再生した気持ち。

家に帰ると、声は完全に復活していた。前に突き進む意志も。自分のために新たな世界を切り開く決意とともに。

エジプトから帰った後、大好きなナナを失った。亡くなってもなお、彼女は愛する人たちに素敵な贈り物を遺してくれた。大切なことのために一生懸命に生きる、という彼女の生き様だ。ナナはいつだって、非の打ち所がない爽やかな夏の日みたいな人だった。暑すぎず、肌寒くもなく、心地良い風を運んでくるような。小さかった頃、ソファに座るナナの隣によじ登り、胸に顔を押しつけては甘えたものだ。ナナはいつも笑いながらわたしを抱き寄せてくれた。ナナは、人間の姿をした愛そのものだった。大好きだったジャスミンの花のように、誰にでも優しく、人をホッとさせてくれる存在だった。
　ナナはロングアイランド、ユニオンデールの象徴のような存在で、彼女を慕う隣人がしょっちゅう家を訪れてくる。ビッグベンかと思うほど大きな音を立てる玄関のベルは、つねに鳴り響いていた。ヴァーゲイルという古風な名前の、社交的なこの女性を、この界隈で知らない人はいなかった。訪問者は彼女が出す冷たいジュースを飲みながら何時間も語り尽くした。
　ナナはわたしをアリと呼んでいた。
「アリ、隣の家に行って○○さんにお塩を少し借りてきてちょうだい」（彼女が週末に作る、バターナッツとカブの素晴らしい料理と引き換えに）
「アリ、こっちに来てテーブルセッティングを手伝ってもらえないかしら」（もちろんテーブルの上を片づけてからね）
「アリ、その服で外に出てはダメよ」（その服を着なくなるまで言われ続けた）
　そして、彼女の前ではけっして退屈だと言ってはならないことも学んだ。
「あら、退屈しているの？」
　手を腰に当て、ニヤリと笑いながら言う。

「オッケー。この問題集を6ページやりなさい。終わったら見せてね」

ナナはわたしにとっていちばんの友だちだったのかもしれない。ファファを失った後、わたしたちの絆はより強いものになった。

２００５年秋、ナナにある提案をした。

「一緒に住むのはどうかしら？　ナナ専用のスペースを作れるぐらいの大きな家を買うわ」

当時、ケリーとわたしはクイーンズのローズデールの家から、ロングアイランドに移っていた。その近くに、最新技術を誇る自分たちの録音施設、オーブン・スタジオをオープンしたばかりだった（この名がついたのは、クイーンズの家では録音装置がエアコンの音を拾ってしまうため、夏にエアコンをつけられずオーブンみたいに暑かったことと、われわれの音楽には火のような熱量があったから）。

ナナは、ファファとの結婚直後に移り住んだ1階建ての、簡素な造りの家にまだ住んでいた。だんだん年を取っていく彼女を見て、わたしはどうしてもともに過ごしたいと思ったのだ。ナナもその申し出を喜んでくれた。わたしが忙しすぎたので、ナナが不動産屋を訪ねてくれた。そして、わたしたち全員がじゅうぶんなスペースを確保できる家の候補を選び出した。

ある日の午後、候補の家を見に行くため車に乗り込もうと腰をかがめたナナが、大きな悲鳴を上げた。

「どうしたの、ナナ？」

わたしは急いで駆けつけた。

「背中が」

がっちりした身体をわたしの肩に預けながら、彼女は言った。鋭い痛みが背骨を走ったというのだ。下見を延期しようとしたが、数分後に彼女はもう大丈夫だと言った。

そこで、その家まで車を走らせた。ロングアイランドのショセットにある、2階建ての美しい家は、完璧だった。ナナ専用のスペースもちゃんと取れる。一目で気に入ったわたしは、すぐにその家を購入した。

引っ越しの準備をしていると、またもやナナが背中を痛がった。前の痛みよりひどいようだ。母とわたしはすぐに彼女を病院に連れて行った。検査の1週間後、伝えられた結果を思い出すと、今でもみぞおちにパンチを食らったような気持ちになる。彼女は脊髄のがんだったのだ。脊椎に近いところに大きな腫瘍があるのだが、脊椎を傷つけると身体が麻痺（まひ）してしまう危険性があるため、手術は難しいと言われた。代わりにがんの専門医が抗がん剤や放射線療法によって腫瘍を小さくする治療を行うという。

新居にナナを迎え入れたときには、もう自力で歩けなくなっていた。女王のような気品と存在感でわたしの世界を隅々まで照らしてくれたナナは、車椅子に乗せられて正面ドアから入って来た。わたしたちは彼女ができるだけ快適に過ごせるよう、1階の書斎を寝室に作り替え、病院用のベッドを運び込んだ。わたしたちが部屋を準備する間、彼女が感じたであろう苦悩は想像に余りある。ナナは体調の良い日には立ち上がったり歩いたりし、訪問した友人や家族を喜ばせることがあるかと思うと、別の日には起き上がることもできず、仰向けのままベッドに横たわっていた。

わたしはナナの看護を中心に自分のスケジュールを組み立てた。母も同じだった。毎晩、サードアルバムのレコーディングを行っていたスタジオから車でいったん家に戻り、ナナの様子を見た。２００６年の春頃には、1日に何度も帰り、その合間にスタジオで過ごすという生活リズムが出来上がった。入浴を手伝い、便器の中身をその都度取り換える。ママはその間、医師の予約や面談、そして治療の段取りを担当した。

定期的に家に来て手伝ってもらうための看護師も雇い入れた。これはわたしが誰かを看護する初めての経験であり、その機会を与えられたことに感謝した。わたしに惜しみない愛を注いでくれたこの女性に、ほんの少しでもお返しがしたかった。

クレイグも、都合がつけばナナに会いに飛行機に乗ってやってきた。わたしが1通の手紙で絶縁を宣言したあの夏以来、わたしたちはほとんど連絡を取り合っていなかった。『Songs in A Minor』がヒットした後、電話で少しだけ話した程度だ。ナナを通じてだったと思うけれど、クレイグがわたしの成功を喜んでいるということを聞いたからだ。

「君のことを本当に誇りに思うよ」

　電話口で彼は言った。しかし、わたしには何も響かなかった。後から考えると、わたしがスターダムを駆け上がっていくのを喜ぶ理由も分かる。自分の初めての子ども、そしてたった1人の娘が成功したのだから。でも、当時のわたしにとって彼の言葉は、黒板に爪を立てる音と同じだった。〈誇りですって？　そんなことを思う権利なんかあなたにはないわ。あなたは何もしてこなかった〉

　母が途方もない苦労をして1人でわたしを育て上げたのに、まるで自分の手柄ででもあるかのように横入りしてくるなんて。その電話の後、わたしは彼に対する態度を今までどおり変えないことに決めた。しかしナナは、わたしたちの関係を修復させたがった。

「家族がまた仲良くできたらいいな、わたしが思っているのはそれだけなの」

　一緒に住みはじめたある夜、彼女はわたしにささやきかけた。

「あなたとクレイグにはもう仲直りして欲しいのよ。お願い」

　ナナを深く愛していたので、わたしは彼女の願いを尊重することにした。父との関係には相変わらず緊張感はあったけれど、歩み寄るように努力した。

ナナが化学療法による吐き気に苦しんでいる頃、わたしは彼女と親しかった人たちの中に、お見舞いに来ない人たちがいることに気がついた。

「あの人たちはどうして来ないの？」

とナナに訊いた。

「ベイビー」

ナナは首を振りながら言った。

「人ってそんなものよ。受け入れなきゃ」

ナナとの生活は、彼女の人生観という大きな知恵を教わることでもあった。

ある晩、いつものように車を運転してナナの様子を見に帰った。散らばっていたベッド（その頃には病院のベッドではなくテンピュールのマットレスを入れたキングサイズのベッドになっていた）の上を片づけてから、わたしは言った。

「聴かせたいものがあるの」

ナナは顔を輝かせた。

「ベイビー、何かしら？」

何週間もかけて、わたしはスタジオでナナのための曲を作っていた。ようやく仕上がったので、すぐに聴いて欲しくて大急ぎで帰って来たのだ。音楽でしか表現できない思いを伝えたかった。彼女の耳にヘッドフォンを付け、ボタンを押した。

明日がないことを想像してみて／あなたの顔が見られないことを想像して／
わたしの悲しみは尽きることがない／だから今言えるのは／
あなたに伝えたい／あなたのために何かしたい／
いろんなことで表したい／なぜなら、あなたがいなくなったら／
すべては意味がなくなってしまうから／今花を贈りたい／
もう少しも待てない／一刻の猶予もない／
あなたに伝えたい／あなたに見せたい／手遅れにならないうちに

ナナの目に涙があふれた。わたしたちはベッドに隣り合って腰かけ、手をつないだまま歌を聴いた。おたがいの人生がそうであるように、指を絡め合っていた。メロディと歌詞が、柔らかな毛布のようにナナを包んだ。わたしたちは同じ時を生きていた。はっきりと、明瞭に。わたしは泣き出し、ナナは、自身も涙を流しながら、手を伸ばしてわたしの涙をぬぐった。それは今まででいちばん特別な、２人だけの時間だった。それが最後の時間になろうとは、知る由もなかった。

1週間後、夕方にナナの部屋に立ち寄った。

「今日はどうだった、ベイビー？」

彼女のベッドに倒れ込むようにして甘えると、ナナは言った。

「良い1日だったわ。ナナ、調子はどう？」

「大丈夫よ。ただ、血圧がうまく測れないの」

わたしはガバッと起き上がった。

「ほんと？　手伝おうか？」

「いいの、いいの」

と彼女は答えた。

「自分でなんとかやってみるから。少し時間を置いて、またやってみるわ。あなたのお母さんには言わないでね」

そして微笑んでみせた。

わたしは言葉の意味がよく分からず、ナナの顔を見た。

「ママには言わないけど、どういう意味？」

ナナの微笑みが大きくなった。

「いいから、言わないでね」

と大きく笑いながら言う。ナナはたまにふざけることがあって、今日はそういう気分のようだった。わたしたちはいくつか冗談を言い合った。彼女が笑い、目をキラキラさせていることが嬉しかった。立ち上がっておやすみなさいを言いながら、最後にもう一度訊く。

「ナナ、本当に大丈夫？　何かできることはある？」

「大丈夫よ」

にっこり笑いながら、ナナは答えた。

翌朝早く、寝室のドアを開けてのぞいてみると、ナナはぐっすり眠っていた。穏やかな顔をしている。〈少しでも眠れて良かった〉とわたしは思った。そしてドアをそっと閉め、自分もあと数時間は眠れることをありがたく思いながら、部屋に戻った。

数時間後、もう一度のぞくと、彼女はまだ眠っていた。〈おかしいわ〉寝坊することはあっても、ここまで長く寝ていることはない。わたしはそっと部屋に入り、ベッドのそばにひざまずいて、ナナを揺り起こした。

「ナナ？」

突如として恐怖が押し寄せてくるのを感じながら、ささやきかける。返事はなかった。数分後、救急車のサイレンが朝の静寂を破り、救急隊員が部屋になだれ込んでナナを病院に連れ去った。彼女はこん睡状態に陥っていた。

前の晩、落ち着いた様子で楽しそうで、冗談も言っていたナナは、じつは初期のせん妄段階にあったのだった。腫瘍を小さくする治療には、血糖値を急上昇させるという副作用があった。わたしが顔を出したときはすでに、急上昇した血糖値のせいで精神錯乱に陥っていたのだ。

クレイグと弟のコールが、すぐに駆けつけてきた。医師たちは、高血糖によるこん睡状態からナナを目覚めさせるため手を尽くしたが、意識は戻らなかった。もし目覚めたとしても、脳死状態になります、と医師からは伝えられた。

わたしは呼吸ができなくなった。衝撃が胸に重くのしかかって息ができない。クレイグが集中治療室のナナのそばに付き添っている間、わたしは当時15歳だった弟を連れて病院を出た。これから訪れるであろう恐怖から彼を遠ざけるためだ。現実から逃げ出すかのように2人で映画館に入り、ただ暗がりの中に座っていた。映画館を出ると、携帯が鳴った。クレイグからだった。

「ナナが亡くなった」

と彼は悲しみに満ちた声で言った。わたしは電話を落とし、すすり泣いた。わたしのナナは逝ってしまった。

それから数日間の記憶はあやふやだ。お葬式の様子すらまったく覚えていない。身体じゅうの細胞のひとつひとつがヒリヒリと痛んだ。ナナの命を救えたのではないかという思いが頭から離れず、罪の意識にさいなまれた。あの夜、もっと何かできたはずだ。何かがおかしいということに、どうして気づけなかったのだろう？　あの朝、なぜ部屋に戻って二度寝なんかした？　答えは見つからなかった。

あるのは容赦ない苦悶だけ。悲嘆に全身が呑み込まれた。スタジオに通うことができなくなり、ベッドから起き上がれない日も多かった。横たわったまま、頭の中でナナとの最期の時間を繰り返し再生し、自分を責め、泣いた。唯一の慰めは、彼女が苦しまずに旅立ったことだった。痛みのうちに亡くならなかったことだけが救いだった。

ナナがいなくなってから何週間もの間、重苦しい気分は晴れなかった。ケリーはそばにいてくれたけれど、家の中は不気味なほど空っぽに感じられた。ナナの部屋の前を通るたび、そこに彼女はもういないという悲しみに心が折れる。そんなある夜、エリカと屋根裏部屋にいたときに、この重苦しい気分を打ち明けた。そこは、いつかナナのためにリフォームしようと思っていた部屋だった。2人で長い時間、部屋の暗がりの中に座っていた。長い影が2人の肩に落ちる。エリカはじっとわたしの話を聞いてくれた。

「ナナにはまた会えるわ」

話し終えると、エリカはささやいた。わたしは何も言えないまま、彼女を見つめた。エリカの言葉がわたしの中の何かを洗い流していくのが感じられた。ナナが亡くなってから初めて、心が安らかになった。ナナにはまた会える。今の人生ではないけれど、また別の人生で。ナナとわたしはこの先いくつの人生を生きることになろうとも、そのたびにかならず会えると、その瞬間なぜか確信した。それだけわたしたちの絆は強いのだと。

　今もよく天国にいるナナの夢を見る。彼女は堂々と誇らしげに立っていて、天使や先祖たちの中で確固たる地位を保っている。天国にいても、地上にいるわたしにとってその存在感はあまりにも大きい。わたしの呼吸にも、歌にも、ふっと漂うジャスミンの香りやわたしの子どもたちの笑い声の中にも、ナナはいる。子どもたちが生まれたときは、とりわけ彼女が近くにいるのを感じた。彼女はいつもそばにいて、わたしを抱き寄せ、髪をなで、英知の言葉をささやき、導いてくれている。

PART TWO : CREATING

創造

音楽は生きること
音をつかまえて瓶に詰め
感受性の波に解き放つ
曲が終わるまで
——アリシア・キーズ

9

グラウンドシフト

GROUND SHIFT

ケリー・〝クルーシャル〟・ブラザーズ

エジプトから帰ったアリシアは、生活のすべてを一新しようとしていた。俺は婚約指輪を買おうと思って、友だちのニックに相談をしたところだった。でも、その頃にはもう2人の関係は変わりはじめていたんだ。

プロポーズまでに時間がかかったのは、完璧なタイミングが訪れるのを待っていたからだ。色々なことが、ちゃんと収まるところに収まってから、たとえば俺がもっと稼げるようになってから、と思っていた。若い頃から音楽を作ってきて、自分にもそれなりに能力があると思ってたから、彼女の知名度に乗っかるようなことはしたくなかった。俺がプロポーズしようとしていることをアリシアは勘づいたみたいで、こう言ってきた。「恋人同士に戻って、デートとかしよう」

しばらくの間、同じ家の中で別々の部屋に暮らしていた。おそらく、こんなふうに思ってたんじゃないかな。〈残りの人生をこの男とともに生きていくなら、この目でしっかり確かめておかないと〉デートもしてはみたけど、俺がプロポーズに行きつく前に2人の関係は終わった。今思えば、そもそも一緒にいたのも音楽のためだったんじゃないかな。あそこまでくっついていなかったら、あんな作品は作れなかったと思う。俺たちは、ある特別な目的のために引き合わされた2人だったのかもしれない――音楽の歴史を作るという目的のためにね。

人間が1分間に呼吸する回数は、平均して16回。1時間に960回、1日約2万3千回になる。つまり、エジプトで静寂のときを過ごした素晴らしい2週間、わたしは「一呼吸」ごとに新しい自分に生まれ変わる機会が約32万2千回あったわけだ。息を吐くたびに、他人の期待に添うために自分をねじ曲げようとする衝動を手放す。この場を離れたら、戻って来たときには居場所がなくなっているという思い込みを手放す。そして手放したものと入れ替わりに、自由と解放感を吸い込んだ。

偉大な建造物を作り上げたエジプト人たちの、スケールの大きさと華麗さを吸い込んだ。そう、これが14日間1人で過ごすことの醍醐味(だいごみ)だった――息をする余裕がある。自分を振り返る時間がある。この先の人生をどうするか、考え直してみる機会がある。

わたしは自由に向かって力強く一歩を踏み出した。ニューヨークに戻ると、周囲の人たちはすぐにわたしの変化に気づいた。

「すべてのツアーの前と後に、2週間の休暇を取ることにします」

と宣言した。インタビューのための日本行きを控えて、マネージャーがスケジュール案（インタビューでびっしり埋め尽くされていた）を持ってきたときも、押し返した。「1時間ごとに15分の休憩が欲しいわ。これじゃロボットじゃない」

人の顔色ばかりうかがっている人ならまず使わないであろう、唯一無二のパワフルワードを使うようになった。「ノー」だ。これは効いた。人を喜ばせることが最優先になってしまうと、自分の境界線を維持することが難しくなる。でも、ノーと言いさえすれば、すべては簡単になる。スピーチの依頼や、映画出演を断ったからといって、世界がひっくり返るわけではない。地球はちゃんと回っている。

自分が自分にしてあげられること、それは本当にやりたいことにエネルギーを傾けられるような環境を作ることだ。ノーと言ったから、アーティストとして、人間として、価値が下がるわけではない。むしろより強く、より意味のある存在になっていかれると思う。

わたしの新境地は、スタジオのセッションにも表れた。それまでも様々な表現方法を試す姿勢で音楽を作ってきたけれど、エジプトから帰った後は、これまでとはまったく異なるコラボレーションにも挑戦した。ペンタトニックの旋律に魅せられてしまったので、あの音を採り入れたいと思った。民族楽器シタールの奏者に来てもらい、曲を作ろうとしたこともある。その曲が次のアルバムに収録されることはなかったが、これがわたしの探検の出発点になった。遊び心と新しいものへの探求心。すでに知っている音楽の世界を様々な色で塗りつつ、自分だけの引き出しも充実させようという、意志の表れだった。

最初の2枚のアルバムは、ほとんどケリーと一緒に作ったものだ。曲を作るプロセスは本当に繊細なものなので、わたしはケリー以外の人と組むのを避けてきた。誰かと一緒に曲を作るということは、自分の最も不安定な部分を見せるということ、自分のいちばん壊れやすい面を表にすることだ。それが、純粋で本物の歌詞を書く唯一の方法だった。

エジプトから帰国後、わたしは勇気を振り絞って他の人たちとも曲を書いてみることにした。多作なソングライターであり、4 Non Blondes のリードシンガーでもあるリンダ・ペリーと連絡を取った。彼女はクリスティーナ・アギレラ、アデル、ピンク、グウェン・ステファニーといったアーティストたちに素晴らしい曲を提供していた。

初めてベビーグランドの前に並んで座ったとき、わたしはまだ自分をさらけ出すことに怯えていた。でもリンダは本当にオープンで、確固とした自分の世界を持っていながらわたしの世界も理解してくれたので、すぐにリラックスして自分を出すことができた。彼女は、頭に思い浮かんだことをどんどん口に出してみるやり方を勧めてくれた。ひとつひとつの言葉やフレーズには意味がないこともあるけれど、それが表層下の感情を表しているのだと。

そしてわたしの潜在意識が声を上げはじめると、2人でそれについて行った。このようにしてむき出しの真実を曲にしたのが、彼女との共作「Sure Looks Good to Me」だ。

「人生なんて安っぽくて、ほろ苦いもの／でもわたしには美味に感じられる／わたしの番よ、砕けて燃えろ／人生なんてそういうものよ」

わたしの声は割れたり震えたりしていて、曲の粗削りぶりがうかがえる。

リンダは「Superwoman」にも参加してくれた。これは、素晴らしいソングライターであり、ツアーでも演奏してくれたミュージシャン、スティーブ・モスティンと一緒に作りはじめた曲だった。３人それぞれが力を発揮して、この曲は完成した。

「たとえとっ散らかっているときでも／わたしはベストを身に着ける／胸にSの文字がついたベスト／そうよ、わたしはスーパーウーマン」

この曲を作る前、わたしは自分もときには混乱すると公に認めたことはなかった。でもエジプトから帰ったら、それができるようになっていた。リンダ、スティーブとともに、コーラス部分からはじめて、曲を作り上げていった。「Superwoman」は自分のことではない。むしろこの歌詞は、自分を励ますためのものだった。たとえ崩れそうになったときも、自分にはかならず立ち上がれる強さがあると、自分に言い聞かせるための言葉だった。

サードアルバムとなる『As I Am』は、これらの実験的な要素を反映して、大胆なテンポと音楽的な厚みのある作品になった。「Teenage Love Affair」では、１９６０年代の音が、生き生きと響いているのが分かる。ナナに捧（ささ）げた曲「Tell You Something」では、感極まって声が少し震えている。１枚目のシングル「No One」からは、ビンテージ物のキーボード、ジュピターの熱っぽい高音が聞こえる。そしてアルバムのジャケットには、あるがままの自分になろうとしているわたしの顔が、アップで写っている。

　髪をふわっと下ろしていて、これはシングル盤「Superwoman」でも顕著だ。白いタンクトップとドアノッカーが、すごくわたしっぽい。でも、幾束もの長い髪を、スタジオに持ち込まれた送風機で後ろに吹き流して撮ったのは、少し女性っぽさを出すためだった。

　セカンドアルバム『Diary』のジャケットでも、ほんの少しだけ女性らしい方向性を出している。つねにコーンロウにしていた髪を普通の三つ編みにし、後ろに垂らしたのだ。そして『As I Am』では、心からの正直な気持ちを書いた詞に加え、もうひとつ小さなポイントがある。ヒッピー（hippie hood）らしいヒッピーから華やかなヒッピー（hippie glam）へと、角度をほんの少し変えたことだ。わたしはわたし、それはずっと変わらない。でも真の自分をビジュアル的にどう表現するのかを探り、試してみるようになった。

　ナナを失ったことで、クレイグとわたしには悲しみという共通点ができた。彼は母を失った息子として。わたしは孫娘として。この共通点が、緊張関係にあった２人を融和させることになった。ナナが化学療法で苦しんでいた数ヵ月の間、わたしはそれまで見たことがなかったクレイグの一面を知った。彼はナナのベッドの端に座り、優しい声で話しかけながら、母親の髪をなでていた。彼が母親を深く愛し、心から心配し、進んで看病していたことはわたしの心を和らげた。それはまた、ナナが亡くなった直後のわたしたちの対話にもつながっていった。

11年間、わたしはクレイグを遠ざけていた。実際にはそれより前から、わたしは彼のことを知ろうとはしなかったし、彼と母がどうやって出会ったのか尋ねたこともなかった。ある日、夕日が影を落とす頃、わたしたちは並んで近所を歩いた。彼が初めて自分の過去について話すのを、わたしは黙って聞いた。そう、彼と母は恋人同士だったけれど、おたがいに愛し合っていたわけじゃない。わたしが生まれたのは欲望と情熱に駆られた衝動的な行為の結果で、予期していたものではなかった。

母がクレイグに妊娠を告げたとき、彼にはまだ父親になる心がまえはできていなかった。そのことで、彼が難しい立場に立たされてしまったことが、わたしにも理解できた。〈身ごもった子を産むという強い意志を持った女性を前に、今の自分の気持ちをどう伝えればいいんだ？　そして、持つつもりがなかった子どもに対して、どうやって接すればいいんだろう？〉

クレイグの話に嘘はなかった。そしてその正直さこそが、子ども時代からずっと、わたしをイラつかせていたものだった。わたしがみじめな気持ちでいっぱいになっていたとき、彼はアメリカ大陸の反対側で別の家族と歩みはじめていた。その間わたしは、自分で自分を憐れむことにエネルギーを費やし、時折彼につっかかっては、彼が自分と同じ苦しみを味わうことを願った。すべてが空回りだった。傷ついたのはわたし1人だけ。負の感情は、より多くの負を引き寄せてしまう。

その晩、クレイグの話を聞いて、ようやく悟った。彼はわたしのパパでなくていい。ただのクレイグでいい。彼がいなかった辛い時代は、もう過去のことなのだ。今ここで、わたしたちは父と娘ではなく人間同士として、理解し合うことができる。今までの人生ずっと、わたしはクレイグがこうあるべきだという思いにとらわれていた。しょっちゅう会いに来てくれる子煩悩な父親。寝るときに本を読んでくれ、ピアノの発表会で拍手をしてくれるパパ。そういうものを欲するのは、わたしにとって普通のことだったし、多くの子どもがそうだと思う。

でも、自分を取り巻く状況はそうではなかった。そして、過去を振り返っていては2人の関係は何も変わらないことに、連絡を断ってから10年以上を経て、ようやく気づいたのだ。複雑になってしまったわたしたちの物語を書き直すことはできない。でも、まったく新しい物語ならスタートできる。

「今ここから、はじめることはできる？」

と彼に訊いた。これが転換点となった。14歳のとき彼に書いた手紙の末尾の「。」を「、」に置き換えた瞬間だった。

　何かが腑に落ちたからといって、すぐハッピーエンドに結びつくわけではない。それは開かれた扉のようなものだ。その扉をくぐるかどうかは、自分で決めなくてはならない。わたし自身、ポジティブに歩み出したとはいえ、複雑な感情を即座に捨てきれたわけではない。現実はそんなに簡単なものではない。それでも、クレイグと対話したことでわたしたちは新しい境地に足を踏み入れることができた。そして足を踏み入れてみたら、そこにはやるべきことがたくさんあった。それは今も現在進行形で続いている。

　アルバムを何枚か出した後、ケリーとわたしの関係はややこしいものになっていた。彼は裏方に回って素晴らしい曲作りを支えてくれたが、人から受ける称賛はわたしの何分の1もない。その微妙な力関係が、仕事を離れた2人の関係をもぐらつかせていた。ケリーほどのんびりした人であっても、人から認められないのは辛いことだったにちがいない。もちろん、わたしのアルバムのクレジット欄に名前が載って、彼はとても喜んでいた。でも、才能ある野心的なアーティストなら誰でもそうであるように、彼は自分が発信したものすべてが認められることを望んでいた。

それなのに、ケリーの貢献は見過ごされがちだった。業界の集まりに行くと、もう15回ぐらい彼に会っているはずの人がこう言うのだ。「えーと、名前なんだっけ?」

わたしは彼に申し訳ないような気持ちになり、なんとか穴埋めをしようとした。わたしとは平等な存在として人から見て欲しかったし、彼にもそう思って欲しかった。

「パートナーのクルーシャルよ、知ってるわよね?」

仕事先で、わたしはつねにこう言おうと努めた。けれどタイミングが合わなくてうまく紹介できないと、家に帰ってから2人の間には気まずい空気が流れた。

自身のことはいまだに若造の新人アーティストだと思っていたし、業界パーティでは、ラウドスピーカーから自分の曲が流れるたびにその場から逃げ出したくなるほど緊張していた。業界の大物が近くにいるだけで怖気(おじけ)づいてしまい、何でも知っているような顔をしながら、内心は自分を保つので精いっぱいだった。そういう状況では、ケリーがちゃんと周りに認められているか、つねに注意を払うことはできなかった。

長期間離れればなれになることが増えたのも、もうひとつのストレスになっていた。ツアーがはじまると何ヵ月間も別に暮らすことになり、物理的に一緒にいる人だけが感じる親密さがなくなっていた。ケリーはツアー先にも来てくれたが、ずっとついて回ることはできない。

わたしが不在の間、彼はロングアイランドにあるわたしたちのスタジオで、曲を書いたりプロデュースをしたりして長い時間を過ごした。２人で設立したレーベル、Krucial Keysのアーティストたちの面倒も見ていた。わたしたちは手に余る数のアーティストを抱えており、彼らをどうするかが悩みの種になっていた。彼らは全員が新人だったが、ある意味、ケリーとわたしも素人だった。目の不自由な人が右も左も分からない人の手を引くようなもので、時間の経過とともに負担が大きくなっていた。

２人の目標は、抱えている様々なアーティストたち（ほとんどが大切な友人だった）の創作が世に出ることだった。しかし、実際にやってみて分かったことだが、１人のアーティストを売り出すには膨大なエネルギーと資金力がいる。彼らはそれぞれ真剣に自分の作品に取り組んでいたが、あまり注目はされなかった。彼らが金銭的な収入を得るのは、わたしのアルバムのコラボレーションだけだった。荷が重すぎたし、この状態をずっと維持できるわけでもなかった。

一方でケリーは自分で曲を書き、プロデュースも行い、成功を収めていた。２００１年に著作権団体Broadcast Music Inc.（ＢＭＩ）と契約を結び、『ドクター・ドリトル』、『シャフト』、『ドラムライン』、『ALIアリ』のサウンドトラックの作曲とプロデュースを行った。

また、自分だけのプロダクション会社Krucial Noiseを立ち上げ、このブランドを通じて高いロイヤルティを稼いだ。そして自分の名前で曲をリリースした際は（彼は以前から自分だけの曲を発表したがっていた）、多くのファンを獲得した。

とはいえ、彼の曲は2人が思ったほどの商業的な成功には至らなかった。そのことで、彼はいっそう音楽作りにのめり込むようになり、２００６年頃には昼夜問わずスタジオにこもるようになっていた。夜中から朝方まで続くスタジオセッションの中で、彼は仲間たちとビートを奏で、音楽をより高次元に引き上げようと、必死になっていた。そしてその頃から、酒量が少しずつ増えていった。

以前から、スタジオセッションの最中にビールを1杯飲むぐらいのことはあった。しかし、わたしと長期間離れればなれだったこと、他のミュージシャンたちの面倒を見ていたこと、自分の曲作りに関する悩みなどが重なって、たまにだった飲酒が日課となっていた。お酒は、彼の舌を滑らかにした。ケリーは普段は優しく、感じが良くて冷静な人だったが、お酒を飲むと時折暴言を吐くようになった。わたしに手を上げたことはただの1度もなかったが、大声を出すことはあった。

他のアーティストもまじえてセッションを行っていたあるとき、彼がわたしの批判をはじめたことがある。わたしはその場を適当にごまかし、取り合わなかった。本当はそのような言動には毅然と対応すべきなのだが、当時は暴言を受け流すか、聞こえないふりをしていた。

「ううん、彼はそういう意味で言ったんじゃないのよ」

後日、マネージャーのジェフにその事件のことを訊かれて、わたしは言い訳をした。あのときケリーが酔っ払っていたことは分かっていた。彼の家族にアルコール依存症の人がいることも。でも、その場で即座に「二度とわたしにそういう言い方をしないで」と面と向かって言う代わりに、彼の行動が大したものではないようにふるまうことで、ごまかそうとした。

2006年、ツアー中のわたしの携帯にケリーから電話がかかってきた。

「たった今ひどい交通事故を起こした」

ぜいぜいと息をしながら彼は言った。

わたしは凍りついた。

「あなたは大丈夫なの？」

彼は大丈夫だった。幸いなことにケガ人はいなかったが、彼のキャデラックエスカレードは廃車になった。前の晩からスタジオにこもって曲作りをしながら夜通し酒を飲み、朝になって家に帰ろうと運転をした結果だった。彼の飲酒癖が、命を危険にさらすところまでエスカレートしていることが恐ろしかった。

すでにぎくしゃくしていた2人の関係は、そのときからじょじょに破局に向かっていった。

わたしは不満やストレスを言葉や顔に表さないように努めた。子どもの頃していたのとまったく同じ、すべてを平和に収めるために口をつぐみ、無表情になった。

何年間も本当の気持ちを伝えないでいると、呑み込んだ言葉がゆっくりと相手との絆を弱めていく。時間が経ってから気持ちを伝えようとしても、もう遅い。過ぎ去った時間を巻き戻すことはできないのだ。過去の細かい状況は記憶から薄れても、そのときに感じた気持ちは忘れずにずっと残る。そしてある日、かつて自分が愛した人はもういないことに気づくのだ。

わたしにとってのその日は、２００６年に訪れた。ナナのことでわたしがうつ状態に陥っていた頃のことだ。ケリーとはまだ一緒に住んでいたけれど、このときほど彼との距離を感じたことはなかった。〈あなたは誰？　そしてわたしは誰？〉彼をじっと見てはしょっちゅう考えていた。

ケリーが指輪を買おうとしていることにわたしは気づいていた。本人から直接聞いたのか、自分で気づいたのかは覚えていない。どちらにせよ、わたしはナーバスになった。２人の関係がすでにほころびはじめていたからだけではない。自分がいつかは結婚したいのかがそもそも分からなくなっていた。小さい頃から、おとぎ話のような結婚式を夢見るタイプではなかった。そして26歳になった今、そんな重要な誓いを立てる心の準備などできていなかった。

「ダイヤモンドは欲しくないわ」

ある夜、ケリーに告げた。ブラッド・ダイヤモンドは戦争の軍資金かつ、貧困層を圧迫するもので、わたしはそこに加担するのは嫌だった。でもケリーにわざわざ伝えた理由はそれだけではなかった。遠回しにこう告げたつもりだった。プロポーズしないで、と。

最終的には、一からやり直すために距離を置きたいとケリーに伝え、寝室を別にした。あえて彼から遠ざかることで、最初に惹(ひ)かれ合ったときの気持ちや彼の素晴らしいところを再発見できることを期待していた。何年もの間一緒に作り上げてきた音楽、数々の思い出、育んできた安らぎや温かさに、2人ともしがみつこうとしていた。それでもわたしは、気持ちを切り替えて前に進まなくてはならないと、はっきり感じていた。その年の秋のある日、母の家のソファでケリーと差し向かいで話し合い、わたしたちは関係を終わらせた。

時間の経過とともに、過去を冷静に振り返ることができるようになった。おたがいに別の道を歩みはじめて10年以上が経った今、あの頃の2人を心から愛(いと)おしいと思う。だが、それは等身大の自分を知る機会でもあった。真実を呑み込んで声にしないという自分の未熟なところを知る機会だった。

愛と音楽は、いつも同時にやってくるわけではない。記憶は時折よみがえっては、果たせなかった思いに光を当て、奥深い真の自分を浮かび上がらせる。人生はこのパターンの繰り返し。記憶はしばしばうまく姿を隠しながら、何度も目の前に現れる。そして、自分がきちんとそれに向き合うまで、現れ続ける。

２００７年11月、『As I Am』はチャート１位を獲得し、これでアルバムは４枚連続でナンバー１となった。今は「家族（fam）」と呼んでいるファンたちは、変わらず両手を広げてわたしの音楽を受け入れてくれた。リリース後１週間で74万２千枚を売り上げ、歴代の女性Ｒ＆Ｂ歌手の中で最多となった。１枚目のシングル「No One」もチャートのトップに上り詰め、その年最も視聴された曲になった。『As I Am』は最終的にトリプルプラチナムを獲得し、グラミー賞３部門を受賞した。わたしは持続性と勢いをあわせ持ったミュージシャンとしての地位を確立した。信じられない気持ちだった。

どのアルバムがいちばんお気に入りかという質問をよくされるが、それは自分の子どものうち誰を最も愛しているか、母親に訊くようなものだ。内心お気に入りの子がいたとしても、母親はそれを認めようとはしないだろう。

わたしにとって『As I Am』は自分のアルバムの中でつねにトップ３に入る、大好きな作品だ。当時の自分を思い出すから、というのがおもな理由。アルバムに収録する曲を書きながら、わたしは真の自分を発見していった。それまでのわたしは、注目を集めたくてジタバタともがき、叫ぶ子どものようだった。それがナイルを旅することによって、自分をじっくりと見つめ、知ることができ、帰国したときには、もやもやした気持ちは晴れ、新しい声で『As I Am』に取りかかる準備ができていた。そして、何もないところから奇跡のようなアルバムを作り上げていった。

10

サンフラワー

SUNFLOWER

カシーム・ディーンことスウィズ・ビーツ　グラミー賞受賞歴もあるスーパープロデューサー、The Dean Collection の共同設立者にしてアリシアのソウルメイト

最初、アリシアは俺をスーパー嫌なヤツだと思っていたらしい。まあ実際そうだったしね、自分でも嫌になるぐらい。ラフ・ライダーズ風を吹かせ、ＤＭＸ系ヒップホッパーを気取ってロールス・ロイスに乗り、ダイヤモンドや金の時計をじゃらじゃらさせてた。アーティストとしての成功の証（あかし）を示すために、なんでも過剰にするのが当時の空気だったんだ。そういう派手さが、アリシアとは合わなかったんだな。彼女はモノに執着するタイプじゃないからね。何年も後になって初めて、俺が高級車やジュエリーだけの男じゃないってことに気づいたらしい。２人で話していると話題は様々な方向に広がったんだ。俺は音楽の歴史を作ってやろうと考えていた。当時はスタジオにこもって、スタジオの床で寝るような生活をしてたんだから。

スウィズのことはかなり昔から知っていた。初めて会ったとき彼が16歳で、わたしは14歳。友だちでＭＣをやっているニキが彼と同じ学校だった。

「Yo、スウィズには絶対会うべきだよ！」

としょっちゅう言われていた。

「彼、音楽やってるし、一度一緒にやってみれば」

ある日の午後、2人が通うブロンクスのトルーマン・ハイスクールに寄ってみた。スウィズの記憶によれば、そのときのわたしは紫色のダウンジャケットを着て、ボーイッシュでキュートだった、とのこと。2人で軽く話をし、立ち去ろうとするときに電話番号を聞かれた。そのときのわたしは警戒して、「あたしが会いたいと思ったら会いに行くから」みたいなことを言ったと思う。

その後、彼とはあちこちで出くわすことになった。1998年、ラッパーのDMXがファーストアルバム『It's Dark and Hell Is Hot』を引っ提げて登場したが、所属レーベルのラフ・ライダーズはスウィズの叔父と叔母が所有していたのだ。スウィズは叔父たちとともにレーベルの運営に参加しており、DMXのナンバー1ヒットシングル「Ruff Ryders Anthem」のアイコニックなビートを生み出したのも彼だった。アルバムが爆発的に売れると、わたしたちは色々な集まりや授賞式、業界イベントで顔を合わせるようになった。

彼はいつもブロンクスの仲間を引き連れて高級車で乗りつけ、やたらダイヤモンドを身に着けていた。チェーンネックレスにしても、1本ではなく、5本も着けるのだ。わたしはそのノリについて行けなかった。とにかく何もかもが派手すぎて、わたしはそういう世界とも、スウィズとも、関わりたいとは思わなかった。

何年も後になって、スウィズのインタビュー記事を読んだことがある。その中で彼は、ビートなんて10分もあれば作れると語っていた。それを見てわたしは〈なんてイラつく人〉と思ったものだ。

「音楽を速く作れるなんて、自慢できるようなこと？」

とジェフに愚痴を言った。わたしは自分が作っているものこそが本物の音楽だと信じていた。〈ゼロから作り上げ、じっくり時間をかけて、気持ちを入れる、それが音楽でしょ〉こう見ると当時のわたしもかなり思い上がっていたのだろう。記事を読んで、スウィズのことがもっと嫌いになった。

さらにしばらくして、わたしは新しい曲作りに悩むようになった。何ヵ月間も曲作りに没頭した挙句、わたしは燃え尽きてしまったのだ。

「スウィズとコラボレーションするのはどうだい？」

と唐突にジェフが提案してきた。

「アルバムに新しい雰囲気が加わるかもしれないよ」

最後まで言い終わらないうちに、わたしは彼の言葉を遮った。ここまで来て別のアーティ

ストと組むのは気が進まなかったし、しかも相手があのスウィズ。彼の曲に合わせて踊った
くらいの経験はあるが、２人でスタジオに入るなんて考えられない。

「彼と組むのがどうしても嫌なら仕方ない」

とジェフは言った。

「でも、一度会うだけ会ってみないか？　断ってくれてもかまわないから」

わたしはしぶしぶ承知した。

約束の時間にスタジオに到着すると、スウィズは自分のセッションを終えようとしている
ところだった。

「気分はどう？」

と彼は声をかけてきた。

「最高よ」

明らかに気乗りしない口調で答えた。

「見てよ」

彼は自分のシャツとわたしのシャツを交互に見ながら言った。

「２人とも黄色を着てるね」

〈馬鹿じゃないの、この人〉その日はとりあえず世間話程度で、曲に取りかかったりはしな

かった。ただおしゃべりをして、これからの段取りを確認しただけ。わたしの態度が悪かったにもかかわらず、スウィズは真剣にセッションしてくれた。演奏を終えたとき、わたしの中の彼の評価は1センチほど上がっていた。ものすごく腹立たしいヤツから、ちょっとイラつくけどじつは面白い人、ぐらいに。数週間後、おたがいのマネージャーが相談して、再度スタジオセッションを行うことになった。

当日、スウィズは約束の時間に現れなかった。かつて彼に抱いていた悪印象が再びよみがえってくる。彼が遅れてやってきたとき、わたしはすでに歌いはじめていた。

「君が今やってるそれ……」

とスウィズはいきなり言った。

「そのままやり続けて。何かすごいことが起こりそうな気がする」

わたしは軽く頭を下げそのまま歌い続け、彼は別の部屋で作業をはじめた。その後一緒にビートや歌詞を色々試した。そこには信じられないぐらいのエネルギーが生まれていた。気づくとわたしは笑っていて、すべてのプロセスを楽しんでいた。彼は完全にゾーンに入っており、思考を解放し流れに任せて曲を作っていった。これが彼のやり方だった。だからこそこんなに短時間で曲が作れるのだ。気づいたときには、彼のシックハウス・ビートとわたしのピアノ演奏を組み合わせた曲が出来上がっていた。完成までにかかった時間は信じられな

いことに、確かに10分程度だった。〈なんてこと〉

話しているうちに、スウィズの考え方や音楽観がだんだん理解できるようになった。彼は派手な典型的なラッパーのタイプではなかった。そう見えるようにしていたが、だぶだぶのジーンズやタトゥーの背後には、深さがあった。アンセル・アダムスの写真集を初めて買ったのは18歳のときだったと、雑談の中で軽く言ったことがある。それは彼が世の中で起こっているあらゆることに幅広い関心を持っていることの証だ。彼の話題はアートや音楽だけではなくて、ビジネスや起業、時事問題にまでおよぶ。いつのまにかわたしの彼に対する見方が変わっていた。

「今度食事にでも行かない？」

ある日の午後、スウィズが言った。そのときわたしは丁寧に断った。彼はクールで素敵だったけど、わたしは今までにないほど忙しかった。殺人的なスケジュールの中で、食事を楽しむ時間を作るなんて考えられなかった。

「でも、どっちみち食事はしなくちゃならないでしょ？」

と彼は言う。

「お昼だけでもどう？」

ついにわたしが折れ、写真撮影の合間の45分間の休憩時間でランチに行くことになった。

撮影現場の近く、マンハッタンのダウンタウンにある屋外レストランを12時に予約した。

時間ちょうどにお店に行くと、スウィズの姿はどこにもなかった。15分後、わたしはまだ1人でテラスに座っていた。わたしは約束を後悔しはじめた。スケジュールはパンパンに詰まっていたから、少しでも時間に遅れるとすべてがめちゃくちゃになってしまうのだ。だから彼が12時20分に悪びれずにやってきたときには、言い訳に耳を傾ける気などさらさらなかった。ハグしようとする彼の腕を払いのけた。彼は何度も謝りながら、わたしにバッグを差し出した。開けると中にはサングラスが入っていた。

「遅れたお詫びに、ルイ・ヴィトンのサングラスでご機嫌を取ろうってわけ？」

彼はニヤリと笑い椅子に座った。バッグをよく見てみると、表に美しい絵のレプリカが描かれている。

「わあ、これ誰が描いたの？」

「エルテだよ」

当然だという顔をして彼は答えた。

「エルテ？」

「フランスのアーティスト。知らないの？」

「知らないわ」

レプリカを観察しながら言った。

「でもサングラスよりバッグのほうが気に入ったわ」

「君にエルテのことをもっと教えてあげるよ。彼の作品は本当にすごいんだ」

わたしはまだ腹を立てていたが、彼はよどみない会話とユーモアで食事を盛り上げる。食べ終わらないうちに撮影に戻る時間が来たため、わたしは席を立った。彼も見送ると言ってついてきた。車に向かって歩いて行くと、わたしの車の屋根に何かくっついている。

「あれ何？」

近づきながら訊いた。

彼はにっこり笑った。

「俺が遅刻した理由さ」

スウィズはその物体を車の屋根から下ろし、かかっていた大きなリボンを外すと、掲げてみせた。それはグランドピアノの鍵盤に絵筆が置かれている、1枚の絵だった。

「この絵を見たとき、俺たちの友情をピタリと表していると思ったんだ。君が鍵盤で、俺が絵筆」

数日前に露店でこの絵を見つけ、プレゼントしたいと思ったそうだ。でもこれをわたしの車の屋根に置くためには、わたしがレストランに着いた後でないとならない。それが遅刻の理由だった。このサプライズにはすっかりやられてしまった。

　これがスウィズという人なのだ。駆け出しのカメラマンに自分が持っていたカメラをその場であげてしまう。まださほど親しくない相手でも、特別感が出るように考え抜いたプレゼントを用意する。それが彼のやり方だ。その日、わたしは平静を装っていたが、内心とても感動した。それでも、２人の関係が友人以上のものになろうとは想像もしていなかった。わたしは彼にお礼を言い、その場で２人は別れた。

　その後も彼とはあちこちでバッタリ会った。そのたびに、たがいに共通点がとても多いことを知った。どちらも若いうちに成功を収めた。自分で曲や詞を作っている。そしてどちらも、家族を経済的に支えていた。音楽スタイルは真逆の２人だったが、精神的には同類だった。彼といるのは楽しかった。それでも、わざわざ連絡を取り合うことはめったになかった。彼はツアーで多忙だったし、わたしもそうだった。２人とも自分の人生で忙しく、他のことにかける時間はほとんどなかったのだ。


　ある日、スウィズから、サプライズがあるからと夕食に誘われた。

「君のその日の仕事がすべて終わったら出かけよう」

と彼は言った。待ち合わせたダウンタウンの建物は、外からは閉まっているように見えた。

でも一歩中に入ってみると、そこは今まで見たこともないほど美しい絵がたくさん飾られたギャラリーだった。スウィズは長年の友人デイビッド・ロガス（美術品の鑑定家で、このギャラリーのオーナー）に依頼して、エルテの作品コレクションをフランスから空輸してもらったのだった。彼はまた、わたしをプライベートツアーに招待するため、ギャラリーを貸切にしていた。

「エルテのことをもっと教えてあげるって言ったでしょ」

わたしは信じられない気持ちだった。

目をみはり、絶句したままギャラリーの中を回るわたしの横について、スウィズはすべての絵画の解説をしてくれた。いつ描かれたものか、その芸術的・歴史的意義は何か。彼は本当に博学だった。アールデコの父、エルテについてだけではない。シャガールやダリからバスキアやウォーホルに至るまで、あらゆる芸術家に詳しかった。そしてアートを語る彼の目は子どものようにキラキラ輝いていた。

彼が美術に並々ならぬ関心を抱いていることは知っていた。でもこれほど造詣が深いということは、熱心な収集家である以上に美術に対する知識欲が強いことを示している。ツアーの終わり、角を曲がって部屋に入ると、そこには2人用にセッティングされた、豪華なキャンドルつきのテーブルが置かれていた。スウィズはわたしが肉を食べないことを知っていたので、出張シェフにものすごく美味しいベジタリアン向けの料理を作らせていた。誰かからこんなに特別な待遇を受けたことは今まで一度もなかった。

　このサプライズは、わたしの心をかき乱した。〈わたしたちはこれからどうなるの？〉その晩、夕食をともにしながら、わたしたちはオープンに話し合った。そのとき気づいたのだ。今まで、これほどまでに強く誰かに惹かれたことはなかったということに。

　次のツアーを目前に控えて、スウィズと日本食を食べに出かけた。彼が勘定を払ったのだが、おかしなことにその日彼が帰宅すると、ポケットからわたしのクレジットカードが出てきた。彼はそれを伝えるために電話をしてきた。

「あなたがわたしのカードを持っているなんてあり得ないわ。財布から一度も出してないもの」

とわたしは言った。でも、彼のポケットから出てきたのは確かにわたしのカードだった。

「ツアー中はそのカードがないと困るわ。明日スタジオまで行くから、そこで受け取ってもいい？」

　翌日の夕方、スタジオに行くとスウィズは入口で待っていて、カードを手渡してくれた。ツアーに出発するまでに1時間ほど余裕があったので、2人でそのへんをぶらつくことにした。

「どこか静かなところに行って」

と最近雇い入れたばかりの運転手に告げた。彼がわたしたちを連れて行ったのはバッテリーパーク、まさに2人がかつてよく会っていた場所だった。

公園の中を歩きながら話していると、遊歩道の先に、ページを開いたままの本が伏せて置いてある。かがんで拾い上げてみると、それは『Old Turtle and the Broken Truth』という子ども向けの本だった。空にあった「真実（Truth）」がある日、落下してしまう。半分は落下しながら成層圏で燃え、残りの半分は地面に落ちる。地面に落ちた半分の真実を拾った人は、それを自分の部族で独り占めする。「真実」の所有をめぐって、部族間で争いが起こる。最後に、この「真実」にはかたわれがいて、2つが合わさると黄金のハートになることが分かる。そして、黄金のハートが完成して初めて、平和が訪れるというストーリーだった。

物語を読んだスウィズとわたしは、驚愕（きょうがく）のあまり顔を見合わせた。これは何かのお告げのようだった。公園を出ようとしたとき、歩道に子どもがチョークで描いたらしい大きなひまわりの絵があることに気づいた。「サンフラワー（sunflower）」はスウィズがわたしにつけていたあだ名だった。

「君は本当にエネルギッシュで明るいからね」と彼はよく言っていた。ひまわりの絵、置かれていた本、なぜか彼のポケットにあったクレジットカード——そのひとつひとつが、わたしたちを引き合わせようという神のお導きに思えた。その日、公園から出て、ハドソン川に沈む夕日を眺めながら、２人とも真実が何かを感じ取っていた。２人の間に流れる不思議な力はあまりに強く、あまりに抗いがたい。わたしたちは一緒にいる運命であることを悟っていた。

スウィズとつき合いはじめてから数ヵ月後、今度はわたしが彼のために特別な企画をする番だと思った。彼の４大関心事を集めて何かやろうと思った。美術、スポーツカー、ルイ・ヴィトン、そして音楽だ。

彼にはドレスアップしてきて、とだけ伝えた。他にヒントはなし。

「今晩７時に待ち合わせましょう」と言ったので、彼は素敵なレストランで食事でもするのだろうと思ったにちがいない。こざっぱりとした恰好で、期待に顔を輝かせて現れた彼に、わたしは言った。

「ちょっとしたサプライズを用意したの」

実際には、ちょっとしたどころではなかった。

ニューヨークのルイ・ヴィトンは５番街と57番通りの角にある。スウィズはまるで牛乳を買いに行くみたいにしょっちゅうこのお店に顔を出していて、冗談でここを「ワインショップ」と呼ぶほどだった。

サプライズを実行するため、わたしは事前にお店のマネージャーに相談し、店舗を丸ごと貸切にした。そしてその晩、彼と一緒にヴィトンに行くと、中はプライベートパーティ用のダイニングに作り替えられていた。有名シェフが来て、素晴らしい料理を出してくれた（店内にキッチンがないので大変だったと思う）。スウィズの祖母、両親、叔母、叔父、そして親しい友人が集まっていた。この日のためにわざわざ飛行機に乗ってニューヨークまで来てくれた人もいた。

ディナーは、サプライズのはじまりに過ぎなかった。スウィズは前から、ガムボール3000の大ファンだった。スーパーカーでヨーロッパなどの大陸を何千キロも横断するイベントだ。ガムボールについて話しはじめると、スウィズは止まらなくなる。わたしは高級車を何台も借りた。ディナーが終わってみんなでヴィトンの外に出ると、ランボルギーニやらポルシェやらが、ゲスト全員が乗れる台数分そこにずらりと並んでいる、という趣向だ。目的地は？　アッパーイーストサイドのグッゲンハイム美術館。

スウィズはポルシェに乗り込み、道中ずっと満面の笑みを浮かべながらニューヨークの街を走った。美術館も貸切にしており、大切な友人でもあるアフリカのアーティスト、アンジェリーク・キジョーの音楽をかけながらの2次会になった。スウィズは完全に圧倒されていた。エルテのサプライズのときのわたしよりも衝撃を受けていたかもしれない。自分がまったく気づかないところで、わたしがこれだけのイベントを企画していたことが、彼には信じられないようだった。招待した彼の家族や友人全員が、共犯として秘密を守ってくれたことに感謝しなければならない。

スウィズに会う前は、「運命の人に出会ったときはそうと分かる」という決まり文句など信じていなかった。〈この人が運命の人だなんて、どうして確信できるわけ？〉スウィズと出会って初めて、その言葉が真実であることを知った。

ソウルメイトは、たがいにそうと分かるだけではない。直感が波のように押し寄せて、心の深いところまで染み込んでいく。身体（からだ）の細胞がすべて総立ちになる。それは予知不可能な感覚で、ある日突然やってくる。わたしがそうしたように、最初はその感覚を遠ざけようとすることとすらある。でも、何度遠ざけようともそれは繰り返し戻ってきて、そのたびに感覚は強くなっていく。そして力強い潮流となってあなたを押し流し、未知の美しい岸辺へと連れて行ってくれるのだ。

11

エンパイア

Empire

ジェイ・Z　グラミー賞受賞アーティスト、アリシアの友人

ある週末、レコード会社のジョン・プラット（身長が2メートル近くあるので、ビッグ・ジョンと呼ばれてる）から連絡が来た。アンジェラ・ハンテとジャネット・シューエルが2人で書いた曲があると言う。その場で聴いてみて、「いいね。これ、やってみよう。データを送ってくれ」と即答した。歌詞はかなり書き換えたけど、コーラス部分はそのままにした。修正したのを聴いてみて、これはものすごい曲になると思ったね。

瞬間的に分かったんだ、これは絶対話題騒然になると。後は誰に歌ってもらうかだった。〈ニューヨークを象徴する歌手と言えば？〉最初に思い浮かんだのはメアリー・J・ブライジだった。でもピアノのパートを聴いて、アリシアしかいないと思い直した。三つ編みを垂らした彼女が鍵盤を叩くイメージが浮かび上がってくる。そこで彼女に連絡し、この曲を売り込みまくった。「これはシナトラ以降、ニューヨークをテーマにした最高の曲になる」ってね。彼女は俺の話を聞いて、「いいわね。やりましょう」と言ってくれた。

最初にアリシアがこの曲を歌うのを聴いて、何かが足りないと思った。いつもみたいな声量感を感じなかったし、彼女らしいちょっとしたアドリブもなかった。俺はこだわりははじめると止まらなくなって、相手を追い詰めてしまうことがある。だからダメ出しはなる

べくしたくないんだ、好感を持っている相手だったらなおさらね。

水を一口飲んで一度冷静に考えてみたが、〈やっぱり頼もう〉と思った。

もう一度録り直したいと言うと、3秒くらい気まずい沈黙が流れた。彼女は「は?」って感じだったよ。でもすぐに録り直しに応じてくれて、あのすごいブリッジ「Put your lighters in the air, everybody say yeah!」までつけてくれた。あれがあの曲「Empire State of Mind」をひとつ上のレベルに引き上げたんだ。最近、南アフリカのグローバル・シチズン・フェスティバルで「Empire」をやった。ふと横を見たら、この曲を持ってきてくれたビッグ・ジョンが満面の笑みを浮かべてそこにいたんだ。すべてが完璧に収まった瞬間だった。そしてあの夜、アリシアのブリッジはスタジオの屋根を吹き飛ばすほどの盛り上がりだったよ。

「Empire」は『The Blueprint 3』という俺のアルバムに収録された。最初は、様々な国を回って、多様な音楽を集めてアルバムにするつもりだった。ポール・サイモンが『Graceland』でやったみたいな、グローバルな感じにね。でも驚くことに、自分の地元を歌った曲が、世界で最も売れた自分の曲になっちゃったんだ。念ずれば通じるってこういうことだと思う。俺の意志は、グローバルなアルバムを出すことだった。そして当初思っていたような形ではなかったにせよ、宇宙にその思いが届いて、すべてがうまくいくよう

――にしてくれたんだと思う。

「Empire State of Mind」は、もう少しで誰か別の人のもとに行ってしまうところだった。2009年はじめ、ジェイ・Zが地元ニューヨークへのトリビュートソングをやろうとしたとき、彼のオファーは直接わたしに届いていなかった。彼は何週間も前からわたしのマネージャーであるジェフにアプローチしていたが、その件は彼のところで止まっていたのだ。ジェイ・Zはついにしびれを切らして別のアーティストに連絡しようと考えたそうだ。

しかし最終的に彼は、わたしに直接電話をかけるという手段を選んだ。

「やっぱり、この曲の歌い手は君しか考えられないんだ。実際ニューヨークっ子だし、君はあの街の雰囲気を持っている」

ジェフはわたしがこの世界に入った初日から、マネジメントをやってくれていた。わたしのキャリアに関することは何から何まで、彼を通して行われた。『Songs in A Minor』が爆発的にヒットし、自分を取り巻く世界が突然コントロール不能に陥ったときは、ジェフが矢面に立って対応してくれたので、本当にありがたかった。年上の兄がついていてくれるような安心感は、幼い頃からずっと求めていたものだ。ジェフがわたしを守りつつ仕事にも目を配ってくれることが心地良かった。

しかし、アーティストとしても女性としても成長し、自分を確立していくうちに、たとえジェフほど信頼の置ける相手であっても、これほど大きな権限を預けたままにしていいのだろうかと思うようになった。わたしに何かオファーしたい人は全員、まずはジェフに連絡をしなければならなかった。そして彼が話を聞き、わたしにつなぐべき案件かどうかを決めるのだ。理由は分からないが、ジェイから連絡があったことを、ジェフはわたしに伝えていなかった。

スタジオから電話をかけてきたジェイは、電話口で曲をざっと歌ってみせた。聴き終えるや否や、わたしはジェフに向かって言った。「ジェイのスタッフに連絡をして、ぜひこの曲をやりたいと伝えて」

ジェイとのレコーディングスケジュールの調整は難航した。ジェイも11枚目のスタジオアルバムの締め切りが迫っていて動けなかったので、彼はわたしが1人で自分のパートだけ録音することを提案してきた。言われたとおり、わたしはロサンゼルスのスタジオで自分のボーカル部分を録音し、送った。すると彼から電話がかかってきた。

「ヘイ、A」

と彼は言った。

「歌をありがとう。そのことなんだけど、えーと……もう1回録ってもらえないかな？」

〈沈黙〉

「は？」

わたしは笑いながら答えた。

「つまり、あれを全部やり直せってこと？」

「ああ」

と彼は答える。

「君はあの曲を、もっとうまく歌えると思うんだ」

何も言い返せなかった。じつはレコーディング中は風邪をひどくこじらせていて、ティッシュを1箱使いきってしまったほどだったからだ。

「それから、君はいつも曲にアドリブを入れるだろ？」

とジェイは続けた。

「この曲でもそれをやって欲しいんだ」

風邪が治ってから、ロングアイランドの自分のスタジオで二度目のレコーディングを行った。今度はジェイはとても気に入ってくれた。わたしのボーカル部分が付け足されて完成した曲は、2人にとってとても満足のいくものだった。

「ちょっとニューヨークっぽすぎるかな？」

と彼は訊いてきた。

わたしは少し考えてから言った。

「ええ、めちゃくちゃニューヨークっぽいわね。でも、そこがいいんだと思う」

ジェイは曲が一般受けするだろうか、歌詞があまりにもニューヨーク的なのでニューヨーカーにしか受けないのではないかと、気にしていた。しかし、結局彼は自分の直感を信じ、曲に手を加えようとはしなかった。

夢の街ニューヨークへのトリビュート曲「Empire State of Mind」は10月にリリースされた。たちまち世界中から反響があり、5週連続でチャート1位にとどまった。人気は言葉の壁を越えて複数の大陸におよび、ニューヨーク賛歌としては1979年のフランク・シナトラの曲「Theme From New York, New York」に迫るくらい愛される曲となった。実際、同時期にリリースされた曲が軒並みはじき出されてしまうほど、この作品の潜在的な破壊力はすごかった。

わたしの曲も例外ではなかった。5枚目のアルバム『The Element of Freedom』に先駆けて出した2枚のシングルは、「Empire」に押されてしまい、予想していたほどラジオでオンエアされなかったくらいだ。

その頃、「Empire」をわたし用にブレイクダウンしたバージョンを作ろうという話が出た。わたしがピアノを弾き、すべての歌詞を歌うのだ。これで世界中どこへ行っても、自分のステージでこの曲を歌うことができるし、そのたびにジェイに来てもらう必要もなくなる。これは、ヒップホップファン以外にも広くアピールした。現在に至るまで、「Empire State of Mind, Pt.2」はわたしが出した曲の中で最も売れた1枚になっている。

翌年、The Element of Freedomツアー中、パリのステージに上がる直前ふと不安になった。〈「Empire」はここの観客に受けるだろうか？　彼らにその空気はちゃんと伝わるの？〉フタを開けてみたらどうだろう。歌い出しから最後の一音まで、パリの観客は立ったまま、一緒に、一語一語を、歌ってくれた。大声であの歌詞を歌い、すべてのひねりやニュアンスも把握していた。それはあまりにも魂がこもっていて、情熱的で、完璧で、わたしが歌う必要もないぐらいだった。観客が発するエネルギーが客席から立ち上ってきてその場を満たしたのだ。

そしてこの現象は、ツアー中何度も経験することとなる。ブリュッセル、ベルリン、そしてバルセロナ。リスボン、チューリッヒ。東京、シドニー。クアラルンプール、そしてマニラ。足を踏み鳴らす3万人もの人たちとともに歌うときの、恐ろしいような感動と背筋がゾクゾクするほどのエネルギーは、けっして色あせることはない。それはただのコンサートを超えた、スピリチュアルなコミュニケーションだった。そこにいる全員の気分を高揚させる、生きる希望を奏でるものだった。

パリのコンサートを終えて、悟ったことがある。「Empire」は単にニューヨークを歌っただけの曲ではない。希望を歌っているのだと。人はどこで生まれようと皆、一生懸命に努力し、夢が叶(かな)うことを願う。その夢をどこよりも象徴する街が、わたしのふるさとニューヨークなのだ。何百万もの夢追い人たちが自由の女神に惹かれ、そのトーチの明かりに導かれて、ここにたどり着いてきた。

ここはいつだって一旗揚げようという者、理想を追う者を受け入れる港、至るところにチャンスが転がっている場所だ。絶対に不可能に思えることでも、ここではチャレンジする価値があるような気がしてしまう。そして、夢や希望があるのはニューヨークだけじゃない。それは地図上の距離を超えて、人間の心にあるものだから。

「Empire」が世界的な旋風を巻き起こすなんて、いったい誰が想像しただろう。アーティストはスタジオでレコーディングをしている段階で売れる曲を察知できるとよく言われる。しかし実際は、曲をリリースしてみないと本当に結果は分からないのだ。「Empire」のように曲がひとつの文化の域にまで達するのには、多くの要素が絡んでいる。プロモーションなどで意図的に作れるものではない。だからもしそれが起こったら、ミラクルに感謝しつつ楽しむしかない。

最高の幸せを手に入れるためには、ターニングポイントを切り抜けなければならない。それは、泥水をかき分けてでも自力で進んで行けるかを、天から試されているようなものだ。

２００９年は、わたしにとってまさにそういう転換の年だった。

この年は、バラク・オバマの大統領就任という、とてつもなく高揚するイベントではじまった。あの1月の爽やかな朝、アメリカ初の黒人大統領がリンカーンの聖書に手を置いて宣誓を行った。かたわらには、イザベル・トレドの豪華なドレスコートに身を包んだ優雅でまばゆいミシェルが、誇らしげに寄り添っている。彼らの行進や闘いがあったからこそ、今わたしたちはここに立っている。新たな歴史のはじまりを目撃しようと集まった何百万人もの民衆の歓声は、リンカーン記念堂の階段からワシントン記念塔のてっぺんにまで響きわたった。

式典が終わると、後はパーティだ。わたしは新大統領就任記念舞踏会で「No One」を歌う光栄に浴した。その後、ビヨンセの「At Last」に続いてスティーヴィー・ワンダーがステージに上がると、メアリー・J・ブライジ、シャキーラ、マライア・キャリー、ウィル・アイ・アム、スティング、フェイス・ヒル、マルーン5、そしてわたしが加わり、大統領夫妻と参加者たちが踊るのに合わせ、「Signed, Sealed, Delivered」を熱唱した。

２００９年に入っても、スウィズとの関係が変わらず続いていることに、自分でも驚いていた。わたしたちは創作面でも、性格面でも、一見真逆だった。彼はしばしばセッション開始後何時間も経ってからスタジオに現れ、ほんのちょっと作業したかと思うと、やれ食事の約束だ、ギャラリーだ、何だかんだと言って消えてしまう。情熱や興味を抑えることはなく、感情のおもむくままに行動していた。アンテナが何かに反応したらそれに従い、興味を失えば戻ってくる。

わたしはそれとは正反対だった。クラシック音楽を厳しく仕込まれたせいか、集中と規律とスケジュールを大切にするタイプなのだ。スタジオに入った時点でその日やるべきことがだいたい決まっていて、計画どおりに進まないと我慢できない。スタジオ入りが1時間でも遅れようものなら、イライラして大変だ。

それなのにスウィズときたら、4時間遅刻しても平気だった。フリースピリットの持ち主で、夢を追うタイプで、宇宙人だった。あまりに違いすぎたことも、惹かれ合った理由のひとつだと思う。一緒にいるうちに、彼の自然に身を任せた行動がわたしの頑(かたく)なな部分をやわらげ、わたしのスケジュール順守が彼にも影響するようになっていった。

音楽業界での立ち位置が同じぐらいだったことも良かった。一緒にイベントに参加しても、頑張って彼を誰かに紹介したり、彼が周囲からちゃんとした扱いを受けているか気を遣ったりする必要はなかった。ただ自分らしさを出して、その場を楽しめばよかった。

スウィズは自力でアーティストとしての今の立場を築き、顔が広く、リスペクトされていた。イベント会場に入って行くと、みんなの目がスウィズに向けられる。彼の言葉やアイデア、ものの見方や雰囲気、そしてカリスマ性。わたしがそうだったように、誰もが彼に惹かれるのが分かる。

同等であるという感覚が、たがいへの理解につながっていた。スウィズがツアーの予定があると告げれば、わたしはこう答える。「そう、来週あなたはいないのよね。その翌週は、わたしがツアーなの」

どちらも、ツアーや旅行に出かけることについて、相手に申し訳ないという気持ちを持たずにいられた。わたしたちの関係にはそういう気楽さがあった。彼の存在はまた、知的な刺激をもたらすものでもあった。スウィズはつねに新しいアイデアを探していて、ネット上のブログやポッドキャストから、「ロサンゼルス・タイムズ」や「カルチャード・マガジン」に至るまで、あらゆる分野に目を光らせていた。

予定のない日曜の午後などには、激動の１９６０年代のブラックパンサー党や、写真家ゴードン・パークスの作品に至る様々なテーマについて、２人で何時間も話し込んだ。スウィズとわたしは事あるごとにたがいを刺激し合い、それぞれに視野を広げて行った。

　この年、大きく変わったことがもうひとつある。ジェフとわたしの関係だ。ハーレムの警察の陸上クラブで初めて会ったとき、わたしはまだ才能を見せはじめたばかりの14歳、彼は業界の顔役。あらゆる意味で完璧な組合せだった。彼の強い精神力は、わたしの若さと脆さを支えてくれた。わたしが自己主張する勇気を持てずにいたときには、代わって声を上げてくれた。このバランスは、長いことうまく機能していた。わたしが羽を生やすまでは。

　もっと前から、意見が食い違うことはあった。Keep a Child Aliveを立ち上げたときがそうだ。ジェフはＨＩＶと闘う貧困家庭をサポートするというアイデアには賛成だったが、わたしが先頭に立って活動を率いることには反対だった。本業から外れるな。それが彼がわたしに望んだことだった。ミュージシャンは音楽を作るのが仕事であって、社会運動は活動家が行うもの、というのが彼の意見だった。アーティストをアーティストたらしめているコアな部分を、なぜ薄めなくてはならない？

「音楽があるからこそ、今の君がいるんだ」と彼はわたしによく言った。「だから今の世界に集中しろ」ジェフはあの頃から少しも変わらず、歯に衣着せぬ意見を言ってくれた。２人の力関係のバランスを崩したのはわたし、大人になったわたしだった。彼の意見をリスペクトする一方で、同意することはできなくなっていた。社会活動は音楽活動と同じくらい、わたしにとって重要だし、その2つを合わせて初めて自分という人間になるのだ。そして世界で起こっている様々な問題のために闘えば闘うほど、反対意見を言われることが我慢ならなくなっていた。社会正義に関わるのは、ミュージシャンとしてのわたしの立場を落とすものではなく、むしろ良くするものだと確信していた。

どんなときも、ジェフはわたしの最大の擁護者だった。舞台裏ではマフィアのようなしきたりが蔓延(まんえん)しているこの業界で、ずっとわたしのことを守ってくれた。でも大人になり、1人で船を漕(こ)ぎ出すようになると、もう船長は必要なくなっていた。わたしを操縦する人ではなく、アドバイスをくれるコンサルタントが欲しかった。

14歳当時のわたしは若すぎて、自信がなく、自分の進むべき道を自分でコントロールすることができなかった。28歳になった今、ようやく勇気を持てるようになった。そしてわたしが勇気ある人間になればなるほど、ジェフとの距離は広がっていった。とはいえ、こんなにも長い間頼りにしてきた人から離れるのは怖かった。誰にも頼らず完全に自立できるほど、わたしは強くなれるのだろうか?

だが新たなステージがはじまったのは明らかだった。ジェフとの出会いが奇跡的だった分だけ、2人の関係は重苦しいものになっていた。彼との関係を変えることで、わたしは新しい未来へと一歩を踏み出すことができる。

２００９年も押し詰まってきた頃に、その年のハイライトを迎えた。『The Element of Freedom』が、自身のアルバムとしては初めてイギリスのチャートでナンバー1を獲得した（アメリカでは2位だったが）。シングル「Un-Thinkable（I'm Ready）」はR＆Bチャートで12週間連続1位をキープし、２００７年に「No One」で打ち立てた10週間の記録を更新した。

こんなにも輝かしい1年だったにもかかわらず、『The Element of Freedom』のジャケット写真を見ると、わたしは伏目がちで、元気がないことが分かる。アルバムのタイトルも、当時の自分の気持ちを暗示している。それまでずっと、言葉が持つ力を信じてきたし、このアルバムのタイトルをつけたときも、すごくパワーが湧いてくるフレーズだと思っていた。でも、そうじゃなかった。「element（要素）」は、大きな自由体験ではなくて、自由のほんの小さなかけらに過ぎなかった。

アルバムのタイトルと写真は、どちらも当時の自分をよく表している。わたしは確かに自由を欲していたが、そこに果敢に足を踏み入れ、実現させ、その空気を吸い込み、自分のものにするだけの勇気を持てずにいた。『Element』に収録された曲の雰囲気や歌詞には、その成長痛みたいなものが表れていて、全体に重苦しさが漂っている。このアルバムには、アリシア・キーズ版の「Empire」が収録されていて、結果的にわたしの最も売れたアルバムのひとつになった。しかし、ジャケットの写真はわたしの意見が反映されず、自分らしい雰囲気も出ていない。すべて、わたしが模索していた次のステップに行くことの悩みからきていた。

悩み苦しんだ日々は、思わぬ経験をもたらしてくれた。

自分と向き合わざるを得なくなったとき、鏡に映る自分の弱さは天が与えた贈り物だ。心が矢で打ち抜かれ、ぽっかり開くと、自分の感じていることがはっきりと分かるから。

「Un-Thinkable (I'm Ready)」は、そんなむき出しの感情を歌にしたものだ。当時まだ駆け出しだったドレイクと一緒に作った曲は、自己との対話そのものだった。

「考えていた／あなたが恋人になってくれるかしらと／思いもつかないようなことをしたら／わたしたちクレイジーに見えるのかな／それとも素晴らしいことが起こるのか／どちらにしても言いたいの／あなたが手を差し出してくれたら／その手を取る覚悟はできてる」

この曲が多くの人に支持されたのも、心の深淵を描いたものだからだと思う。歌詞は世間に対してではなく、自分に対する声明だった。弱さをさらけ出したっていい。本当の気持ちを見せたっていい。本心を表にすれば、全員の支持は得られないだろう。でも今は、それでもかまわないと言えるようになっていた。

12

コルシカ

CORSICA

スウィズ・ビーツ

アリシアと俺は、友人のデッシやカティアと一緒に南フランスに遊びに行った。ある朝、早起きしてデッシに言った。

「おい、今日決行するよ」

デッシは、

「え、決行って何を？」

俺は答えた。

「だから、婚約するのさ」

計画していたわけじゃなかった。ただ、アリシアとはおたがいにゾッコンだったから、今がそのときだと思ったんだ。彼女が目を覚まさないうちにデッシと出かけて行って、2カラットの指輪を手に入れた。とりあえず今日はこの指輪でプロポーズして、後でちゃんとデザインしたやつを作ればいい。

その日の午後、船を出しアリシアが泳いでいる間、俺は準備をした。自分が立つ場所、デッシがサプライズの瞬間をカメラに収める位置、ちゃんと背景に山並みが入るようにしてね。そういうところ、緻密にやりたいんだよね、おとめ座っぽいでしょ？

そしてついにその瞬間がきた。俺はデッキにひざまずいて言った。

「わたしの妻になってください」

彼女は驚きのあまり目をむいてたね。そして、へなへなとひざまずいちゃった。俺は慌てて、

「立ち上がってよ、ひざまずくのは俺の役目なんだから！」

彼女はイエスと言ってくれて、その指にリングを滑り込ませた。彼女は何年もの間、そのリングを外そうとしなかったよ。ずっとアップグレードするって言ってたのにね。すっかりそのリングを気に入っちゃって、いくら良いものとでも交換したくなかったらしい。

アリシアらしいだろ。秘すれば花（less is more）、ってやつさ。


スウィズは早起きするタイプではない。だから、バカンス中の日曜の朝8時45分に彼が口を少し尖（とが）らせてわたしを起こした時点で、何かたくらんでいると気づくべきだった。

「ちょっと出かけてくる」

と彼は言った。もう着替えも済んでいる。わたしは白いシーツにくるまったまま、目をうっすら開けて暗い部屋の中を見回した。地中海の太陽に朝寝坊を妨げられないよう、

シェードは下げていた。

「どこに行くの？」

もそもそとつぶやく。

「ちょっと用事を済ませるだけ」

わたしはうなずき、布団を頭からかぶって再び眠りに戻った。

スウィズとわたしはサントロペにバカンスに来ていた。毎朝、昼近くまで寝て、午後はずっと水辺で過ごし、夜はパーティで騒ぎ、酔っ払って部屋に戻るという日々。スウィズと出会う前から、休暇の楽しみ方ぐらいちゃんと分かっていると思っていた。でも、それは間違いだった。彼はつねにわたしを新しい場所、新しい友だち、新しいものの見方へと導いてくれた。

彼がいると、ビビッドでカラフルなアイデアがたくさん浮かび、あえて綿密に計画しなくても目的に向かって進んで行くことができる。多くの意味で、彼はわたしに生きる術を教えてくれた。ルールブックを放り出して自分のルールを作ること。思いついた瞬間にコートダジュールに飛んでいくこと。

サントロペに到着した週末、遊び仲間のブルガリア人カップル、デッシとカティアが彼らの別荘に招待してくれたのだ。

11時頃になって再び目を覚ますと、スウィズはまだ戻っていなかった。デッシも一緒に出かけたらしい、とカティアが教えてくれたので、彼女と2人でプールサイドで朝食を取った。

「何時頃帰ってくるの？」

とわたしはスウィズにメールを送った。その日の午後は船を出すことになっていたからだ。

「用はほぼ済んだ」

と彼から返事がきた。

「君とカティアと、3時にマリーナで会おう」

わたしたちがマリーナに着いてみると、スウィズとデッシはすでに船に乗り込んでいた。

「わあ、素敵！」

カティアと一緒にフロントデッキの椅子に寝転びながら、わたしは言った。スウィズがやけに落ち着かない様子なのに気づいたのはそのときだ。

「どうしたの？　大丈夫？」

彼に声をかけた。

「ああ、大丈夫だよ」

と彼は答えた。その直後、船は出航した。

1時間ほど海の上を漂った後、船は山に囲まれた入江に入った。太陽の光が降りそそぎ、トルコブルーの海をキラキラと輝かせている。

「泳ぎたいわ」

わたしは、アーティストでなかったら人魚になりたいというぐらい、水が好きだ。船の端から海に飛び込み、泳いだり、仰向けになって海面を漂ったりしながら、しばらく海を満喫していた。少し肌寒くなってきたので、デッキに上がった。誰もいなかったので、みんな船内にいるのだと思い、身体を拭いてからデッキチェアに戻り、流れていたボブ・サンクラーの曲に合わせてリズムを取った。スウィズはいつも自分用の音楽を持参するのだ。

スウィズがデッキに出てきた。

「おいで」

と彼は言ってわたしをデッキチェアから立ち上がらせ、遊びに誘うような身振りで船首近くの手すりまで連れて行った。

「美しい夕暮れを一緒に見よう」

わたしたちはたがいの身体に手を回したまま、太陽が海面をピンクに染めるのを眺めていた。わたしたちのつながりは特別で、こんなに刺激的でありながら自然に感じられる関係は他にないことを感謝した。すると突然、スウィズが何かを落としてしまったかのように膝をついた。

「どうしたの？」

わたしも同じように膝をついて尋ねた。

「立てよ、お嬢さん！」

と彼は笑いながら言った。何事が起こったのか見当もつかず、ぽかんと彼を見つめた。

「いや、まじで」

と彼は続けた。

「立って」

言われたとおりにした。すると彼は突然こう言った。

「わたしの妻になってください」

そして、黒いベルベットの小さな箱を開けて、ハート型のダイヤが光るシルバーの指輪を差し出した。

「えっ！　何⁉」

すぐには状況が理解できなくて、わたしは細い叫び声を上げた。

「わたしと結婚してください」

彼は繰り返した。

涙がどっとあふれてきた。

「イエス！」

と答えた。再び彼のそばに膝をつくと、彼はわたしの指にリングをはめてくれた。涙が止まらないまま、彼をきつく抱きしめる。デッシとカティアが背後で写真を撮る音が聞こえる。

「なんてクレイジーなの！」

とわたしは何度も言った。

「わたしたちがクレイジーなの？　いや、みんなクレイジーよね」

しばらく経って、デッシとカティアとデッキで合流し、スウィズ発案のプロポーズ作戦の裏話を聞いた。ある朝目を覚まして、突然プロポーズしようと思い立ち、そこから指輪を買いに行って、その日のうちに完璧なプロポーズを演出できる人が、他にいるだろうか？　すべてがものすごくスウィズらしかった。

このときにもらった指輪は大のお気に入りだ。毎年、スウィズはこれよりも豪華な指輪をプレゼントしてくれようとするので、とうとう、「もうやめてくれる？」とお願いした。きらびやかで豪華なのは、わたしの趣味じゃない。わたしのハートをとらえた男からのハート型のシンプルなリング、これが自分らしくて気に入っている。

婚約してまもなく、わたしの誕生日がやってきた。これが、わたしたちの「バースデー戦争」のはじまりだった。相手にサプライズを仕掛ける毎年恒例の試みだ。ド派手な演出をする年もあれば、地味ながらも記憶に残るイベントにする年もある。

婚約直後のわたしの29歳の誕生日は、ド派手バージョンだった。スウィズはわたしを豊かな熱帯雨林に覆われたハワイの島、カウアイ島に連れて行った。わたしみたいな自然派にこの世の楽園として知られている島だ。誕生日当日のお昼頃、スウィズは「ドライブに行こう」と言い出した。2シートのジープに乗り込み、森林の中をくねくねと走ると、1時間後に小さな家の前で車は止まった。家は高床式になっていて、北太平洋の自然のままの海が見下ろせる。小さな前庭を眺めながら急な階段を上り、家の中に入った。リビングルームのテーブルの上に巨大な箱が置いてある。

「開けてみて」

にっこり笑って箱をこちらに滑らせながらスウィズが言う。ボール紙のフタを開けると、中にはいくつかの大きな缶が入っていた。

彼はわたしを抱き寄せてささやいた。

「俺のキャンバスになって欲しいとずっと思っていた」

缶の中身は、ボディペイントだった。彼は想像し得る限りの鮮やかな色をすべて集めて、事前にゲストハウスに運ばせていたのだ。夕暮れが影を落とす中、彼は黄色、赤、紫などのペイントをひと筆ひと筆わたしの身体にほどこし、傑作に仕上げていった。温かい肌に触れるペイントの冷たさに身体がうずく。すべて塗り終えると、庭に出て、彼はわたしを撮影した。こんなに官能的な経験は初めてだった。

そういうわけで、数週間後、生理が来ないことに気づいたときも、それほど動揺はしなかった。自宅で妊娠検査薬を使ったときはスウィズが一緒にいてくれたが、検査が陽性を示す前から、２人とも分かっていたのだ。それは計画された妊娠ではなく、必然だった。わたしたちは魂から細胞のひとつひとつに至るまで、あらゆるレベルで深く交わっていたので、それがあの週末ではなかったとしても、いつかはかならずそうなっていただろう。冬が終わり春が訪れる頃、わたしたちは婚約と妊娠という２つの喜びに包まれていた。

2月に、わたしのFreedom Tourがはじまった。北米とヨーロッパで43公演を行う予定だった。妊娠すべき時期じゃないという声もあるかもしれない。でもお腹（なか）の子はわたしの安らぎであり、嵐のような日々を忘れさせてくれる存在だった。ステージが終わりクタクタになって部屋に帰ると、自分の中で育つ命からパワーをもらった。スウィズもまた、安らかな時間を与えてくれた。ツアーの間２人の存在のおかげで、わたしは泡の中に包まれるように安らいだ心地だった。

スウィズとわたしに子どもができたことを知るのは、ごく少数の人たちだけだった。医師、わたしの母、スウィズの両親、そしてエリカだけ。ツアーのメンバーやマネージャーにすら、最初の数ヵ月は伝えなかった。ツアー衣装を担当していた仲良しのウーリは、もしかして気づいていたかもしれない。大きくなっていくお腹を隠すため、わたしは彼に何度もロングネックレスやだぶだぶのトップスを使うよう頼んだからだ。

つわりが軽かったのはラッキーだった。一度だけ、リスボンでのステージ中に、吐きそうになったことがある。わたしはピアノに向かい、ペダルを踏みながら、曲のメドレーを弾いていた。ちょうど「Superwoman」の2番を歌っているときに、強い吐き気が襲ってきた。胃の中のものが喉元まで込み上がってくる。

スタジアムに集まった数千人の観衆を見て、なんとか我慢した。ようやく2番が終わると、次の歌がはじまるまでの間、身体を左側に傾け、大きく息を吸って目を閉じ、すべての意識を集中させて込み上げてきたものを胃に押し戻した。そして、背筋をまっすぐ伸ばして何事もなかったかのように歌い続けた。ありがたいことに、吐き気はそれで収まってくれた。もしそうでなかったら、大惨事になっていただろう。

その晩ホテルに戻り、アクシデントをエリカに伝えた。その際、ずっと抱えていた悩みを彼女に打ち明けた。〈わたしはちゃんとした母親になれる？　ひとつの命に責任を負えるか

しら？〉

同じ悩みを抱かない親などこの世にいないだろう。対外的には強く見えても、わたしは内心は怖かったし、感情的にも不安定だった。そして、妊娠して分かったことだが、営巣本能というものもまたリアルに感じた。妊娠初期の頃でさえ、わたしは自分の周囲からネガティブなものをすべて一掃したいという強い欲望に駆られた。

前に同じように感じたときはエジプトに向かった。でも、赤ちゃんのために湧き上がった今回の本能は、前回よりも12倍ぐらい強力だった。わたしはかつて自分のために闘って勝ち取ったものを、我が子のためにもしようと決意した。生活から、不要なものをすべて取り除くのだと。

ジェフに妊娠を告げ、彼がいい顔をしないのを見たとき、何ヵ月も前からの心の声に確信を持った。わたしたちの目指す世界は大きく異なってしまったのだ。

別の道を歩むときが来たとジェフに告げた頃には、もう何ヵ月間もたがいを避け合うような状態になっていた。彼がツアーに帯同する回数は目に見えて減っていたし、1対1で話すこともなくなっていた。

彼との最終的な話し合いに備えて、わたしは何ヵ月もかけて複雑に絡み合った法的な問題を整理した。アーティストとマネージャーの関係は結婚のようなもので、終えるには大きな困難を伴う。15年間、ジェフはわたしの契約からコラボレーション、レコード会社、ひいては世間とのあらゆるファーストコンタクト先として、ビジネスのすべてを担ってきた。この強力な結びつきを解くという経験が、わたしに大きな教訓を残してくれた。

ビジネスであろうと個人的なものであろうと、パートナーシップを結ぶ際には、1人の人間に手綱を握らせてはならない。その教訓を胸に、わたしはジェフと袂(たもと)を分かつ1年前にAKワールドワイドという自分だけの会社を立ち上げた。以後、この会社がわたしに関わるビジネスをすべて取り仕切ることになる。すべてがこの会社からはじまり、最後はこの会社のオーナー、つまりわたしに返ってくる仕組みだ。

自分が結婚する姿を想像したことはなかった。おそらく、結婚生活が中心にある家庭で育たなかったからだろう。それに、2人が愛し合っているのなら、なぜ契約書にサインをしてそれを公にする必要がある？　わたしには、国の書類が2人を結びつける糸になり得るとは思えなかった。日々、心と心を通い合わせることで十分ではないかと。でも、スウィズと愛し合うようになってその考え方は変わった。少しだけ。

「考えがあるの」

ある晩、電話越しにスウィズに告げた。

「結婚する代わりに、たがいの人生をたがいに捧げるっていうのはどう？　自分たちで書類を作って、２人がどういう関係でありたいかを記して、サインするっていうのは？」

スウィズはしばし黙り込んだ。

「それ、どういう意味？」

「わたしたちの関係がどういうものか、決めるのはわたしたち自身でしょ？　自分たちがなぜ一緒になったかを書類に書いて、リビングルームに飾っておくのってどう？　美しくて、詩的だと思わない？」

大胆な発想や規格外のビジョンを持ったアーティストであるにもかかわらず、この件については、あの人は驚くほど保守的だった。彼は風変わりな契約ではなく、伝統的な方式を望んでいた。そして、わたしを懐柔するとどめの一言を言った。

「俺と結婚するのが嫌？」

「いいえ、結婚したいわ！」

とわたしは答えた。

「ベイビー、そういう意味じゃないのよ。ただ、わたしたちらしいやり方があると思ったの」

しかしスウィズは納得してくれなかった。それから数日間、同じ堂々巡りの話し合いを繰り返した挙句、わたしたちは妥協点に達した。書類上は伝統的な方式で結婚する。でも、結婚の誓いは2人独自のやり方を採用する。

わたしたちはついに婚約と妊娠を発表した。そして7月終わりにフランスのコルシカ島で結婚式を挙げる準備をはじめた。

結婚式のテーマとしてわたしが何より大切にしたのは、ポジティブな精神だった。スウィズとわたし、そしてわたしたちの子どもが、前向きな善意の輪の中にいられるように。そのために、招待客リストには気を配った。本当にわたしたちの結婚を喜んでくれる人たち、前向きに応援してくれる人たちを招待した。

厳選した結果、招待客はわずか26人。その人たちの連れを入れても総勢50人に満たなかった。兄のように慕うボノもその1人だった。大切な友人クイーン・ラティファも来てくれた。姉妹みたいな仲間たち、エリカ、タネイシャ、キャットも。わたしの母、クレイグ、そしてスウィズの両親と祖父母も来てくれた。

スウィズは何か特別な演出をしたがっていた。そこでディーパック・チョプラに結婚式の司宰を依頼するという、大それた計画を立てた。わたしたちは彼の教えを尊敬していたし、それはわたしたちの結婚式のテーマにも沿ったものだった。パフ・ダディとディーパックが同じ建物に住んでいることが分かったので、スウィズは兄弟のように仲が良いパフを通じて、ディーパックに依頼をし、彼は喜んで応じてくれた。わたしたちの友人アレックスとローラが、自分たちの家を式場に提供してくれた。崖の上に建つ、息を呑むような地中海の絶景を望むその家は、まるで旅行雑誌『Travel + Leisure』の一ページのようだった。

結婚式の前夜、全員で地元のレストランのテラス席で食事をした。テーブルについてまもなく、顔にポツリと来たかと思った雨がザーッと降り出し、豪雨になった。みんな手に皿を持ったまま屋内に避難する騒ぎ。嵐がようやく収まってから宴会を再開した。ありがたいことに、結婚式の朝は明るくすっきりと晴れ上がった。

ママがドレスを着るのを手伝ってくれた。ヴェラ・ウォンがわたしのためにデザインしてくれた、ギリシア風のワンショルダーのウェディングガウンだ。アイボリー色のシルクのジョーゼットが、膨らんだお腹をふわりと覆う。後ろにとき流した髪には、複雑に絡み合った宝石が2列になったティアラをつけた。スウィズは以前からわたしを女神のような気分にさせてくれたが、今まさに女神のようになった。

式の30分前、支度中の部屋にクレイグがひょいと顔を出した。わたしをひと目見た彼の顔が輝く。ドアを閉めようとする彼にママが声をかけた。

「どこへ行くの？　わたしとアリシアと一緒に、バージンロードを歩いてちょうだい」

クレイグはみるみる泣き顔になった。彼も一緒に歩くことを、いつ母と決めたのか思い出せないが、それが正しいと思ったのだ。彼とわたしの関係はずっと複雑なものだったけれど、彼がわたしに命を授けてくれたただ1人の男であることはまぎれもない事実だ。

右側にママ、左側にクレイグが立ち、わたしは紫色のカラーのブーケを握りしめた。家を出て、玉石が敷き詰められた、急坂で曲がりくねった小道を進む。一歩踏み出すたびに、転ばないよう祈った。角を曲がると、ゲストと新郎が待ちかまえている。スウィズはわたしの姿を見て目を輝かせた。タキシード姿でそこに立つ彼は本当にハンサムで、未来に限りない希望を抱いているように見えた。彼はわたしの手を取り、きらめく池のそばの壇上へと導いた。

わたしたちの誓いが、その日のハイライトだった。周囲がしんと静まり返る中、わたしたちは正面から向き合い、結婚の誓いを行った。おたがいを所有しようとするのではなく、愛し合い、いつでも飛び立てる鳥のように自由でいることを誓った。ともに生きていくという永遠の約束をする代わりに、日々新たに、自分の意志でその道を選択し続けることを誓った。誓いの言葉を口にしてから10年近く経った今も、わたしたちはそれを守っている――そしてたがいに強く結ばれている。

13

火をつけて！

ON FIRE

DJウォルトン　AKワールドワイド社長、アリシアの長年の友人

俺はアリシアの変化を目の当たりにしてきたよ。1人目の息子が生まれる前の彼女は、ハードコアなヘルズキッチンのアリシアだった。昔も今も心優しい女性ではあるけど、以前は何事も楽しんでやろうとか、そういうタイプじゃなかった。あのせっかちと根性は母親譲りだな。育った環境もあると思う。

彼女のワーキングスタイルは誰にも真似できるものじゃなかった。寝る間も惜しんで、ツアーやらプロモーションやらに出かけてね。どんなに根性のあるヤツでも音を上げるようなスケジュールをこなしてたよ。

自分のキャリアを真剣に考えるあまり、ツアーやレコーディングのメンバーにも同じレベルを求めてた。みずから率先して行動してたしね。妊娠中、体調が良くなかったときだって、何事もなかったかのようにステージに上がっていた。公演をキャンセルしたことは一度もなかった。

それが息子のエジプトが生まれてからは、目に見えて変わった。仕事熱心で野心家な部分は変わらないが、自然体でおおらかになった。すごく明るくなった。新たに優先すべきことができたんだよね。ライブのスケジュールがうまく調整できなくても、イライラせず

に次のことに取りかかれるようになった。仕事のやり方が穏やかになり、精神的にもぐっと落ち着いたと思う。


子どもの性別は、生まれてくるまで知らないままでいるつもりだった。妊娠して最初の数ヵ月間、その希望は叶えられていた。ツアー中に検査を受けるまでは。

「ツアー中にも超音波検査を受けて、最新の状態をチェックしておいたほうがいい」Freedom Tour に出かける前、ニューヨークの担当医から言われた。「検査結果をわたしに送るように」

そこで、妊娠5ヵ月に差しかかった頃、ツアー先のロンドンで初対面の産科医の予約を取り、検査を受けた。話好きなイギリス人で、検査中ずっと冗談ばかり言っている。ベッドに横たわるわたしのお腹に、彼がゆっくりとスキャナーを滑らせる。そして、おへそのすぐ上で手を止め、わたしの右側に置かれたモニターを観察すると、ニッと笑った。

「どうやら赤ちゃんには3本目の脚があるようだね」

笑うしかなかった。秘密は一瞬にしてバラされてしまったのだ。

じつは男の子だという予感はしていた。ツアー中、夜はホテルの部屋で1人で過ごすことが多かった。ツアーのメンバーは50人を超えるが、夜は意外に孤独なものだ。ステージが終わって部屋に戻ると、時差ボケを抱えて1人過ごす。そして夜が更けてくると、赤ん坊のスピリットが伝わってくるのだ。それは間違いなく男性のエネルギーが放つスピリットだった。時折、もうすでに息子が生まれてわたしと並んで歩いているように感じる瞬間もあった。

予定日まであと3ヵ月という頃、スウィズとわたしは友人に勧められて新生児の親のための講座を受けた。母乳の与え方やスワドリングのコースを終えた頃、わたしの担当産科医（逆子を自然分娩で産むなどの昔ながらの分娩技術を身につけた、素晴らしい女医）から、マリー・モンガンが提唱するヒプノバーシング（催眠出産）を勧められた。自然分娩の最中に、深いリラックス状態（催眠状態）になることで痛みを抑える出産法だ。

予定日を数週間後に控えたスウィズとわたしは、オープンな気持ちになってリラックスする練習をした。ストレスを感じると、歯を食いしばったり拳を握ったりして、身体が閉じてしまうからだ。スウィズの声を脳に覚えさせる練習も行った。そうすれば分娩中でも彼の声を聞くだけで、深いリラックス感を得ることができる。

ヒプノバーシングは先進的な、美しい出産法で、わたしは大きな力をもらった。以前から、言葉の選び方や繰り返しが人格に影響すると考えていたわたしにとって、とても納得できる方法だった。インストラクターによれば、分娩中の言葉の選び方を変えるだけで、出産への取り組み方も変わってくるそうだ。だからこの出産法では、荒っぽくて苦しそうな感じがする「陣痛(contraction)」という言葉の代わりに、「高まり(surge)」という言葉を使う。これは、わたしが分娩中実際に感じた転がるような振動と、高まる不快感を的確に表す言葉だと思う。さらに、赤ちゃんと自分を取り巻く空間を安らかに保つ術を教わった。

出産経験がある女性の多くは自分の出産にまつわる恐怖体験を持っていて、妊婦相手にそれを披露したがるものだ。わたしは、そういう話がはじまると話を遮ることにした。「そんな体験をしたなんて、大変だったわね。でも、それ以上聞くのはやめておく。わたしはポジティブなイメージでいきたいの」

２０１０年10月14日の午前2時、「高まり」によって目が覚めた。それが出産の兆しだということに気づかず、わたしは再び眠りに落ちた。１時間半後、二度目の衝撃を感じて目を覚ましたわたしは、起き上がって明かりをつけ、寝室のロッキングチェアまでヨタヨタと歩いた。

「ベイビー、起きて。時間をはかって」

高まりがくる間隔をはかり、１時間おきになったら病院に向かうようにとの医師の指示を思い出しながら言った。スウィズは寝ぼけまなこでペンと紙を取り出し、最初の時刻を書き記した。そしてまた寝てしまった。それが何時間か繰り返された後、彼に紙を見せてと言った。何とそこには、でたらめな数字が書かれているだけだった。スウィズはずっと寝ぼけていたのだ。これでは間隔など分かりはしない。まだ破水はしていなかったものの、体内時計はもう病院に行くべきだと告げていた。

スウィズに付き添われ、彼の声を耳に感じながら、わたしは母になった。医師が小さな赤ん坊をわたしの胸の上に載せると、息子の心臓の音がわたしの心臓と共鳴するように感じられた。生まれる何週間も前から、名前は決めていた。

「エジプトの旅は君にとって自分を決定づける重要な出来事だったんだよね」

とスウィズが言ったのだ。

「だったら、それが素敵な名前になるんじゃないかな?」

聞いた瞬間、それしかないと思った。スウィズのミドルネーム、ダウドも後ろにつけた。2日後、わたしはエジプト・ダウド・ディーンを腕に抱いて退院した。彼は、わたしの人生を変えた旅を、いつも思い出させてくれる存在だ。

帰宅してまもなく、母の長年の親友の1人、アンティ・エレーヌが立ち寄ってくれた。初めてエジプトを腕に抱いた後、キッチンに座って彼女と話した。

「これであなたも大人になったのね」

とエレーヌは微笑(ほほえ)みながら言った。それは色々な意味で本当だった。下着だって、紐(ひも)みたいなＴバックからコットンの大きなパンツになった。でもそれ以上に、神聖で恐れ多い場所に足を踏み入れたという思いが胸に迫ってきた。おくるみにくるまって腕の中で眠るこの小さな命、その全責任をわたしは預かっているのだ。かつて母がわたしの命を預かったように。

親になるということは、お風呂に入れたりミルクや食事を与えたりオムツを替えたりするだけではない〈もちろんそれも大いにあるけれど〉。それは教え、愛し、祝福するという神聖な使命だ。スウィズとわたしが、男の子を、息子を、王を、1人の男を育てるという責任なのだ。

エジプトが生後3ヵ月になると、わたしは凄まじい集中力をもってスタジオに復帰した。2週間のエジプト旅行から帰ったときよりもずっと、スケジュールを自分でコントロールできるようになっていた。わたしにとって、母性とはリトマス試験紙のようなものだった。〈この仕事は、赤ちゃんを置いてまでやる価値がある？〉答えがノーなら、その仕事はウォークマンのカセットレコーダーと同じ運命をたどる——停止だ。

スタジオに何日もこもった日々は去り、頑張りすぎて燃え尽きてしまうこともなくなった。午前2時の授乳や、スタジオで母乳を搾るといった母親業は、わたしを新しい周波数に近づけていった。わたしは子どものためになることを優先し、それが自分にとっても最善の選択となった。

わたしはこの新しい周波数を「Girl on Fire」エネルギーと呼んだ。自分の周りにいるパワフルな女性たちのことを考えていたとき、まるで宇宙から降りてくるみたいに歌詞が湧いてきた。母、ゴッドマザー、姉妹のような友人タネイシャとキャット、そして今までの人生で出会った多くの女性たち。わたしたち女性にとって、この世は苛酷なものだ。ときには燃え尽き、自分の無力さに落ち込み、孤独に苦しむ。それでもわたしたちは立ち上がる。そんなことを何週間かつらつらと考えていたら、ある日の午後、スタジオで突然詞が生まれたのだ。

「ファンタジーよりも熱く／ハイウェイのように孤独／彼女は燃え上がるこの世界に生きている／周りは大惨事になっても、自分は飛び立てることを知ってる／両足で大地を踏みしめ／その大地を焼き払っている」

歌詞は、わたしが感じていたことを完璧に表現していた。たとえくずおれそうになることがあっても、かならず立ち上がって一歩ずつ前に歩き続ける女たち。ほんの少しずつでも前へ。何があっても再び立つ。「Superwoman」の歌詞と同じく、この歌に込められたメッセージもまた、自分への言い聞かせと同時に、すべての女性への賛歌でもあった。

この曲は、音より先に詞が完成した。音のほうは、素晴らしいプロデューサーを2人招いた。グラミー賞を受賞したソングライター（歌詞も共作した）のジェフ・バスカーと、エイミー・ワインハウスやナズなどのアーティストを手がけたサラーム・レミだ。セッションの途中、お手洗い休憩を取り、スウィズに電話をかけるためスタジオを抜け出した。夫に電話をかけていると、コーラスの声が壁越しにとどろくのが聴こえた。

「This…girl…is on」

「ベイビー、クレイジーなことが起こりはじめてるわ」

　電話の向こうのスウィズに告げた。

「本当に？」

「そうよ。だけど説明できないわ。あなたに直接聴いてもらわなきゃ」

「Empire」みたいに、アーティストがヒット曲を予想できるのはまれだ。でも、「Girl on Fire」はヒットすると、わたしは確信した。身体の細胞すべてがそう言っていた。歌がどうやってわたしのところにやってくるのか、創作プロセスについては自分でもいまだに分からないことだらけだが、時折、宇宙が贈り物をくれることがある。歌詞とメロディが、文字どおりそこに出現するのだ。

　その頃にはもう、別のスタジオで曲作りをするようになっていた。わたしの友人であり、音響エンジニアであり、ビジネスパートナーでもあるアン・ミンシエリがスタジオを手配してくれた。アンとは、１９９７年以来のつき合いになる。タイムズスクエアのクワッドスタジオで出会ったのが最初だ。彼女はアシスタントエンジニアで、わたしは契約したての、駆け出しのアーティストだった。

まだハーレムのケリーのアパートで録音していた頃の話だ。アンはこの業界でともに成長した仲間だったし、気も合った。２０１０年、彼女はチェルシーにある商業用のコンドミニアムを2部屋購入し、そこを最新、最高の機器が揃う、7つ星アーティスト垂涎のジャングル・シティ・スタジオに作り替えていた。

スウィズとわたしがサントロペのハネムーンから戻ると、アンはわたしにこのプロジェクトを紹介し、スタジオを見せてくれた。スタジオは衝撃的に素晴らしかった。

「この建物にあなたのスタジオを移すというのはどう？」

すごく刺激的なアイデアだと思った。ジャングル・シティ・スタジオは建物の東側に駆け出しのミュージシャンのためのスペースをもうけていて、多くのアーティストがそこに通っていた。わたしは建物の西側、ジャングル・シティと向かい合わせになった2部屋を購入し、ロングアイランドのオーブン・スタジオをそこに移した。それ以来、そこはわたしが自分の好きなように創作活動に打ち込める、プライベートな遊び場になった。自分の持ち物なので、誰からも邪魔されることはない。緩衝材を壁に貼って防音をしていた時代から最新技術が揃うスタジオへ、何と長い道のりだったことだろう。

ジャングル・シティの隣に作ったこの新しいスタジオで、アルバム『Girl on Fire』のほとんどがレコーディングされた。アルバム制作は、大人数のホームパーティを開くようなものだ。しかもゲストは一流ぞろい。スローな曲「Fire We Make」ではマックスウェルとのデュエット。ブルーノ・マーズは「Tears Always Win」に歌詞を提供しバックボーカルも務めてくれた。「That's When I Knew」ではベイビーフェイスのプロデュース。

２０１１年にはレコーディングのメンバーとともにジャマイカに飛び、ポートアントニオのジージャム・スタジオで曲作りキャンプを行った。ジョン・レジェンド、ミゲル、ベイビーフェイスがやってきた。才能あるプロデューサーでソングライターのオーク＆ポップや、アントニオ・ディクソン、ステイシー・バス、そしてThe xxのジェイミー・スミスも参加した。マイケル・ジャクソンやレディー・ガガのヒットメーカーであるロドニー・ジャーキンスも来てくれた。ボブ・マーリーの祖国で過ごす時間は、信じられないようなメンバーでセッションを繰り返す夢の日々だった。

さらに、「Not Even the King」を含むいくつかの曲では、イギリスの有名アーティスト、エミリー・サンデーがコラボレーションしてくれた。「Not Even the King」の歌詞には、城に住み、大勢の人にかしずかれているけれど、真の友だちは1人もいない支配者が出てくる。彼には富と権力があるが、お金で買えない本物の友情や愛情は持っていない。この曲は、知り合いのとあるカップルを見て書いたものだ。彼らは楽しい人たちだったが、魂を引きちぎられるような苦しみを経験していた。金銭的には、彼らは完璧だった。豪華なマンション、高級車、別荘。しかし、巨万の富を手に入れたにもかかわらず、彼らは深い空虚感を抱いていた。

彼らの苦悩を見て、わたしは思った。〈お金にとらわれずに、わたしはまっすぐに行こう〉。富を恐れたり、軽視したりすべきだという意味ではない。わたしの家族は金銭的にも成功を収めているし、それを土台にこれからも家庭生活を送るつもりだ。しかし、富に近づけば近づくほど、何がいちばん大切なのか見失ってはならないと思う。わたしにとってそれは、自分のキャパシティに照らし合わせて、何を捨てて何を取るか、ということだ。自分はどんな人生を送りたいか、そのためにはどんな犠牲が必要か？　スウィズのパートナーとして、そして親としての役割を果たすためには、何を捨てるべきか。

わたしの場合は、To-Doリストを究極まで間引くとうまくいく。不要なものを捨てることで、家族とのつながりを育む余裕と環境ができるからだ。そして間引いた後に残された土壌にあるのは、すべてを受け入れる気持ち。わたしは熱心な母親、そして良きパートナーであるために、できることはすべてやり、そのうえで、できなかったことは気にしないことにしている。誰でも、意識すればできることだと思う。

エミリーと一緒に書いた「Brand New Me」という曲は、アルバム制作中にわたしが入っていたゾーンをよく表している。

「あれからときが流れた、わたしはもう以前の自分じゃない／あなたに言おうと思ってた、でももう見ただけで分かるはず／怒らないで、ただ真新しい自分になっただけ／いい気分よ、新しい自由を見つけたんだもの」

実際、曲のタイトルだけを見ても、「Girl on Fire」「New Day」「That's When I Knew」（スウィズとの関係にインスパイアされて作った曲）と、テーマは明らかにわたしの人生をなぞっている。わたしの感覚は研ぎ澄まされ、エネルギーは弾けまくっていた。心は開かれ、わたしは自由な表現の伝道師だった。

わたしは人生の中で、何人もの偉大なアーティストと共演する幸運に恵まれたが、その頂点はスティーヴィー・ワンダーだろう。『Girl on Fire』の制作中、創作エネルギーにどっぷり浸かっていた2012年、『ビルボード・ミュージック・アワード』でスティーヴィーと共演したのだ。デュエットしたのは「Higher Ground」と「Overjoyed」。この曲名だけで、わたしがどれほど心を躍らせたかが分かるだろう。共演タイムが終わろうとする頃、62歳の誕生日を祝ったばかりのスティーヴィーからリクエストがあった。

「僕に誕生日プレゼントをくれないかな?」

と彼は言った。

「『Empire State』をアカペラで歌って欲しいんだ」

デュエットの余韻でまだハイ状態のまま、わたしはキーボードをポロポロと弾き、歌い出しの音を決めようとした。

「みんな、あたしを助けてくれる?」

マイクに向かって叫んだ。観衆は拍手で応えてくれた。わたしは咳払いをし、横隔膜を振り絞って最初の一声を歌い出した。

「In New York…concrete jungle where dreams are made of…」

スティーヴィーが身体を揺らし、手を叩いている。

「ハッピーバースデー!」

1981年にこの言葉と同じタイトルの曲を発表し、世界で最もソウルフルなハッピーバースデーを聴かせた男に向かって言った。

グラミー賞をいくつも受賞しているこのレジェンドと共演したのはこれが初めてではない。2009年のオバマ大統領就任の舞踏会の前、2004年の『MTV・ビデオ・ミュージック・アワード』において、わたしはスティーヴィーとレニー・クラヴィッツと共演している。ライブ前、３人はマイアミのレニーのスタジオでリハーサルを行う約束をしていた。スティーヴィーより早く到着すると、入口でレニーが温かく迎えてくれた。

「入って、入って」と彼は言った。

レニーはそのスタイル、芸術性、ノリ、彼の空間が作り出す雰囲気、そのすべてからかっこ良さがにじみ出ている。クールの極みのような男だ。彼のスタジオも、その多彩ぶりが反映されたワクワクするような空間だった。まずはエントランスから入った通路の壁に、ヨナ・サーウィンスク（黒い油性ペンだけで緻密な絵を制作するアーティスト）の巨大な絵が描かれている。スティーヴィーの到着を待つ間、レニーとわたしは「Higher Ground」の自分たちのパートを練習した。数分後、アシスタントがドアから顔を出した。

「ワンダー様は20分ほどで到着するそうです」

すると、わたしのバックコーラスを担当しているホイットニーが突然部屋を出て行った。急いでお手洗いに行ったのかと思っていたら、15分後、ワンピースとハイヒールですっかりおしゃれした彼女が戻って来た。

「えーと、そんなにおめかししてもスティーヴィーには見えないわよ」

とわたしは冗談ぽく言った。

「ええ、分かってる」

とホイットニーは答えた。

「でも、変な恰好をしてたら彼には、きっと分かると思うの」

わたしたちはドッと笑った。彼女のおめかしがスティーヴィーに伝わったかどうかは不明だ。でも、セッション中、ホイットニーのテンションがずっとＭａｘだったことは確かだった。

スティーヴィーはトレードマークとも言える笑みをたたえ、ポケットにハーモニカをたずさえて登場した。ウォーミングアップをする間、わたしは声が震えるのを悟られまいとしていた。わたしはキーボードの前に座り、半世紀以上にわたるキャリアを誇る、世界最高の天才と一緒に歌っているのだ。

わたしがこの世に生まれる何十年も前、リトル・スティーヴィー（１９６１年にベリー・ゴーディ率いるモータウンと契約したとき、彼はまだ11歳だった）はすでに「Fingertips」や「Uptight（Everything's Alright）」といったヒット曲で人々の心をとらえていた。しかも、それはほんのはじまりに過ぎなかった。「As」「Boogie On Reggae Woman」、そしてアルバム『Fulfillingness' First Finale』の「They Won't Go When I Go」は、聴けばいまだに鳥肌が立つ。

スティーヴィーの曲は、わたしたちの生活や人生の節目とともにあり、時代を反映するものだった。そしてわたしにとって彼は、真のミュージシャンとしてのお手本だった。芸術面での成長を何よりも大切にし、それは商業的な成功より優先される。つねに限界を打破し続けて進化するアーティスト。

そういうわけで、レニーとスティーヴィーとぶっ続けでセッションした数時間、わたしの身体は確かにそこにいたのだが、頭はどこかに行ってしまっていた。さらに、一緒に演奏する「Higher Ground」だけならまだしも、わたしの「If I Ain't Got You」に合わせてスティーヴィーがハーモニカを引っ張り出して吹きはじめるに至っては、もう現実離れしすぎて夢を見ているのかと頬をつねりたくなるほどの、至高の時間だった。

わたしに大きな影響を与えたもう1人のアーティスト、プリンスに会えたときと同じぐらいの感動を味わった。スティーヴィーも、プリンスも、型にはまらない本物のクリエイティブとはどういうものかという強力なヒントを、わたしに与えてくれた。

2001年に緊張しながら電話をかけて以来、プリンスとは連絡を取り合っていた。しかし何回会っても、彼の前に出るとわたしは口が利けなくなってしまう。『Songs in A Minor』のツアー中、プリンスはライブを観に来てくれた。わたしはサウンドボードの近く、通常ホールの中で音質が最も良いとされている席に彼を招待した。その日、プリンスがくるかもしれないと聞かされていたので、わたしは緊張していた。ライブが終わると、彼はステージ裏でわたしと顔を合わせた。

「いいショーだったよ」

と彼は言った。

「だけど音が良くなかったな」

どう反応していいか分からず、ぼんやりと彼を見つめた。

「えっ、音が？」

ようやく言葉が出てきた。

「バランスが良くないんだ」

と彼は説明してくれた。音については万全を期したつもりだったが、尊敬しているアーティストからの批判は真摯に受けとめねばならない。そして後になって、彼が正しかったことが判明したのだ。エンジニアが途中で音響調整を放り出していたのだった。彼の指摘のおかげで、わたしはそれ以来、自分の歌のクオリティを上げるための緻密な音合わせをするようになった。より良いもの（Better）に。それがプリンスをはじめ頂点をきわめた人たちが、いつも考えていることだった。もっと上へ。もっと緻密に。そうすることで、彼らは今自分が立っている場所をさらに上のステージへ押し上げてきたのだ。

2004年、Rock & Roll Hall of Fame（ロックの殿堂）入りすることになったプリンスから、授賞式で彼を紹介するという栄誉ある役割を依頼された際も、わたしはそのことに触れた。

「世の中にはたくさんの王がいます」

壇上に立って、わたしはスピーチした。

「ヘンリー8世。ソロモン王。ツタンカーメン。イングランド王ジェイムズ1世。キングコング。スリー・キングス。でもプリンスは1人しかいない。限界に挑戦したこの男ただ1人」

わたしがツアーで世界中を飛び回っていても、プリンスはわたしへの連絡手段を知っていた。何ヵ月も会わず話もしていないかと思うと、ある日突然、彼のスタッフの誰かから電話がかかってくる。

「プリンスがあなたと話したがっています」

多くの場合は、励ましの電話だった。「You Don't Know My Name」を聴いた後の電話では「君のあの新曲すごく気に入ったよ」と言ってくれた。そのときの、全身に電流が流れたような感覚を今も思い出すことができる。何年も経って、彼が再びステージを観に来てくれた頃には、わたしは7千人が入るような大きなハコで演奏するようになっていた。

「君の観客は、もう以前とは違っているみたいだね」

ショーが終わった後、ステージ裏で彼は言った。わたしは立ち尽くしたままだった。プリンスの前に出ると、いつもどう対応したらいいのか分からなくなってしまう。

「僕も以前はそうだった」

と彼は言葉を続けた。

「時間の経過とともに、観客もぐんと多様化するんだ」

おそらく、彼はこう言いたかったのだろう。〈それって素晴らしいことだよね？〉と。現在に至るまで、わたしのコンサートを観に来てくれる人たちの多様性には驚かされている。67歳の白人男性が15歳の孫を連れてくるのだから。プリンスはその日、わたしにはっきりとした答えを告げなかった。ただ、自分の観客との類似性を指摘しただけだった。

その後もプリンスとは、アーティストとしての進化とともに訪れる自然な変化について、何度も話し合った。当時は彼が言っていることをすべて理解しているとは言えなかったが、今は分かる。ファーストアルバムを出すと、特定の人たちがファンになってくれる。本当に純粋に自分の曲を好きになってくれた人たち、いつでも自分のために集まってくれる人たちだ。彼らの喝采が、自分が成長するための糧になる。そして新しい音を求め、広げていくと、はじめは関心がなかった別のグループの人たちもファンに加わってくれる。しかし、そうしていくうちに、最初についたファンが自分の方向性にそっぽを向く瞬間がくるのだ。プリンスは多くのミュージシャンができなかった離れ業を上手にやってのけた。ファンをどんどん増やし、芸術性を高めながらも、はじめからのコアなファンを見放すことをしなかったのだ。これはわたしが目指す方向性でもある。最初からわたしについてくれたコアなファンを大事にしたい。そしてそうしつつも、アーティストとしてより自分を高め、新たなファンも増やしていきたい。これは、プリンスが教えてくれた重要なレッスンのひとつだ。彼が遺したレガシーは、スティーヴィーと同様、わたしだけでなくその他数えきれないほどのアーティストを向上させてくれた。

母親になることは、心に新たな羽が生えるような感じだ。それまでも人の愛し方を分かっていると思っていた。でも自分の子どもを腕に抱いて初めて、今まで知らなかった新たな愛の側面や陰影を知った。何かを大切にすることで、心が広くなるのを感じる。それは相互依存や条件つきの愛ではない。存在そのものが愛なのだ。自分の子どもを愛するのは、単純にその子が自分の子どもだから。その愛はどんどんあふれ、人生の他の部分にもおよぶ。アルバム『Girl on Fire』にもその愛があふれている。

アルバムからの1枚目のシングル「Girl on Fire」は地球を一周して、また戻って来た。わたしの曲の中で最も売れた1曲だ。ミレニアル世代からベビーブーマー、ゲイからストレート、郊外の子育てママから都会の洒落者（しゃれもの）、アフリカの女学生からドバイのおばあちゃんまで、あらゆる人たちに浸透した。伝染という言葉がぴったりの曲だった。わたしの幼い息子はいつか、4歳にして「Girl on Fire」を一語一句暗唱できるようになるだろう。あの曲には、共鳴してしまう何かがあるのだ。キャッチーで覚えやすいコーラスも大いに関係しているのかもしれない。

そしてアルバムのジャケット写真？　わたしが「hell yeah」ポーズと呼んでいるものだ。『Element』と比べて、発しているエネルギーの劇的な違いはどうだろう。わたしは腰に手を当てて立ち、目は真実を見すえている。そのまなざしはひるむことなく、意志は堂々として強い。もう人生の後部座席から、前を行く人々を見ているような自分ではない。わたしは輝き、自分の意志を持ち、ワイルドで、誰の言いなりにもならない自分になった。そう、長いときを経て、ようやく目覚めたのだ。

PART THREE：AWAKENING

覚醒

ただ考えてる……
いつになったらこの惨状を乗り越えられるのか
混乱を、憎しみを
わたしたちをバラバラにさせる嘘を

ただ考えてる……
いつになったらたがいに認め合えるのか
罪のない子どもたちは
守るべきものなのだと
肌の色など関係ないと
愛がすべてなのだと

ただ考えてる……
こんなに悲劇があふれてるのに
今日もまた新たな悲劇が生まれるから
わたしの右にも、左にも
問いかけるけれど答えはない
誰も説明してくれない

周りを見渡せば
あるべき姿が見える
混乱から解放され、平和に眠る日々
ただ考えてる

いつになったら過去を乗り越えられるのか
教え込まれたことを
混乱を、憎しみを
わたしたちをバラバラにさせる嘘を

ただ考えてる……
いつになったらたがいに認め合えるのか
罪のない子どもたちは
守るべきものなのだと
肌の色など関係ないと
愛がすべてなのだと

——アリシア・キーズ

14

新たな展望

NEW VISION

ボノ

アメリカ大統領と一緒に、彼のプライベート・ダイニングルームでランチをするなんて、そうめったにあることじゃない。そこにいたのは僕と、アリシアと、オバマ大統領の3人だけだった。部屋の隅にギターが置いてあったので、それを拾い上げて、ビートルズの「Norwegian Wood」を弾き、歌った。アリシアも何小節かを一緒に歌った。僕は大統領を少し困らせるつもりで訊(き)いた。

「あなたやミシェル夫人はカラオケを歌ったりするんですか?」

「ミシェルはやるよ」

と彼は答えた。

「ここホワイトハウスではやらないけど、キャンプ・デービッドに滞在中はね。じつは、ミシェルはカラオケがすごくうまいんだよ」

「あなたはどうなんです?」

と僕は訊いた。

「ああ、わたしはカラオケはやらないんだ」

と彼は言った。

「なぜ歌わないんですか？」

アリシアが茶目っ気たっぷりに尋ねた。

「ご自分の立場にはふさわしくないとお考えですか？　ミスター・プレジデント」

「いやいや、そうじゃない。カラオケをやらないのは、じつは歌がうますぎるからなんだ」

「ええ？　ぜひ証拠を見せてくださいよ」

と僕は言ったのさ。すると彼は、完璧なバリトンでビル・ウィザースの歌を歌ってみせたんだ。アリシアと僕はおたがいに顔を見合わせた。「なんてヤツだ！　合衆国のリーダーになって、ミシェルみたいな妻がいて、そのうえ〈歌える〉ってのか⁉　天は何物を与えたんだ！」２人ともそう驚いたんだ。彼は満面の笑みを浮かべていたよ。

昼食が終わってホワイトハウスを出るとき、アリシアにささやいた。

「いいかい、今日のエピソードは誰にも話しちゃいけない。これが広まると、誰もが彼に歌ってとお願いするだろうから」

彼女も同意見だった。

「そのとおりね。これは2人だけの秘密にしておきましょう」

それからまもなく、僕たちは誰にも話していないのに、大統領はみずからあちこちで・・・・歌っていた！　自分の隠れた才能に目覚めたみたいだったよ。

ホワイトハウスからは威厳と栄光が感じられた。クリスタルのシャンデリアが輝くイエローオーバルルームの下の階、ウエストウィングのコロナードは世界のリーダーたちが歩き、歴史と威光が交錯した場所だ。リンカーンもかつてここに住んだ。ＪＦＫジュニアはオーバルオフィス（大統領執務室）の父の執務机の下で遊んだ。１９６４年にジョンソン大統領が公民権法に署名し成立させたのもここだ。

そして２００８年11月、民主党の指名を受けたオバマ大統領と夫人がシカゴの自宅からこの場所を目指し、アメリカの歴史上の人物となった。オバマ大統領がホワイトハウスにいた8年の間、わたしは何度かここを訪れる栄誉に浴した。そしてそのたびに、大統領一家に対するリスペクトはどんどん大きくなっていった。

初めてホワイトハウスを訪問したのは２００９年3月。就任式からまだ2ヵ月しか経ってはいなかったが、ミセス・オバマはすでに女性の地位向上への活動をはじめていた。Women's History Month（女性史月間。歴史や社会に対して女性が行った貢献に焦点を当てる月間）を迎えるにあたり、ファーストレディは様々な分野の先駆者となった21人の女性を招待していた。アフリカ系アメリカ人女性として初めて宇宙に行ったメイ・ジェミソン、体操のオリンピック選手ドミニク・ドーズ。アーティストでは、ケリー・ワシントン、シェリル・クロウ、トレイシー・エリス・ロス、フィリシア・ラシャッド、そしてわたしも招待された。
当日のプランは、飾らないシンプルなものだった。まずはホワイトハウス前に集合した後、何人かずつに分散してワシントンD.C.エリアの学校を訪れ、女子生徒たちに自分の人生経験を語る。夕方ホワイトハウスに戻り、一部の生徒たちとともにイーストルームで行われる夕食会に出席する。

「わたしたちに課された仕事はいたってシンプルよ」

出発前、集まったメンバーを前にオバマ夫人は言った。

「オープンに、正直に、リアルに、明瞭にね。そして楽しんで」

つまり、100％、ありのままの自分でいて欲しいということ。ホワイトハウスに到着したあの朝、オバマ夫人は温かな抱擁と歓迎の言葉で、緊張していたわたしの気持ちをほぐしてくれた。彼女は洗練されたファーストレディでありながら、親しみやすい姉のようでもあった。ホワイトハウスという荘厳な場でも、彼女には人の心を解きほぐす不思議な力があった。

じつはオバマ夫人には以前にも会ったことがあった。2005年5月、サンタバーバラ近郊にあるオプラの豪邸を訪れたときのことだ。もし地球上に天国のような場所があるのなら、それはモンテチトのオプラの家かもしれない。ハレルヤ・レーンとして知られている丸石を敷き詰めた小道を進むと、オプラが「十二使徒」と呼ぶ12本のカシの木が力強く枝を広げているのが見える。噴水の向こう側、丘のてっぺんに新ジョージ王朝式の家が堂々と建っている。

夢の王国のようなこの場所で、オプラは「レジェンズ・ウィークエンド」を主催した。25人の選ばれたアフリカ系アメリカ人女性を招いて、3日間におよぶ祝賀会を行うという、画期的な催しだ。招待された25人は、才覚と不屈の精神で過去から現在への架け橋となった人たちばかり。オプラはまた、彼女たちとは別に、45人の「若者たち（young'uns）」も呼んでいた。マライア・キャリー、メアリー・J・ブライジ、ナオミ・キャンベル、ハル・ベリー、ナタリー・コール、アンジェラ・バセットなどとともにわたしも招待にあずかった。

出席者の顔は喜びに輝き、あらゆるところに愛が満ちていた。若者たちがレジェンドたちに向け、パール・クラージの詩「We Speak Your Names」を朗読したこと。豪華なホワイトタイ・ガラ。心温まるブランチの最中にビービー・ワイナンズがゴスペルの母シャーリー・シーザーにマイクを渡すと、そこからの盛り上がり方は信じられないほどだった。何もかもが神々の世界のことのようだった。

朝目覚めたらパラダイスにいて、会えることなど想像もできなかった人たちがそこら中にいる。わたしの右側にはコレッタ・スコット・キング、ダイアナ・ロス、そしてマヤ・アンジェロウが。左にはティナ・ターナー、チャカ・カーン、そしてロバータ・フラック。伝説のシシリー・タイソンは、堂々とした風格で、目の前のソファに座っている。わたしは突然、感極まってリビングルームの階段に座って泣いた。そして思い立ち、

「何か書くものをもらえますか？」

とオプラにお願いした。しばらくして、彼女からノートを手渡されると、あふれる思いを書きなぐった。これほどの偉大な女性たちに囲まれて胸がいっぱいになり、彼女たちのレガシーを自分の作品にも生かしたいと思ったのだ。少し後にオバマ夫人がガラに登場すると、オプラはわたしのほうに身を寄せて言った。

「あれがミシェルよ。彼女の夫バラクは、いつか黒人初の大統領になるかもしれないわ」

3年後、歴史は動き、オバマ家はペンシルバニア通り1600番地に向かって歩むことになった。

2011年、さらなる奇跡がやってきた。ボノとともにオバマ大統領との昼食会に招待されたのだ。ホワイトハウスに到着すると、すぐオーバルオフィスに案内された。大統領は執務机の向こう側から、こちらに向かって歩いてきた。

「どうぞ入って！」

と彼はオーバルオフィスの隣にある小さな部屋にわたしたちを案内した。

「どこに座ればよろしいですか？」

とボノが訊いた。

「椅子があるところならどこでも」

大統領は笑いながら言った。そのときボノは部屋の隅にギターがあることに気づいた。Rock the Vote（投票を呼びかけるＮＰＯ団体）のイベントの記念の品だ。彼はギターを取り上げ、「Norwegian Wood」を弾き、２番の歌詞を歌い出した。

「彼女はここにいていいわよと言い／好きなところに座ってと言った／見回してみると／椅子などひとつもなかった」

一連の出来事はすべて、とても現実に起きていることとは思えなかった。

その日のアジェンダは、ＨＩＶやエイズ対策のための、世界的な資金調達の重要性を訴えることだった。前政権時代、ボノとわたしはブッシュ大統領にアメリカの拠出金を維持してくれるよう働きかけていた。今オバマ大統領を前に、わたしたちはアメリカがパンデミックの最前線に立ち続ける必要性を再び強調した。そういう話をしつつも、この会合は家族の食事会のような温かな雰囲気だった。

まるまる1時間、３皿のコースを食べながら、それぞれのプライベートを話したりして、笑いが絶えなかった。１皿目のスープを飲んだときからデザートのベリーを口に運ぶまで、わたしはこのすべてを記憶にとどめようとしていた。すべての話題、すべての表情、その日感じたすべてのことを。今までにないほど、その瞬間を生きていると感じた。この昼食会は、自分を含むすべてのアーティストに与えられた可能性の象徴だった。わたしたちの創作は、あらゆる世界に届く力がある。ハーレムの125番通りから、アメリカの大統領にまで。音楽には人を団結させるものすごい力がある。

アーティストの生活は、シーソーに乗っているみたいなものだ。低い側にいるときは、地面に足をつけ、ピアノに向かって曲を作っている。それがパタンと高い側に上がると、自分を取り巻くエネルギーが突然変わる。ツアーに出て、何千人もの観客を前に演奏する。内面に集中していたものが、突然外に向かう。ツアーの合間にはプロモーションも行う。そしてツアーが終わると、再びスタジオに戻り、次の創作活動をはじめるのだ。自宅のキッチンで、鍋やフライパンをどこにしまったかを思い出すところからはじめなくてはならない。

これがわたしの仕事のざっくりとしたリズム感だ。アップ。ダウン。アップ。ダウン。つねにシーソーに乗っているみたい。それでも家族がなるべく一緒にいられるよう工夫した。スウィズとわたしは、2週間以上会えないスケジュールは組まないという約束をしていて、大変だけれどその約束は守り続けている。スウィズはそのためにニューヨークからシドニーまで飛んだこともあるほどだ。

　顔を合わせる時間と、おたがいのためにイベントやサプライズを計画することで、２人の関係は新鮮さをキープしている。彼が仕事で上海やロンドンに出張中、わたしはツアーで50都市を回っている、なんてざらなのだから。さらにわたしたちは、１ヵ月に１回は週末を２人だけで過ごすと決めている。時間がなくて、行先が家から30分のロウアー・マンハッタンのホテルだとしてもだ。土曜日の午後にチェックインして周辺を探検し、夜はどこか素敵なレストランで食事をして、日曜は遅くまで寝すごすのだ。

　ツアーに子どもを連れて行くときは、万全のサポート部隊を帯同し、子どもがちゃんと家族に囲まれて育つよう、特に気をつけている。息子のエジプトのために２人の祖母にも来てもらったが、わたしもできるだけ息子のそばにいられるようにした。子育てはなるべく自分の手でやりたいというのがわたしの方針だ。アルバムやツアー、そして家族との時間やスケジュールのやりくりが、１年間のリズムを作っている。シーソーのようなドタバタの中で、わたしは季節や時間を感じるのだ。

　アルバム『Girl on Fire』が２０１２年の感謝祭シーズンにヒットしたことに伴い、いつもの一連のプレスインタビューがはじまった。雑誌のカバーストーリーで取り上げてもらうことになり、写真撮影とインタビューが行われた。そして売り出された雑誌を手にして、唖然(あぜん)

とした。〈これは誰の二の腕？〉腰から上の自分の写真をまじまじと眺める。わたしの二の腕と肩は、実物よりも細く見せるために修整されていた。あまりに修整がききすぎていて、わたしの頭部が誰かの身体（からだ）の写真に貼りつけられたみたいになっている。辛（つら）い気持ちになった。わたしたちは、自分の不完全な身体を愛し受け入れることが許されない文化の中に生きている。今回の場合、誰かがひそかに、わたしに確認することなく、わたしの身体の一部を修整すべきと判断したことになる。こんなことはめったに起こらないのではと思われる読者がいるかもしれないが、残念ながらそうではない。駆け出しの頃、意に沿わないセクシーな写真を撮られるはめになったときと同様、ありがちなことなのだ。

女性の美しさに関する社会の決めつけや判断基準に、わたしはずっと深く傷つけられてきた。自分の太ももやお尻が画面上でいとも簡単にそぎ落とされてしまうのを見ると、自分の外見に不安を感じてしまう。そしてわたしがあるがままの自分を否定し修整を受け入れてしまったら、真実でないわたしのイメージが、若い人たちに植えつけられてしまう。この出来事以来、わたしの写真はわたしのチェックを経なければ印刷できないようにした。その件についてはいっさい妥協しない。この身体はわたしのものであり、それをねじ曲げて伝える必要などないのだ。

Set the World on Fire Tour は２０１３年３月からスタートした。今まででいちばん大規模なツアーで、ヨーロッパや北米・南米の主要都市はもちろん、オーストラリア、アジア、中東にも足を延ばす予定だった。２０１４年にツアーを終え家に戻ると、わたしはシーソーの低いほうにギア変更して曲作りモードに入った。まずはリストを作る。ツアーからの帰りの飛行機の中で、エリカと2人で、不条理に思うことを箇条書きにしていった。

世界中で女の子たちが性的虐待を受けていること。男の子たちが、荒っぽくふるまい銃を扱えなければ一人前の男でないと教え込まれていること。金のために戦争が行われていること。女性は何よりもまず外見で判断されていること。有色の人たちがしばしば警官による暴力の対象になっていること。また、２０１２年に当時17歳だったトレイボン・マーティンが射殺された事件のように、最近毎月のように耳にする暴力事件やヘイトクライム、無差別射撃事件のニュースに、わたしはひどく心を痛めるようになっていた。このリストをもとに、次のアルバム『HERE』の制作に取りかかった。

うわべだけのプロジェクトにするつもりはなかった。わたしは世間で起こっているすべての事件に悲しみや不満を感じ、心を乱されるようになっていた。そこで、音楽を通じて社会に持続的な働きかけを行うため、同志を集めることにした。

声をかけたのは、旧知の2人で「You Don't Know My Name」や「Unbreakable」を一緒に作曲したハロルド・リリーと、「As I Am」に参加してくれたマーク・バットソン。この2

人がコアメンバーとなった。光をもたらす決意を持ったアーティストという意味を込めて、わたしは3人を「The Ill'uminaries」と呼んだ。後にスウィズも作品作りに参加し、初めて彼とフルに組んだプロジェクトとなった。

これはただのコラボレーションではない。曲は記録的な速さで作られていった。「Illusion of Bliss」を書きはじめたとき、わたしはマークとハロルドに「あなたたちが幸福だと思っていることって何？」と訊いた。わたしたちは何時間も膝を突き合わせ、安易な快楽についてざっくばらんに語り合った。性的快楽、仕事と野心、食べ物、金銭、ドラッグやその他の依存物質。その行為は、今までの人生の中で、振り返りたくない部分を直視する意味を持った。さらに、純粋な曲作りには欠かせない脆さや弱さをさらけ出すのにも役立った。

ハロルドはいつも、スタジオに本を持ち込んでいた。わたしがレコーディング作業を行い、曲を書いている間、操作盤の前で本を読んでいる。あれだけうるさい場所でどうやって集中できるのか不思議だったが。ある晩、彼がエレーヌ・ブラウンの『A Taste of Power』を読んでいるのを見かけた。エレーヌはフィラデルフィア北部の貧しい家庭から自力で這い上がり、ブラックパンサー党の最初にして唯一の女性リーダーになった人だ。

ブラックパンサー党とは、警察の暴力や組織的な人種差別と闘い、黒人コミュニティの発言力向上を目指すために1960年代に結成された政治組織だ。わたしは17歳の頃、その本をむさぼるように読んだ。じつはブラックパンサー党の結束力や忍耐力、コミュニティ、誇りに惹かれるあまり、党員による本は何冊も読んでいた。

エレーヌは、わたしと同じような経験をして育っていた。彼女もクラシック系のピアノの訓練を受けた。白人が多数を占める実験的な小学校に通い、バレエとピアノのレッスンを受けた。シングルマザーに育てられ、ごく短い間だけ大学に通った点も同じ（彼女の場合はテンプル大学だった）。エレーヌはその後ロサンゼルスに移り、作曲家として活動した（ヴォルトとモータウンからアルバムを1枚ずつ出している）。社会活動に強く惹かれていったところも似ている。ハロルドの操作盤の上で『A Taste of Power』を見かけたことで、当時の様々な感情や記憶がよみがえって来た。

ハロルドは、セッションの合間に本の中からいくつかの節を声に出して読んだ。その中には、1967年、ワッツの低所得者向け住宅に住む子どもたちを対象に、エレーヌがピアノを教える話もあった。その活動がきっかけとなり、彼女は人種の平等のために闘いながら、より幅広い活動へと手を広げていくのだ。わたしたちは、エレーヌの目覚ましい活動についていくつか曲を書いた。

「エレーヌをスタジオに招いたらどうかしら？」

とアンが提案した。わたしも素晴らしいアイデアだと思った。

アンが連絡すると、エレーヌは最初、いたずら電話だと思ったらしい。アンが辛抱強く説得して、やっと本人と会えることになった。その日は、たまたま彼女の誕生日だった。わたしはそのときロサンゼルスにいたので、エレーヌはオークランドからわざわざ来てくれ、みんなで何時間もテーブルを囲み、彼女の足跡をたどり、話を聞いた。尋ねたいことが山ほどあり、すべての会話を録音した。70歳を超えた今もなお、彼女は1974年にブラックパンサー党のトップに上り詰めた頃と変わらず、火花のような反骨精神を忘れない闘士だった。

エレーヌの存在感と熱量、その洞察力、自己決定力は、アルバムのベースを作ってくれた。『HERE』において、わたしは自分自身に証明してみせたいことがひとつあった。アーティストとして明確なビジョンを持ち、それをしっかりと保持し、商業主義的な妥協をいっさい許さないことだ。

このアルバムには、当時のわたしの思考、感情、生活、息遣いがすべてそのまま反映されている。わたしが生まれ、わたしになっていった街へ捧げる作品（「She Don't Really Care」「Pawn It All」、そして「The Gospel」は、才能あふれるディレクター、A・V・ロックウェルがショートフィルムを制作し、賞も取ることができた）。

母なる地球を守ることについて、わたしの目から見た意見（ブラジル政府によるアマゾン流域の森林伐採と先住民への仕打ちがニュースになった後、ブラジルで「Kill Your Mama」

を歌った）。女性の外見についての非現実的な基準のこと（「When a Girl Can't Be Herself」）。世界中で行われている戦争（「Holy War」）。どこで育ち、誰を愛そうと、すべての人に共通する希望、恐れ、弱さについて（「In Common」）。

スタジオでの作品作りは、臨場感あふれるリアルなものだった。「Cocoa Butter」のインターリュードでわたしが地元の男友だち、クロスとピックと繰り広げるリアルなおしゃべりに代表されるように、すべてのインターリュードはセッション中に録音された実際の会話を収録している。こうした細かい要素が積み上がり、才能ある人たちに囲まれて、今までなかったような深淵な音楽体験をすることができた。

アルバムのコンセプトも明確に見えていた。そして、今まで書いたこともなかったようなタイプの曲を作ることができた。神がこれほどの精神的エネルギーを送ってくださったことを、わたしはひざまずいて感謝した。こんな才能が自分に与えられたことが信じられなかった。『HERE』が自分のすべてを表す作品になったアルバムだと誇りを持っている。

最初、スウィズとコラボレーションする予定はなかった。わたしたちはおたがいにサポートはし合ってきた。でも、ホイットニー・ヒューストンの「Million Dollar Bill」で一度コラボレーションした以外は、表立って一緒に曲作りをしたことはなかった。それが、このアルバムを作りはじめて数ヵ月後に変わった。

ある晩、わたしはママ・アフリカの名で知られるミリアム・マケバの曲をスタジオで聴いていた。何か新しいスタイルを試してみたかったのだ。曲作りを完全に中断して、様々なリズムやスタイルの曲に1週間ほどどっぷり浸かった。夜9時頃、スウィズがスタジオに顔を出した。

「よお」

わたしの向かい側にあるソファに座りながら彼は言う。

「ちょっと、一緒にやってみないか？」

わたしは彼に向き直った。

「ごめんなさい、今はひたすらいろんな曲を聴いているところなの」

彼はソファに背を預けた。そして2分後、目を輝かせて身を乗り出した。

「うん、今リスニングモードになってるのは分かってる。だけど同じくらい、すごいエネルギーを感じてるんだ」

わたしは微笑みながらも、〈わたしのパーソナルスペースに侵入しないで〉という視線を送った。

「分かったよ、クールちゃん」

と彼は立ち上がって部屋を出て行きながら言った。

「君のモードを続けて」

午前2時になって、彼が戻って来ないことに気づいた。〈どこへ行ったんだろう?〉スタジオの中や、階下の事務所を探したがスウィズはいない。すると、プリプロダクションルームから大きな音が聴こえてきた。ゆっくりと部屋のドアを開けると、スウィズが音に合わせてロックしている。彼は一晩中、わたしの大好きな曲「I Just Want the Good People to Win」を演奏していたのだった。

「一緒にやる気になった?」

と彼は微笑みながら言った。

スウィズの曲にインスパイアされたわたしはピアノに向かい、とある友人が送ってくれたコード進行を弾いてみた。1時間後、彼が運転する車でウェストサイド・ハイウェイを帰宅する道中も、さっきのコードをループで流しながら、歌詞を考えた。そして自宅に着く頃には、「She Don't Really Care」の歌詞が完成していた。その曲が出来上がったことに、興奮のあまり眠れないほどだった。こうして、夫はThe Ill'uminariesの4番目にして最後のメンバーに加わった。

コアメンバーは固定だったが、セッションには多くの人が出入りしていた。4人はそれぞれ顔が広かったから、つねに誰かが友だちを引っ張り込んでいた。

「今晩、クリス・ロックがくるんだけどいい？　ちなみにデビッド・ブレインを連れてくるって」〈もちろん〉

そして世界的に有名なマジシャンであるデビッドがやってきて、そのマジックでわたしたちを魔法にかけるのだった。世界中に壁画アートを披露しているフランス人写真家／アーティストのＪＲが来たこともある。ニューヨーク・シティ・バレエ団とのコラボレーション、「Les Bosquets」の公演中だった。わたしたち全員と知り合いだった彼から、リンカーンセンターでの公演終わりに、「今から行っていいかな？」と電話がかかってくる。〈もちろん〉たいていは、リル・バックも一緒だった。彼はjookin'というメンフィス・スタイルのダンスを引っ提げて衝撃的なデビューを果たしたダンサーで、ＪＲ演出のバレエでは振付師兼ゲストダンサーを務めていた。

「ここは夢みたいな場所だ」

ＪＲは強いフランス語なまりで何度も言った。そのとおりだった。実際、このスタジオに足を踏み入れた誰もが、４人が醸し出す雰囲気、むき出しの真実と率直さに圧倒された。そして、ブレインのマジックも手伝って、ここには文字どおり魔法のような雰囲気があった。

このセッションがもたらしてくれるミラクルに感謝する中、スウィズとわたしはもうひとつ嬉（うれ）しい知らせを受け取った。スウィズがハーバード・ビジネス・スクールに合格したのだ。

何年も前から、スウィズは十億ドル単位のビジネスを行う立場にいた。そういう場では、2つのまったく異なる交渉が同時に進行する。音楽に関することと、音楽のビジネス面に関することだ。業界の革命児であるスウィズは、どちらの交渉においても有能でありたいと考えていた。

1年前、彼は友人に相談した。その友人は同スクールのOwner/President Management（OPM）プログラムを勧めてくれた。3週間単位の集中講座を何セットもやり、3年かけて修了するコースだ。

スウィズは早速願書を提出したが、その年のプログラムはすでに定員に達してしまっていた。ところが、神の思し召し（おぼ）しか、最後の瞬間に空きが出たのだ。夫は普段感動して泣いたりするタイプではないが、そのニュースが舞い込んできた日は、二粒くらい涙を流したような気がする。スウィズはいくつか会社を経営していていずれもうまくいっており、ここ10年ほどはマーケティング戦略について人に助言する仕事もしていた。

彼にはビジネスマンとしての才能もあった。プログラムを修了することで、その才能を役員会議の場で生かすための武器を身につけることができる。わたしは、サウスブロンクスからハーバードへの道を切り開いた夫を誇りに思った。わたしたち2人には、天井などないのだと。

さらにニュースは続く。数週間前から、わたしはとても疲れやすくなっていた。自分にとっての「代表作(Purple Rain)」になるであろうアルバムを制作するという天にも昇るような日々なのに、なぜこんなに疲れを感じるのか。スウィズが先にわたしの異変に気づいた。

「君、どこか悪いんじゃないのか」

ある日の午後、ベッドに横たわるわたしを見て彼は言った。わたしが最近とても早起きになって、普段は昼寝などしないのに横になっているのが多いことを不思議に思ったのだ。そこで、エジプトを取り上げてくれたかかりつけの産科医のところに行ってみると、検査の結果、妊娠4ヵ月であることが判明した。

複雑な気持ちのまま、家に戻った。今は、制作中のアルバムのことで頭がいっぱいだったからだ。それは、自分が持つエネルギーのすべてを割き、心身を捧げた渾身(こんしん)の作品だった。アルバムを後回しにするなんて考えられない。もし赤ちゃんを産む選択をすれば、アルバムのリリースとツアーは最低でも1年は延期することになってしまう。

どちらを取るべきか葛藤していたある晩、スタジオで「More Than We Know」を聴いていた。スウィズのハーバード合格が分かった直後に作った曲だ。歌詞は、わたしたちは自分で思っているよりもずっと多くのことができる、不可能に見えることだって手が届く、という内容だった。

「そこから動かなかったら／新しい星を見ることはできない／信念をもって歩むことを恐れたら／自分の本心が分からなくなる……だってベイビー、あなたならできる／自分で思っている以上に」

歌詞に心を洗われ、涙があふれた。お腹の子の可能性を取り上げてしまうなど、どうしてできるだろう？　わたしには思いもつかないようなやり方で、誰かの光になるかもしれないこの子の可能性を。

この曲は、前に進んで子どもを産むべきだというメッセージを与えてくれた。自分が書く歌詞が、自分が最も聞きたい言葉だったということがときどきある。そして、自分の人生に合った環境を整えるのではなく、環境に合わせて人生を調整しなければならないことも、往々にしてあることなのだ。

妊娠が分かってから、夏の間にお腹はどんどん大きくなった。スウィズの誕生日を数週間後に控えた8月には、すでにせり出したお腹を抱えてノソノソと動きまわりながら、バースデー戦争に何を仕掛けるか考えた。少し前、結婚記念日のバカンス先で、1988年のエディ・マーフィーのコメディ映画『Coming to America』（邦題『星の王子ニューヨークへ行く』）をスウィズと一緒に観たことを思い出し、そこからアイデアを得た。

アフリカの富裕国ザムンダの唯一の王位継承者、（エディ・マーフィー演じる）21歳のアキーム王子が主人公の映画だ。王子は、召使いが手ずから食事を食べさせ、お風呂に入れ、王子が歩く道にバラの花びらを撒くほど甘やかされ放題。この映画でものすごくウケるシーンのひとつが、はじまってすぐにジョフィ・ジャファ王とエオリオン女王〈ジェームズ・アール・ジョーンズとマッジ・シンクレア〉が息子に花嫁〈ヴァネッサ・ベル〉を紹介する場面だ。

ダンサーたちが踊りを披露した後、脇によけると、黄金のスパンコールをまとった花嫁が登場し、王族が待つ王座へと歩を進める。王の忠実な家臣オハ〈ポール・ベイツ〉が高音で「She's Your Queen!」と歌い出す。王子は彼女との結婚を拒み、家来のセミ〈アーセニオ・ホール〉を伴い、花嫁を見つけられる唯一の場所、ニューヨークのクイーンズに向かう。

スウィズはコメディが本当に好きだ。『Coming to America』はセリフをいくつも空で言えるほど、2人で何度も観ている。そこで思いついた。冗談で、未来の花嫁を紹介するシーンを再現してみたらどうだろう？　彼には想像もつかないアイデアだろうから、すごいサプライズになる。そこで、再現舞台となる場所を探しはじめた。マンハッタンのダウンタウンに、かつては銀行だったという古めかしい建築様式の建物を見つけた。〈ぴったりだわ〉それからスウィズの友人や家族と連絡を取り、彼には内緒で手伝いをしてもらった。

まずは誕生日のディナーをセットした。これは前振りに過ぎない。スウィズと仲の良い男友だちが揃(そろ)って、パーティスペース近くのレストランに彼を連れて行った。食事が終わろうとする頃、数人の女性が現れて、映画みたいにバラの花びらを床に撒きはじめた。スウィズは「何が起きてるの？」みたいな感じだった。友だちと一緒に花びらに沿って歩いて行くと、銀行の建物に着く。中に入ると、彼の頭には王冠がかぶせられ、両親や祖父母が待つ玉座へと歩を進めることになる。玉座に腰かけた瞬間、アフリカンダンスのグループが踊り出す。スウィズは一瞬言葉を失い、その後大爆笑した。

親友の1人が「She's Your Queen!」と歌いはじめると、わたしはキラキラしたドレス姿で、せり出したお腹を抱えて玉座へと歩み寄った。

「わたくしの王様、ようこそ！　そしてハッピーバースデー！」

その言葉を合図に、全員がダンスフロアに繰り出した。パーティは、わたしからスウィズへの感謝の気持ちだった。わたしの気持ちを前向きにし、道を明るく照らしてくれることへの感謝。あまりに忙しい日々の中で、こうした時間を作って心からお祝いをする、これが新鮮さを保つコツなのだ。

出産予定日の4ヵ月半前の2014年8月9日、ミズーリ州ファーガソンに住む18歳のマイケル・ブラウンが、白人の警察官ダレン・ウィルソンに殺害された。マイケルは武器を所持していなかった。当時の報道によれば、彼は両手を挙げて抵抗する意志がないことを示していたにもかかわらず、複数回撃たれたという。

この事件は抗議活動を引き起こし、何千もの人たちが街頭に出て「手を挙げたら撃つな！」のスローガンを叫んだ。群衆に対する法執行者の対応は、出動服に身をかため、セミオートマチック銃をたずさえた警官を配備することだった。それは、1960年代の人種差別抗議活動を彷彿（ほうふつ）とさせた。11月、感謝祭の数日前、大陪審が判決を下し、ウィルソン警官は不起訴となった。

非武装の黒人が殺害されるのは、これが初めてではない。ウィルソンの事件や、エリック・ガーナー事件（非武装の黒人男性が「息ができない」と11回も訴えたのに、NY市警の警官にスタテン島で窒息死させられた事件）以降変わったのは、人々が声を上げはじめたことだ。あらゆる階層の市民が次々と抗議をはじめ、無視できないほど大きくなっていった。大陪審の判決は人々の感情を逆なでし、数多くのデモが行われ、デモ主催者たちが国民的抗議記念日と称するほどになった。

怒りの声は全米に広がった。ニューヨークでは数万人もの人がタイムズスクエアを行進し「正義なければ平和なし、人種差別的な警察なんかいらない！」と叫んだ。シカゴ市民は市長室の前で座り込みを行った。クリーブランドの群衆は街の中心部にある交差点に集合し、車の通行がストップした。ロサンゼルスやオークランドでは数多くのデモが行われた。黒人に対する非人道的な仕打ちへの怒りが、変化の風となって街にあふれ出した。

それより少し前に、わたしは息子を腕に抱き、もう1人をお腹に抱えて、その頃友人が発した疑問に思いをめぐらせていた。「わたしたちはなぜここにいるのだろう？（Why are we here?）」

答えが、ひらめきをもたらした。

15

鳴り響く「イエス」

RESOUNDING YES

オプラの話

アリシアは自宅まで会いに来てくれたわ。ランチをしながら、悩みをたくさん打ち明けてくれた。彼女を見ていると、かつての自分を思い出すの。わたしも、自分に依存してくる人、わたしに意見してくる人たちに振り回されて、混乱していた時代があった。全員を満足させようとして、心底疲れ果ててしまったの。人は本当に好きなことをやっているときには、疲れたりなんてしないものなのよ。他人が考える理想像に合わせようとするから、疲れてしまうの。それは自分に正直に生きていることにならないもの。

お腹に子どもを抱えながら、世界中の暴力に心を痛め平和を願う。2014年の秋はそうして過ぎていった。そしてクリスマスの2日後に2人目の息子が生まれた。広がる暴力の連鎖、そして子どもを授かったこと。この2つの経験から何かできないかと考えていたとき、大胆なアイデアがひらめいた。

革命のきっかけは、その年の夏、チェルシーのイタリアン・レストランで食事をしたことだった。スタジオの近くにある、煉瓦(れんが)製のオーブンがしつらえられたピッツェリアで、わたしとメンバー（マーク、ハロルド、そしてその頃にはスウィズも）はその日のセッションを終えて一息ついていた。ピザを待つ間、とりとめのない話をあれこれして。もう何ヵ月間もすべてをさらけ出して創作をしてきた仲間だったから、次第に話題は深いテーマに入っていった。マークが心がざわざわするような問いを発したのはそんな瞬間だった。

「わたしたちはなぜここにいるのだろう？」（Why are we here?）

今まで誰からも訊かれたことのない質問だった。わたしは無言のまま、彼の言葉の真意を考えた。今いるこの場所のことではもちろんない。もっと大きな話だ。わたしたちが今この地球上に存在している理由？　これまでもわたしは言葉の持つ意志や力、音楽の影響力について、つねに考えてきた。でも、この問いはそれを超えた、もっと大局的なものだった。今この瞬間に、わたしたちがこの地球でともに存在している意味。その晩、テーブルを囲んでわたしたち4人は長い間話し合い、次の結論に達した。わたしたちは、おたがいのためにここにいるのだと。

このときの会話は、その後何週間もわたしの意識から離れなかった。これに刺激されて、自分の個人的な存在理由を考えるようになった。〈わたしはなぜここにいるの？〉（Why am I here?）若い頃と異なり様々な社会的問題に関心を持ち、わたし自身も文化に変革をもたらすような音楽を作りたいと思いはじめていた頃だ。この問いはわたしの心をわしづかみにし、離そうとはしなかった。

あの会話から数週間が経った8月、マイケル・ブラウン射殺事件が起こり、ミズーリ州ファーガソンで抗議活動がはじまった。母親たち、父親たち、伯母、姉妹、教師、看護師、あらゆる人々が集まり、ブラウンの家族とともに声を上げ、拳を振り上げた。ある父親が着ていたTシャツの痛烈なメッセージが忘れられなかった。「次はうちの息子か？」

抗議活動は暴動化していき、警官隊が群衆に催涙弾を投げ込む映像が拡散された。アメリカ各地で多くの人が信じられない気持ちでこれを眺め、心を痛めた。

今になって思えば、あの蒸し暑い週末こそが、きたるべき大爆発の前触れとなる地獄のはじまりだった。２０１５年のチャールストン教会銃撃事件、２０１６年にアメリカンフットボールの試合前の国歌斉唱で起立せず叩(たた)かれたコリン・キャパニック、国境で母親の腕から引き離された子どもたち——数々の悲劇的な映像がソーシャルメディアを通じて次から次へとなだれ込んでくる。

わたしを含む多くの人にとって、ファーガソン事件は、世の中が分断しつつあることに気づかされた、目覚めの一撃だった。とりわけ若い人たちにとっては重要な転換点だったと思う。暴力や騒乱、差別や不寛容は、もちろん昔からアメリカ社会には存在した。でもこの事件には、これまでとはまったく違う次元の恐怖を感じた。

国外では、また別の悲惨な出来事が数多く起こっていた。エボラ出血熱が西アフリカの6ヵ国で流行し、1万人以上の人が亡くなった。ボコ・ハラムによって教室から拉致された276人のナイジェリアの少女たちは、オバマ夫人がツイッターで#BringBackOurGirlsキャンペーンを行ったにもかかわらず、見つからなかった。家庭で、コミュニティセンターで、そしてツイッターで、人々はこうした世界の動きを固唾(かたず)を飲んで見守っていた。

わたしも、世界で起こっている様々な事件やマイケル・ブラウン事件、エリック・ガーナー事件について友人たちと長々と話し合ったが、その中でひとつ気になることがあった。誰と話をしても、そこにあきらめの雰囲気があったことだ。

事件に対する怒りの感情の裏には、無力感があった。抗議活動を支持はするけれど、では実際に何かが変わるのだろうか？　デモが終わったとき、わたしたちはこの無力感を何かの原動力に変えることができるのだろうか？　自分たちが動くことで、何かが少しでも変わるのだろうか？

マークの問いは、いまだ頭の中にあった。その後しばらく、会う人ごとに同じ質問をしてみた。「あなたはなぜここにいるのですか？」わたしが最初そうだったように、困惑した人も多かった。答えてくれた人たちの回答は、精神的なものから政治的なもの、キャリアや家族についてのものまで、様々だった。だが、これらの問答は物事を多角的に見ることにつながり、わたしたち4人の曲作りにも影響を与えた。そして湧き上がってくるエネルギーによって一気に出来上がったのが「We Are Here」だ。この曲の中でもとりわけ2行の詞が、皆に伝わることを願った。

「わたしたちはみんなのためにここにいる……わたしたちはたがいを愛するために、魂をひとつにする」

9月9日、妊婦が持つ雌ライオンのようなエネルギーを持って、わたしはフェイスブックとツイッターでファン宛にメッセージを発信した。

「これは自分（ME）のことじゃない。わたしたち（WE）のことなの。何かを変えたいと思っている人たち、みんなで連帯しましょう……自分からスタートして、家族に、コミュニティに、そして世界へと広げていきましょう。わたしはあなたのためにここにいる。あなたは誰のためにここにいる？　あなたは世界のために何ができる？　#WeAreHere で答えを教えて」

何千もの美しいメッセージが返ってきた。

「わたしは愛のためにここにいます」

「わたしは人々を元気にするためにここにいるわ」

1週間後、朝の情報番組『TODAY』に出演し、大きなお腹でベビーグランドの前に座り「We Are Here」を演奏した。そして9月21日には、ニューヨークで開催された国連財団のソーシャルグッド・サミットにも登壇した。

「出産を控えた今、考えずにいられないのは」

会場に集まった人たちを前にスピーチした。

「お腹の子が生まれてくるこの世界が、どうなってしまうのかということです……マハトマ・ガンジーが言っていたように、世界が変わることを望むなら、わたしたち1人ひとりが変化を起こさなくてはなりません。わたしたちには声があります。それを響かせる方法を見つければいいのです。そのためにわたしは『We Are Here』を設立しました」

この活動の目的はとてもシンプルだ。この地球をより良いものにしたいと願う人たちに集まってもらうことだ。そのために、信頼の置ける12のNPO団体と連携した。NPOの活動のテーマは、世界の貧困、病気、女の子の教育、司法制度における人種差別撤廃、LGBTQの人権、常識的な銃規制法、10代の自殺防止、男女同一賃金など、多岐にわたっていた。

わたしとともにKeep a Child Aliveの立ち上げに携わった著名な活動家リー・ブレイクも、このコンセプトに参画してくれた。多くの人が誰かのために何かをしたいと思っているのだが、どの慈善団体が信用できるのか、寄付したお金が有効に使われているのかが分からず困っている。We Are Hereプロジェクトは、そのジレンマに応えることを目的としていた。様々なNPO団体に関する情報取得および寄付が一括で行える仕組みを作り、厳重な審査を経た団体に寄付金が送られるようにした。わたし自身も個人的に百万ドルを寄付し、募金を呼びかけた。多くの人が参加してくれた。

まず問題提起。それから曲と活動内容の発表。そして最後に、インスタグラムでわたしの妊婦ヌードを披露した。目的のある宣伝活動であり、できるだけ多くの人に参加してもらうための、わたしなりのやり方だった。２００１年、９・11直後にニューヨーク・シティのTシャツを着て『ローリングストーン』誌の表紙を飾った際の写真家、マーク・セリガーが今回も撮影を担当してくれた。ネタバレになるが、撮影現場のわいせつ度は低かった。じつは肌色のパンティを穿いていたし、下にずり下げてはいたものの、ジーンズも穿いていた。最終的に掲載された写真は上半身のみで、両手でバストを覆っている。

お腹に白いボディペイントでピースサインを描くのは、メッセージ発信のために欠かせなかった。非暴力的なやり方で抗議の声を上げるために、わたしたちはここにいる。フルヌードにならなくても、この写真がニュースになることは分かっていた。そしてそのとおりになった。

『ニューヨーク・タイムズ』とCNNがこの活動について取り上げてくれた。多くのセレブたちも参加してくれた。クイーン・ラティファ、ファレル・ウィリアムス、ジミー・キンメル、ジェニファー・ロペス、マドンナ、ケリー・ローランド、などなど。ソーシャルメディアでは、家族のようなわたしのファン（fam）が自分がここにいる理由をそれぞれに投稿し、寄付をしてくれた。そして彼らの関与は単なる寄付にとどまらなかった。貧困問題と教育問題が密接に関わっていることを初めて知った人もいる。わたしたちが紹介したＮＰＯでボランティアをはじめる人たちもいた。

12月3日、大陪審がエリック・ガーナーを窒息死させたニューヨーク市警の警察官を起訴しない決定を下すと、世間の反発はさらに強まった。エリックはまだ43歳だった。ニューヨークでは暴動と略奪が起こった。そんなある夜、わたしは1人ピアノに向かい、バラード「We Gotta Pray」を作曲した。胸が張り裂けそうなニュースに対する叫びだった。

「わたしたちは人間とみなされていないと感じています」

この曲のリリース後、『ニューヨーク・タイムズ』の記者アンドリュー・R・チョウのインタビューでわたしは言った。

「正義に反することが行われていて、それがあまりに露骨すぎる。わたしたちは声を上げ続けます。これが21世紀の市民運動につながっていくことを願っています」

それから年末にかけて、わたしは大きなお腹を抱え、至るところでこの2曲を歌った。そして歌うたびに、同じメッセージを発信し続けた。わたしたちはここにいる。わたしたちはつながっている。わたしたちは団結している。わたしたちは変えようとしている。この活動は、議会や特別な人々ではなく、ピザを食べようとテーブルを囲んだ4人の旧友たちの疑問からスタートしたものだった。あのときの問いがアイデアにつながり、アイデアから曲が生まれた。そしてその曲が、大規模な活動のテーマ曲となった。この活動が、子どもたちが受け継ぐ未来を劇的に変えてくれることを願っていた。

1人目の息子エジプトを名づけたのは夫だ。彼は2人目の息子も自分が名づけるつもりだった。予定日の何週間も前から、突拍子もない名前を次から次へと提示してきた。その多くが地名だった。ハーレム？　ダメ。ジャスティス？　うーん。ブルックリン？　ちょっと違う。

「ジェネシス（創世記）はどう？」

と、ある日スウィズは言った。

「は？」

最初はどうもしっくりこなかった。最近、新しい世界がはじまる夢を見たんだ、と彼は説明した。そしてそこには「ジェネシス」という言葉があったのだと。確かに納得できるし、その言葉が気に入りはじめてきた。結局その名前を採用し、ミドルネームは伝説のボクサーの名前であり、わたしのニックネームでもある、アリにした。

「この世にアリシア・ジュニアがいてもいいんじゃない？」

とスウィズは何年も前から言い続けている。〈うん、今すぐじゃなくていいかな〉愛するジェネシス・アリ・ディーンがいることだし。

息子は予定日より4日早い2014年12月27日に生まれた。少しでも早くわたしたちに喜びをもたらそうと、急いでくれたのだと思っている。二度目の出産は、エジプトのときよりも楽で、時間も短かった。わたしが一度目のときより自分の身体に意識を向け、出産の感覚をつかんでいたことも理由のひとつだろう。

医師がジェネシスを腕に抱かせてくれると、わたしはおじいちゃんみたいなしわくちゃの顔と、ふさふさの黒髪に見入った。目は固く閉じられていて、ものすごく深刻そうな表情を浮かべている。〈これは誰？〉と考えた。わたしやスウィズの面影はどこにもなく、髪の毛がほとんど生えていない状態で生まれたエジプトにも似ていなかった。

「あのビジネスマン顔、見てよ」

わたしたちの間に寝かされた赤ん坊を見て、スウィズは冗談を言った。

「今、大事な商談の最中らしい」

彼は2ヵ月を過ぎるまで、家族の誰にも似ていなかった。

ジェネシスを出産した数週間後の1月25日はわたしの誕生日だった。「Coming to

America」のサプライズ以来、スウィズはずっと言っていた。

「してやったりと思ってるでしょ。確かにあのサプライズにはやられたよ。今度の君の誕生日は絶対あれを超えるから」

　正直に言って、出産直後のあの誕生日、わたしがスウィズに望んでいたのは、静かに寝かせて欲しいということだけだった。

「家から出たくないの」

　と彼に伝えた。

「ちゃんとした服に着替えることすらしたくない。正直、そんな気分になれないの。ベイビー、愛してるわ。でもお願い……パーティは無理。今はパジャマのままで過ごさせて」

乳首から母乳がポタポタ垂れているような状況では、パーティを楽しむ気分にはとてもなれなかった。

「了解」

　彼はにっこりと笑って答えた。

「希望どおりにするよ」

　誕生日当日がきた。午前中、スウィズとは顔を合わせなかった。午後になって、寝室でジェネシスに授乳しているところに、スウィズが入って来た。

「今日は窓の外を見ちゃダメだよ」

「え？」

彼は何も言わず、にっこり笑って部屋を出て行った。家の中にいて、窓の外をまったく見ずに過ごすのはそれだけで難しい。さらに、見るなと言われたら、見ずにはいられない。家の外では、トラックが何台も停まり、何人もの人たちが前庭で作業しているのが見えた。〈スウィズはいったい何をやろうとしているの？〉午後6時頃になると、わたしの母とスウィズの家族の何人かが、ちょっと顔を見に、という感じでやってきた。

「何が起こっているか知ってる？」

と母が訊いてきた。首を横に振る。

「あらかじめ言っておいたほうがいいかしら」

と母は言う。

「ママ、やめて。お願い、言わないで」

2時間後、スウィズが寝室に戻って来た。

「準備ができたよ」

と彼は言い、わたしに箱を手渡した。

「開けてみて」

箱を開けると、カラフルなパジャマが出てきた。上下一体型の、つなぎタイプのものだ。「これを着て、髪をとかして。階下で待ってるから」

彼は微笑みながら言った。数分後、着替えて下に降りる。階段の下で待ち受けていたスウィズは、お揃いのパジャマを着ていた。そして「これを君に」と言って、自分の金のネックレスの1本をわたしの首にかけた。ここまで来ても、何が何だか分からない。

スウィズは家の裏口から外に出て、庭にあるパティオへとわたしを導いた。何とそこには、友人たちが100人ほども集まっていた――全員がパジャマ姿で！　まるで1991年のコメディ映画『ハウスパーティ2』（キッドゥンプレイのクリストファー・リドとクリストファー・マーティン演）そのものだった。映画では、大学生のキッドがパジャマを着ての「ハチャメチャなハウスパーティ」を企画する。スウィズはリアルなパジャマパーティを計画したのだった。我が家のプールはフタをされ、ダンスフロアになっていた。「パジャマを脱いで出かけるのは嫌だって言ってたでしょ」と彼は言う。

「だから、パーティのほうを家に持ってきたんだ」

『ハウスパーティ2』の出演メンバーも何人か来ていた。ティーシャ・キャンベル＝マーティン、ティシーナ・アーノルド、A・J・ジョンソン、フル・フォース。キッドゥンプレイがステージに上がり、映画で踊ったダンスを披露した。ゲイリー・キング、アンジー・マルティネスもいた。そしてＤＪからケータリング担当の人まで、全員がパジャマ姿だった。ララ・アンソニーはキレッキレのいで立ちで現れた。明るい色を何色もエアブラシでつけたようなつなぎに、派手なピンク色のレースがあしらわれたものをまとっていた。馬鹿みたいに楽しかった。そしてこのパーティの最高なところは、お客様が全員帰った瞬間にそのまま自分のベッドに倒れ込めることだった。

２０１５年春、オプラに会いたいと連絡をした。その頃には、ジェネシスは夜通し寝てくれるようになっていた。妊娠中は We Are Here プロジェクトもあって遠ざかっていたアルバム制作に、再び取りかかっていた。当時、わたしのマネジメントチームは移行期にあった。２０１０年にジェフとの契約を終えてから、いくつかのマネジメント会社と契約を結んだ。どれもアーティストをメジャー路線に押し上げた実績のあるチームだったが、ぴったり合う先がなかった。

わたしのマネジメントをするということは、わたしという人間の様々な面を理解する必要がある。そしてわたしはありきたりのタイプではないから、それはなかなか大変なことだった。ティンバーランドの服を着てハーレムやヘルズキッチンをうろつくストリート系のわたし。黒人女性としてのアイデンティティ。異なる人種の先祖を持ち、それがゆえに様々な人たちとつながることができる、多文化なわたし。そしてコップ半分しか水が入っていなくてもこんなに入っていると思える楽観性と、あれこれ考え込んでしまう内向性と、先頭を切って社会活動をする積極性をあわせ持つ、わたしの心。

契約したマネジメント会社はどれもそういった面のいくつかについては理解してくれたが、すべてを分かってくれる先はなかった。わたしは次第に将来に不安を感じ、胃が痛むような思いをするようになっていた。そこで姉と慕うオプラに話を聞いてもらいたくなったのだ。彼女は自宅でのランチに招待してくれた。

オプラの家のダイニングルームでスープを飲みながら、マネジメント会社探しに苦労していることを説明した。

「あなたはどうやって本当に自分を理解し、自分を代弁してくれる人を見つけられたのですか?」

とオプラに尋ねた。オプラはしばらく黙っていたが、やがて口を開いた。

「かつては……わたしも何かを企画したり、創造したりしてくれる、自分以外の誰かを求めていたわ。でもあるとき、それは自分にしかできないことなんだって、気づいたの。自分が描こうとしている絵の全容は、自分にしか見えない。あなたが歩む道は、あなたにしか分からない。もちろん他人に助けてもらうことはできるし、あなたのビジョンを共有し高めてくれる、優秀な人と当然組むべきよ。でも本当のところはね、どんなに有能なブレーンがいても、次のステップを見きわめるのは自分なの。わたしが人生で下してきた最良の選択はすべて、自分を見つめ、自分でいいと思って決めたことなの」

わたしはそれまでの人生の大部分、他人に答えを求め、自分の直感を押し殺し、相手の言うとおりにして生きてきた。自分の希望ではなく誰か別の人の希望を優先することが常だった。それが習性となり、いまだにその思考回路から抜け出せていなかったのだ。

自分のアイデアや直感を前面に出すのはわたしにとって大変な行為だったが、オプラはチャレンジして、と励ましてくれたのだった。彼女と向かい合わせに座り、その言葉を心に染みわたらせると、自分の不安の出どころが分かってくる。これまでもこうして自分にしか埋められないはずの空白を、誰かに埋めてもらおうとしていたのだと。

あの日、オプラは明かりで照らすように、わたしの悩みへの明快な答えをくれた。

「心の声がイエスと言っているときは、分かるでしょう?　否定しようがないわよね。その声が聞こえたら、もう誰にも止められない。前に進まなきゃと自分に言い聞かせる必要もない。これが自分の道だと、ただ分かるという感覚――わたしはその感覚に従って生きているわ」

それまでのわたしは多くの決断を、頭で考えて下してきた。経済面を考慮しての選択。そっちのほうが大きなチャンスをつかめそうだから。誰かを傷つけたくない、失望させたくないから。人がそちらを勧めるから。でも、自分の中から湧き出る心の声を抑えきれなくて従ったとき、その選択はわたしを正しい方向に導いてくれた。

心の声がイエスと言うとき、心はぱっと明るくなる。クライブについてJ Recordsに移籍したときの気持ち。カイロに行こうと決めたときの気持ち。初めて「Girl on Fire」を書いたときのはやる気持ち。We Are Hereプロジェクトを実行したときの熱い気持ち。そしてそれは、自分のことは自分で決める方向へと、わたしを導いてくれた。

心の声に耳を傾けよというオプラのアドバイスを受けた後も、すぐにそれを実行に移せたわけではない。頭では理解していても、どうしたら100%自分らしく生きていけるのか迷いがあった。だからこそ、相反する選択肢に直面すると何度も自問自答し、人の意見を聞いてそれを受け入れたりしてしまうのだ。オプラとのランチの帰り道、ずっと考えていた。〈自分が出す答えがベストな答えなんだという境地には、どうやったらなれるんだろう？〉しかし、その直後の経験で、わたしはその境地を知ることになる。

それはある午後、エリカから誘いの電話がかかってきたことからはじまった。

「ロサンゼルスで瞑想（めいそう）の合宿に参加するんだけど、一緒にどう？」

精神の探求者であるエリカは、様々なスピリチュアル体験によく出かけていた。当時、彼女はクンダリーニ・ヨガ（古代から続く、神聖なスピリチュアルの伝統）の導師で瞑想家のグル・ジャガットに傾倒していた。「あなたのためにもなると思うの」と彼女は畳みかけた。4歳のときからわたしを知る人間として、彼女はわたしが自分自身をうまく信じることができず、長い間苦しんでいるのを見てきている。

女性限定の合宿は4日間におよぶという。魅力的なお誘いだったが、タイミングは良くなかった。ジェネシスの出産後、わたしは再び赤ん坊の世話にどっぷり浸かる生活に引き戻されていた。オムツ替え、午前2時の授乳、もう二度と元の生活に戻れないのではないかという不安。2人目出産に伴う生活の変化はリアルなものだった。1人目のときはどうにか切り抜けたが、2人も抱えて自分のためだけに時間を取るのは容易なことではない。

ジェネシスが生後6ヵ月になったとき、彼が1人で寝つけるようトレーニングをはじめていた。わたしが普通の生活を取り戻す第一歩だ。エリカが誘いの電話をくれた頃には、1人でほぼ夜通し寝てくれるまでになっていたが、彼を置いて4日間も家を空けるのはまだ無理だ。さらに、合宿の最終日が夫の誕生日と重なることも、気が進まないもうひとつの理由だった。すでに、今年の誕生日はサプライズはなしということで夫の了解を取りつけていたが、それでも当日は一緒に過ごしたかった。

「今回は無理だと思う」

行けない理由をいくつも思い浮かべながら、エリカに言った。

「来年なら行けると思うわ」

「気持ちはよく分かる」

とエリカは答えた。そして長い沈黙の後、こう言った。

「アリシア、最後に自分のために何かをしたのはいつ？」

この質問は、こたえた。返す言葉が見つからなかった。それから数日間、よくよく考えてみたが、最後に自分だけのために何かをしたのがいつだったか、思い出せなかった。最近、素敵な服を買ったり、美味しい食事を食べに出かけたりしたことがあったかしら？　もちろんあった。しかし、自分自身とじっくり向き合い、自分を深めることがあったかと訊かれたら、答えはノーだった。

スウィズに合宿の話を打ち明けた。そのときはまだ「クンダリーニ」についてほとんど何の知識もなかったが、できる限りその内容を説明した。

「俺の誕生日にはいないってことだよね？」

目にわずかな失望の光をたたえて言う。わたしはうなずいた。

「ベイビー、君が本当にやりたいことなら、行くべきだと思う」

と彼は言ってくれた。わたしは飛行機を予約し、その合宿に3日間だけ参加することにした。4日目の朝早くにロスを発ち、スウィズの誕生日の少なくとも最後の何時間かは一緒に過ごすつもりだった。

　エリカはわたしの何時間も前にロサンゼルスに到着していた。家族を置いて行くのが辛くて、わたしは時間ぎりぎりの便でＪＦＫ空港を飛び立った。ロスに着くと、ドライバーが迎えに来ていて、車で数時間のジョシュア・ツリー国立公園近くにある静養所に連れて行ってくれた。車が高速道路10号線を降り、人っ子一人いない真っ暗な森に入っていくと、突然後悔の念に襲われた。〈ここはいったいどこ？　わたしは何ということに首を突っ込んでしまったの？〉

　覚醒の最初の兆候は、その後すぐに訪れた。午後9時、瞑想場所となる部屋に入って行くと、集中瞑想の最後のレッスンがはじまったところだった。白いターバンと服を身にまとった50人ほどの女性たちが床に座っている。美しいオーラを放っている若い女性がグル・ジャガットで、女性たちを導きながらマントラを詠唱していた。ニューヨーク・シティ風に黒い服に身を包んだわたしはつま先立ちで部屋の後方に行き、エリカの近くのマットに腰をおろした。エリカと目が合った。彼女はわたしが考えていたことが分かったにちがいない。〈これはいったい何？〉

「Ong Namo Guru Dev Namo」

導師がマントラを唱えた。リズミカルであると同時に、メロディを歌っているような詠唱だった。女性たちも、声を合わせて彼女の言葉を繰り返した。後に知ったことだが、「ada mantra」と呼ばれるこの詠唱は瞑想への呼びかけ、くるべき瞑想に「手引」するためのものだった。最初の言葉の意味は「わたしは創造の神と、その中におわす神聖な導師にひれ伏します」

マントラに続いて、様々に身体を動かしポーズを取る。そのひとつひとつが、目標とする精神状態を表している。両腕を真上に伸ばし、お腹をへこませたり膨らませたりしながら深い呼吸をする。あるいはマントラに合わせて上半身を前後に揺らしたり、ひねったりする。「クンダリーニ」とは、クッションに座って静かに瞑想をする、といったたぐいのものでないとすぐに分かった。自分の身体と心に意識を集中させる、超フィジカルなタイプの瞑想だった。

実際にやってみると、最初は驚くことばかりだった。予想していたものとはまったく違う。わたしは恐る恐るマットに座り直し、導師の身体の動きと「ada mantra」を一生懸命真似(まね)ようとした。

「わたしたち、いったい何をしてるわけ?」

エリカのほうに身を乗り出してささやく。

「落ち着いて、リラックスして」

エリカは微笑みながら答えた。グル・ジャガットはわたしが緊張していることを察したのか、こう言った。

「できる範囲でいいですから、ついてきてください」

わたしは周りを見回した。次から次へと疑問が湧いてくる。〈家でエジプトとジェネシスと過ごしたほうが良かったのでは？　夫の誕生日にいない妻ってどうなのよ？　わたし、ジロジロ見られてるみたい？〉

見られているなんて、じつは勘違いだった。そこに集まった女性たちは誰もが自分自身の呼吸や声、身体の動きに深く集中していて、わたしのことなどこれっぽっちも気にかけていなかった。それでわたしも気が楽になり、その後はできる範囲で腕を前後に揺らしたり、下手なマントラを唱えたりしはじめた。30分ほど後には、リラックスしすぎて、マットに横たわったまま、気を失ったように眠り込んでしまった。それほどまでに、この経験は濃密なものだった。

その後に体験したことが、わたしの感性を動かした。1時間後に目覚めると、部屋ではまだマントラの詠唱が続いていた。そして、歌詞もメロディも聴いたことがないものだったのに、それを感じることができたのだ。部屋に満ちているオーラはあまりにもピュアで、美しくて、ストレートだった。初めてこの部屋に足を踏み入れたときから、オーラはずっとここにあったのだろう。でもわたしは眠りから目覚めて初めて、その存在を感じることができるようになったのだ。

女性たちが声を揃えて歌う導入の言葉が、涼しいミストのように心に染みわたる。「Ong Namo Guru Dev Namo」と、グル・ジャガットが唱える。「Ong Namo Guru Dev Namo」女性たちが繰り返す。何か特別なことが起こっているのを感じた。「Girl on Fire」に特別な力が備わっていることを感じたときと同じ感覚だった。その夜のセッションは、導入と同じくらい心地良い、終了のマントラで締めくくられた。グル・ジャガットに続いて全員で3回繰り返したフレーズの意味は「わたしが真実」（Sat Nam, Sat Nam, Sat Nam.）

この終了のマントラこそが、わたしにとっては、今まで存在すら知らなかった体験への深い関心のはじまりとなった。レッスン後、エリカはわたしをグル・ジャガットに紹介してくれ、彼女はレッスン中と同じエネルギーと温かさでわたしを歓迎してくれた。そして、「クンダリーニ」について教えてくれた。彼女は、ヨギ・バジャン師（16歳のときに導師となった）のもとでヨガを学んだ。1960年代終わり頃、彼はインドやパキスタンから西洋にこの神聖な教えを持ち込み、何十人もの弟子を指導した。

「クンダリーニ」は主に、気づきのヨガなのだ、とグル・ジャガットは教えてくれた。フィジカルとスピリチュアルな体験を組み合わせて身体のエネルギーを活性化させ、バイタリティを高め、気づきを得ること。「クンダリーニ」はサンスクリット語で「とぐろを巻いた蛇」という意味で、初期の実践者たちは神聖なエネルギーは背骨の根元で作られていると信じていたという。ヨガは巻いているとぐろを解き、中にある神聖なエネルギーを取り込むためのものであること。瞑想を行う人は光を表す白色を身に着けるけれど、白でなければ瞑想に参加できないわけではないこと、などを話してくれた。

「明日のレッスンは何時から？」

寝支度をしながらエリカに訊いた。エリカは顔色ひとつ変えずに答えた。

「4時半よ」

「夕方4時半て、少し遅めなのね？」

と訊き返した。

「何言ってるの？　朝の4時半よ」

わたしはポカンとして彼女を見つめた。子どもの世話から解放されるつもりで来たのに、ここでも夜中に起きなくてはならないなんて。その晩は素晴らしい経験をしたとはいえ、正直言うと翌日3時45分に目覚ましが鳴ったときは心底ウンザリした気分だった。

「サダナ」と呼ばれる朝一番の瞑想に参加するため、夜明け前に起きた。目はショボショボしていたが、なぜか頭はすっきりしていた。多くのスピリチュアルと同様、「クンダリーニ」においても、朝4時半から6時までの間が1日で最も効果的な時間だとされている。繰り返される導入の歌に気分が安らぎ、驚くことに眠気も消えていった。2日目、数回にわたって行われるセッションの1回目半ば、わたしは前夜のセッション中に目覚めたときに感じた、強い存在感を感じていた。

マントラの詠唱は素晴らしく、歌詞と音楽が渦巻いてわたしに語りかけてきた。音楽の力は、それを聴く者すべての心に届くものだ。言葉の意味が分からなくたって、フランス語やイタリア語で歌う歌手のエネルギーを感じることはできる。歌手の感情や意識が、言葉を超えて伝わってくるからだ。その日その部屋で、グル・ジャガットに導かれ、音楽の原始的な感覚に意識を漂わせているうちに、リズムと反復の力によってふわっと浮き上がるような感覚を味わった。わたしの中で何かが動き出すのが分かる。

予定どおり、わたしは合宿を途中で切り上げ、スウィズの誕生日にぎりぎり間に合うよう家に帰った。でもここでの体験は、ずっと求めていたものだったと気づいていた。

「どうやってはじめたらいいか、何をすればいいのか教えてください」

帰る間際、グル・ジャガットに訊いた。彼女は3つの「クリヤ」（身体のポーズ、呼吸法、そして唱えるための言葉）の実践法を教えてくれた。それぞれ1日3分ずつ、合計9分行えば良い。それをきちんと実践できるようになったら、4分、5分のバージョンに移行する。これなら続けられそうだ。今思い返しても驚くことに、わたしはスウィズの誕生日の翌朝からもう夜明け前に起きて、「クリヤ」を歌っていた。そして数日後には、早起きが苦痛どころか自分へのご褒美のような気持ちになっていた。

これが2015年秋のことだ。そして合宿から帰って以来、瞑想は日課となり、ほとんど欠かしたことはない。たいていは夜明けとともに起き、目も心も大きく開かれた状態で瞑想を行う。瞑想を行うようになってすぐに、自分の変化に気づいた。全員の意見を受け入れようとして、決断に長々と悩むことがぐっと減った。朝の瞑想で自分の心の声が聞こえるようになったからだ。「**心の声**が**イエス**と言っている感じ、分かるでしょう?」とオプラは言った。今、わたしのイエスたちは夜明けの静寂の中に現れる。

世界が最も静かな時間。かつてナイル川を下りながら、果てしない空を見上げた時間。風景や音やにおいや雑念が侵入してこない時間。朝のクリアな時間が、自分自身の感覚に入っていくように後押しをしてくれる。まだ何も書かれていない、まっさらな黒板のような自分。その静寂の中でこそ、「イエス」ははっきりと響きわたる。

16

露出する魂

BARING SOUL

アリシアの友人、キャットの話

アリシアとは、マンハッタン・プラザで一緒に育った仲よ。学校が別だったしつるんでたグループも違ったけど、最後は2人で一緒にいるみたいな。毎日のように、靴下のままエレベータに乗っておたがいのアパートを行き来していたわ。姉妹みたいなものね。彼女は子どもの頃から、人に何かを教えたり、やる気にさせたりするのがうまかった。

だから今、2人の子の強い母となり、社会活動を通じて大勢の子どもたちの親代わりになっている姿を見ても驚かないわ。ずっと昔、住んでいたアパートでベビーシッター・クラブをはじめたときも、子どもたちは彼女の前向きなエネルギーに引き寄せられていた。子どもたちのために歌ったり、ピアノを弾いてあげたりもしていたわね。世界的に有名になるずっと前から、彼女はずっとオープンな心を持ち続けていたのよ。

#NoMakeup はタークス・カイコス諸島でのわたしの個人的な行動からはじまった。
2015年、結婚5周年のお祝いにスウィズとここを訪れたときのことだ。ジェネシスも一緒だった。4歳になっていたエジプトは、ミミと呼んでいるおばあちゃん(わたしの母)と一緒にクルーズの旅に出かけていた。ある日の午後、夫は外出、赤ん坊はお昼寝中。わたしはヴィラの部屋に1人座り、窓の外にキラキラと輝く海を眺めながら、静寂に浸っていた。そしてふとノートを取り出し、思いを書き連ねはじめた。あふれ出したのは、ウンザリしていた当時の様々な状況について。いちばん先に挙がったのは、女性たちがつねに外見で判断されていることだった。

それは、『HERE』の制作前に箇条書きリストを作るよりもずっと前から、頭にあったことだった。それがこの春、再び頭をもたげてきたのだ。

タークス・カイコスに旅行に行く数ヵ月前のある日、エジプトを学校に迎えに行こうとして、その辺にあったスウェットパンツを穿き野球帽をかぶったときに、ふと思った。〈もし誰かがわたしを見かけて、写真を撮ってもいいかと訊いてきたら？　そしてその写真がどこかにアップされたら？〉こうした自問自答は、いつものことだった。もう10年以上もの間、シャワールームから出て最初に考えることは、〈あまり目立たない服装って何がいいだろう？〉だったのだから。

息子を迎えに行くときも、ただ買い物やジムに行くだけのときも、つねに同じ悩みがついてまわった。その日がいつもと違っていたのは、なぜかそれが心にズシリと響いて、頭から離れなくなったことだ。わたしは立ち止まり、寝室の鏡に映る自分を凝視した。〈いったいいつからわたしは、こんなことを考えるようになったのだろう？〉このとき初めて、自分の感覚がおかしくなっていることをはっきりと自覚した。その後タークス・カイコスでの静かで平和な時間の中で、わたしはあらためて自分が人からどう思われるかをこんなに気にするようになったのはなぜか、整理してみることにした。

わたしは人生のほとんどの時間、色々な意味で隠れるようにして生きてきた。最初に身体を覆い隠そうと思ったのは、ヘルズキッチンの路上にたむろする男たちのケダモノのような視線を避けるためだった。彼らはミニスカートやヒール姿で闊歩する女性を見かけると、欲望たっぷりに声をかけた。食い入るような目で眺めまわし、視線で彼女たちの服を脱がせ、その下にあるものをむさぼるのだ。

わたしは怯えた。バギータイプのジーンズとティンバーランドの中性的なシャツを着れば、男たちの関心を惹かずに済む。ふわふわのカーリーな髪も、ギュッと押さえつけてひとつにまとめてしまえば、男を誘惑しているという幻想を持たれることはない。だぶっとしたスウェットはわたしにとってサバイバルのためのユニフォーム、男たちの視線や口笛を避ける安全地帯となった。目を惹くような真っ赤な口紅はNG。身体の線が分かる服も避けた。

有名になったことで、また別の意味で自分を覆い隠す生活がはじまった。当初、だぶだぶのジーンズを穿き、言葉遣いも荒っぽかったわたしは、近寄りがたいというレッテルを貼られてしまった。そこで今までの自分らしい態度を変えて、ぐっと丸くなった自分を演出した。太い三つ編みをやめて、前髪はコーンロウにし、残りの髪は後ろに垂らした。しゃべり方も変え、服装も、ドレスを着るまでになった。

ファッションの変化の多くは自然にそうなったもので、大人の女性への成長の一環に過ぎない。それでも、ワードローブの中身が変わり、人間として角が取れていくにつれ、ささやく声が聞こえるようになった。〈今のお前では不じゅうぶんだ〉と。

わたしが生きる業界は、その声をとりわけ強調してくる世界だった。あらゆるステージや、写真撮影、出演のたびに、完璧な女性らしさが求められる。すべてのイベントの前には、ヘア&メイクアップの時間がある。これは本当に一大作業なのだ。ファンデーションをこってりと塗り、目にはつけまつげとアイライナー、マスカラも口紅も三重に塗られる。無敵の鎧を身に着けたような完璧な顔を作り上げるのには文字どおり何時間もかかるのだ。

音楽業界に入ってからの15年間というもの、わたしはほぼ毎日この工程をこなしていた。メイクが出来上がると、それを顔に載せたまま長時間ステージ用の照明を浴びた状態で過ごさねばならない。メイクは皮膚のあらゆる隙間に入り込んで毛穴を詰まらせ、顔は吹き出物だらけになった。皮膚が呼吸できないのだ。そのうち、わたし自身も息ができなくなりそうだった。イベントから帰宅すると、ファンデーションを落とし、つけまつげを剝がし、フェイクのポニーテールを髪から抜いて、鏡を見つめる。メイクなしの顔が本当の自分の顔なのかも、もはや分からなくなっていた。

外見に対する不安は、わたしのプライベートな世界にも侵入してきた。出産経験のある人なら分かってくれると思うが、出産後に体型が戻るにはものすごく時間がかかるし、しかも完全に元どおりになることはない。それなのに、その皮膚のたるみやセルライトをじっと観察している誰かがいるのだ。バカンス先のビーチでエジプトと遊んでいると、望遠レンズをつけたカメラに狙われて、わたしの腹部のクローズアップ写真を撮られる。わたしは息を詰めてお腹を引っ込め、写真がどこかのブログにアップされないことを祈るが、たいていは拡散されてしまう。

この業界に身を置く限り仕方のないことだと分かっていても、やはりプライバシーを侵害されたという辛い気持ちになる。相手が有名人であっても、水着姿のお尻を撮影してネットで拡散などすべきではないと思う。その一方で、雑誌に載っているすべてのモデルの身体は修整によって極限まで細く削られていて、みんなセルライトがどんなものか思い出せないほどになっている。生身の女性の皮膚にはたるみやストレッチマークがある、それが真実だ。それなのに、嘘（うそ）の姿がスタンダードとして確立され、世の中の美の基準が変わってしまう。

そういうわけで、わたしは世界中の母親が日々やっているようなノーメイクのスウェット姿で家を出ることを躊躇していた。スッピンに野球帽のまま家を出てしまったときに写真を頼まれたら断ることが多かった。相手をがっかりさせたくなくて、つい承知してしまったときは、これをインスタグラムに上げられたらどうしよう？　とびくびくしていた。

この呪縛から逃れる方法は2つしかなかった。つねにアップの撮影に耐えられるヘア&メイクで家を出るか（すべての親が、それは不可能だと証言してくれるだろう）、自分の本当の顔に満足し、人の意見になど耳を貸さないかだ。

タークス・カイコスでのあの日曜日、自分の心の叫びを紙に書きつけながらわたしが選んだのは、2つ目の方法だった。苦しくて支離滅裂な思考からはじまったわたしの自由への道のりは、1編のエッセイへと、ゆっくりと結実していった。やがてそれは大きく広がり、人々にインスピレーションを与えることになる。


包み隠すことをやめると決めたら、家族とのつながりもオープンにすることができた。わたしが産んだ2人の息子には兄や姉がおり、みんな2人の弟たちを愛情深く迎え入れてくれた。スウィズは4男1女の父だ。いちばん上の息子ナスは大学生で、アーティスト、作家、プロデューサーでもある。2008年生まれの娘ニコルはロンドン在住。KJと呼ばれているカシーム・ジュニアは、2006年にスウィズと前妻マションダとの間に誕生した。そしてエジプトにジェネシス。

スウィズはどの子に対しても真剣に向き合っている。父親として、経済的な支えだけでなく、積極的に子どもたちと関わり、責任を果たそうとしている。彼自身も優しい家族に囲まれて愛情を受けて育ち（誰だってそうであるように、人間らしい欠点もある家族だけれど）、一人前の男に育ててもらった。だからわたしたちもそれを引き継いで、5人を同じように育てようとしている。ニコルとは夏休みなどの休暇を一緒に過ごすし、1年を通じて連絡を取り合っている。近くに住むKJとはしょっちゅう行き来している。そしてナスはニューヨークの大学に通っている。

うちの家族は、複雑な大家族の成功例と言えるだろう。誰かを愛することは、その人が歩んできた道のりを愛すること。そしてその道は、新たな家族との関係を受け継ぎ、そこに愛情を注ぐことにつながっていく。わたしの子ども時代の経験からも言えることだが、家族の姿は世間によってこうあるべき、と決めつけられることが多い。そして自分の家族がその型に当てはまらないと、自分自身が不完全な人間のような気持ちになってしまう。でも本当は、家族の形は様々なのだ。大きさも、関係性も。どんな形の家族であっても、ともに何かを体験する仲間であるべきだ。それがわたしが人生で学んだことだ。

複雑な関係の家族は、最初から仲良くできるわけではない。家族になるためには、自分を取り繕っている皮を1枚1枚剝がしていって、本当の自分をさらけ出す必要がある。ちぐはぐでかみ合わない会話も経なければならない。相手の話に真剣に耳を傾け、おたがいに許し合える落としどころを探る必要もある。相手の話を聞き、共感することが、健全な家族関係を築くための第一歩だ。今も、関係を維持するためにそれを続けている。

心を揺さぶられる瞬間のひとつが、スウィズの前妻マションダと夕食をともにしたときに訪れた。その頃には、マションダが産んだKJはしょっちゅう我が家に遊びに来ていて、わたしとも打ち解けるようになっていた。

マションダとは、マンハッタンにある居心地の良いイタリアン・レストラン、フィリップ・マリーのセラー個室で顔を合わせた。通りいっぺんの挨拶を交わして乾杯を済ませると、2人とも黙り込んでしまった。どちらも相手を警戒しているのが分かる。やがて少しずつ口がほぐれて会話がはじまったが、たくさんしゃべった割に、打ち解けた感じにはならなかった。しかし、食事の終わりにマションダが発した言葉に、衝撃を受けることになった。

彼女はこう言ったのだ。

「いつの日か、わたしたちは同じ孫を持つおばあちゃんになるのね」

そう、そのとおりだった。KJという息子を通じて、わたしたちは生涯つながっていくことになるのだ。いつの日か、KJが結婚することになったら、彼女とわたしは結婚式の準備で大騒ぎすることになるのだろう。そしてマションダと一緒にKJの子どもを腕に抱く日がくるかもしれない。その子には3人のおばあちゃんがいて、わたしがその1人になるのだ。愛する者が間にいるわたしたちが、たがいを無視して生きていくことなどできない。大切なのは、うまくやっていく方法を模索することだ。初めての食事会は、そのほんのはじまり。本当の家族になっていくためのスタートラインだった。

はじめの食事の後、スウィズ、マションダとわたしは3人だけで定期的に会うようになった。じっくり顔を合わせ、バラバラの家族をひとつにまとめようとするのは、並大抵のことではない。おたがいに、相手の話を遮って自分の意見を主張してしまうことも多かった。3人で会うたびに、考えるようになった。〈これを成功させるためには、別のやり方を見つけなければ〉と。

ある晩、エリカに訊いてみた。

「どうすれば、それぞれが相手の話をちゃんと聞くようになると思う？」

彼女はアクティブ・リスニングについて教えてくれた。相手の話を遮らず最後まで聞くことを最優先させるやり方だ。誰かの話を途中で遮ったり、その人がまだ話し終わらないうちに返答を頭の中で考えたりしているようでは、本当に相手の話を聞いているとは言えない。エリカはその方法で話し合いがうまくいった経験をしており、わたし自身も、これは使えると思った。そこで次に集まった際、提案をした。

まず最初に、3人でお祈りをした。たがいの手を握り、この対話の場がそれぞれの長所を生かし、誰も攻撃されない場となるよう、願った。

「基本的なルールを決めたいと思うの」と提案した。

ルールその1。ここは何を言ってもいい安全な場所。ただし、発言はリスペクトと愛を持ってすること。

ルールその2。誰かが話しているときは絶対に遮らないこと。話の内容がまったく同意できないことだったとしても、発言者が自分の考えを話し終えるまで待つこと。誰かが話している間に思いついたことがあれば紙に書いておき、自分の番が来たときに話すこと。

ルールその3。誰かが話した後、その話に言及するときは、「あなたは××と言いましたよね」と確認する。発言者はそれに対し、「はい、そういう意味で言いました」とか、「いいえ、そういう意味ではありません」と返答する。そうすることにより、発言者が言いたかったことが明確になる。

この3つのルールを念頭に、わたしたちはテーブルにつき、数時間かけてそれぞれの本心を話した。話を遮られることがないので、落ち着いた雰囲気で進めることができた。それぞれの意見に同意できない部分はあっても、初めてたがいに相手の意見をじっくり聞くことができた。これはオープンな関係でいることへの第一歩だった。それは今も続いている。

無償の愛とは何か、本当に理解したのは自分自身が母になってからだ。子どもたちを守るためなら何だってできる。自分の生い立ちのせいもあって、わたしは子どもたち全員が父親を身近に感じながら育つことが大切だと強く思っている。日々の生活の中にパパがいないことで子どもがどんな気持ちになるか、よく分かるから。

そのために人一倍頑張ってしまう。午前2時に起きて、家族の様々なスケジュールや行事を調整する。送り迎え、バカンスや家族の集まりの調整、学校の保護者会、感謝祭やクリスマスにニコルとナスを我が家に迎える準備。ＫＪの学校の課題を手伝い、寝る前には小さい子たちに本を読み聞かせる。たとえツアーの後で疲れきっていても、スウィズが不在で５人の子どもたち全員の面倒をわたし１人で見なくてはならなくても、彼らといられることに大きな喜びを感じている。彼らがいつも愛されていると感じること、自分がその一部を担っていることが、無上の喜びなのだ。

ＫＪがまだ小さかった頃、わたしをステップママと呼ぶようになった。わたしはそれはちょっと違うのではという気がした。エジプトがＫＪを真似してわたしをステップママと呼びはじめたからなおさらだ。スウィズと相談して、代替案を出した。ＫＪにはわたしをUmi（ウーミ）と呼んでもらう。アラビア語で母を意味する美しい言葉だ。今では、エジプトとジェネシスもママの他にわたしをウーミと呼ぶこともある。

ウーミはわたしの大好きな言葉であり、わたしのアイデンティティでもある。幅広い年齢層の子たちのウーミでいることは、彼らの将来を予測できるメリットもある。13歳のKJと一緒にいると、9歳のエジプトがこの先どうなっていくのかが少しだけ予想できる。そして青年期に差しかかっているナスも、わたしとは独自の関係を築いている。血のつながった親子ではないからだろう、彼とのつながりには自由と率直さがある。他の子どもたちに対しても、いずれ同じような安全地帯を作ってあげられたらと思っている。

わたしの曲「Blended Family」のビデオを観たときのKJの目の輝きは、一生忘れることはないだろう。まだ2人目を妊娠していることに気づいていなかった頃に作りはじめた曲だ。ビデオには、様々な形で一緒になった現代の家族がいくつか登場する。わたしたちの家族も出演した。ラッパーで役者のエイサップ・ロッキーもカメオ出演してくれた。

「彼にも混合家族がいるの⁉」

とKJは言った。わたしは微笑みながらうなずき、メッセージが伝わったことに感動した。混合家族は例外的なものではなくて、ごく普通の、愛情あふれる関係だということ。手をつなぎ、心を通わせた無数の家族たちがこの愛を分かち合っていること。大家族として一緒になることによって、家族の基盤はより強くなる。うちの家族がその好例だ。

今ではわたしたちの家族の集まりは、以前ほどきっちり予定を立てるようなものではなくなった。おたがいに気軽に関わり合うリズムができたからだ。たとえば少し前の木曜日、わたしはＫＪを学校に迎えに行って自宅に連れて帰り、月曜日まで一緒に過ごした。月曜はたまたま雪が降ったので（学校が休校になって男の子たちは大喜び）、ＫＪはそのまま我が家で弟たちとともに過ごした。その夜、わたしがスタジオに出かけた後で、マションダがＫＪを迎えに立ち寄った。男の子３人は夕食を食べている最中だったので、彼女もその場に座り込んで彼らと雑談した。

マションダは、スウィズやわたしとは別に、うちの息子たちと独自の関係を築いていて、ときにはジェネシスを学校に迎えに行ってくれたり、息子たちにちょっとしたプレゼントをくれたりする。こうしたことはすべて、打ち合わせなしにやっていることだ。ここまでくると、混合家族は気楽で、とても自然な関係でいられる。

融合とは、複数の家族を一緒にすることだけではない。自分とは違う考え方、話し方、外見、宗教や政治的見解を持つ人と、リスペクトを持って会話すれば、それが融合だ。意見が食い違った相手と感じ良く会話することが融合だ。自分のエゴや目的を脇において、相手の身になって物事を見ることが融合だ。ただ漠然と聞くのではなく、心をオープンにして相手の話に耳を傾けることが大切なのだ。

スウィズとともにタークス・カイコスから戻ると、わたしは『HERE』の仕上げに取りかかった。曲のほとんどは前の年に完成していた。宣伝用の写真撮影はアルバムからのファーストシングルのリリースに先立って行われた。当日、わたしはジムから直接スタジオ入りした。顔は完全なスッピンで、リップクリームすら塗っていない。ルーズなスウェットシャツに、髪はスカーフと野球帽に押し込まれていた。

「このまま、撮影に入るわよ！」

以前も撮ってもらったことがある素晴らしい写真家、パオラが言った。わたしは凍りついた。〈今？　この格好のまま？〉確かに、パオラと、当時わたしのクリエイティブディレクターを務めていたアール・セバスチャンとともに、どうやったらありのままのわたしと、わたしの音楽を表現することができるか、模索してはいた。それでも、この特異なアイデアに納得するにはしばらく時間を要した。しかし、最後には同意した。すぐさま、パオラはパシャパシャと写真を撮り出した。

撮影がはじまってしばらくは、素のわたしを写真に撮られることにビクビクし、心もとない気持ちになっていた。社会が女性に強要する女性像に辟易（へきえき）とし、何ヵ月も前からスッピンを公開することを考えていたというのに、実際に素顔でカメラの前に立ってみると恐ろしくなった。ありのままの本当の自分を見せたいとの願いを、神は試しているのだった。わたしが本当の姿をさらすことができるのかを。撮影がはじまって、わたしは自分の決断を後悔していた。

しかし、撮影が進むにつれ、じょじょにリラックスしていく。真っ白なスクリーンを背にシャッターが下ろされるたび、肩の力が抜け、状況に身を任せるようになった。撮影半ばには、その場を楽しむようにさえなっていた。

そのとき撮った写真を見ると、表情も心もオープンなわたしがいる。そこに写っているのは真の自分自身だった。その場の雰囲気やエネルギー、すべてひっくるめて、わたしらしい、わたしだけの世界だった。これが自分らしい生き方。わたしがずっと追い求めてきた自由がここにあった。何も手を加えていない、不完全な、修整されていない自分を見せる。

タークス・カイコスで書いたメモ、そしてこの撮影に刺激されて、わたしはレニー・レター（レナ・ダナムとジェンニ・コナーが運営しているフェミニストのウェブサイト）に「Time to Uncover」というレターを書いた。他の人たちが書いたレニー・レターにも感銘を受けていたので、書き散らしたメモをまとめて、ドラフト原稿を作った。夫に見せると、反応はこうだった。「本当に……こう思ってるの？」もちろん！　２０１６年5月、レターが公開された。その中でもわたしの気持ちを最も正直に表した箇所を抜粋する。

「わたしはもう何も覆い隠したくない。わたしの顔も、心も、魂も、夢も。葛藤や感情も。

何ひとつ」今もその気持ちは変わっていない。

レターが公開されたのと同じ月に、例のスッピン写真とともに「In Common」がリリースされた。レターと写真に対する世間の反応は、今でも信じられないほど大きかった。ソーシャルメディアでは、何万人もの人たちが #NoMakeup をつけて自身のスッピン写真をアップしはじめた。反響があまりにも大きくて、曲の存在感が薄れてしまうほどだった。メッセージは社会経済的階層や世代を超えて広まり、今まで絶対にわたしのことなどフォローしないだろうと思っていた人たちまでが、明らかに関心を持ってくれるようになった。

多くの父親たちがわたしのところにやってきて言うのだ。「あのノーメイクアップ運動、良かったよ！　素晴らしい。僕には娘がいてね、彼女たちに聞かせてやりたいよ」多くの女性たち、女の子たちが、自然のままでいることでどれだけ力をもらえたかを、投稿してくれた。スナップチャットでは、ガブリエル・ユニオンが美しいソバカスの素顔と、頭にスカーフを巻いた写真を投稿した。キャプションにはこうあった。「ノーメイクアップ、ヘッドラップ……ヘイ、アリシア・キーズ、やるね！」そしてキム・カーダシアンはパリのバレンシアガのショーにノーメイクで登場し会場を沸かせた。

後になって、レターの1ヵ所だけ変えたいと思ったところがある。最後の部分で「これが革命となることを神に祈りたい」と書いたのだが、修正できるものなら、内容を明確にするために、「革命」の前に「個人的な」を入れたかった。わたしはそのつもりで書いたのだから。このレターへの反応はポジティブなものが圧倒的に多かったが、1人の女性の個人的な誓いというよりは、公のキャンペーンのように受けとめた人もいたようだ。

「あなたのような外見だったら、メイクをしない選択肢もアリよね」と書き込んだ人もいた。わたしの答えは、当時も今も変わらない。何よりも望むのは、すべての人が、自分らしくいられる自由を得ることだ。そして自分らしさは、人それぞれなのである。わたしは今もそういう気分になればメイクをするし、口紅やアイシャドウの新色が出れば試して楽しむこともある。大事なのは、わたしも、他のみんなも、自由に選択できるということだ。社会の「美のスタンダード」に振り回されず、そのときどきで選択する自由があるべきだと思う。わたしのスタンダードはわたしが決める。あなたのスタンダードはあなたが決める。

わたしのレターを読んだ人の大多数は、込められたメッセージを理解してくれた。フェイクはどこにでもある。わたしたちが住む世界で消費するものはほとんどが入念に作られ、磨かれ、管理されている。そんな中、世界は今までにないほど本物を求めている。外見だけでなく、発信する言葉や会話にも。ビジネスや、政治、友情や恋愛関係にも。仮面やフェイクを取り払い、真実がついに姿を現したとき、わたしたちがやるべきことは、揺るぎなくそこに立ち続けることだ。わたしはそう思っている。

17

クロスロード

CROSSROADS

アメリカ・フェレーラ　エミー賞受賞女優にして社会活動家

アリシアと出会ったのは、ちょうどタイムズアップ運動が盛り上がり、エンターテインメント業界の女性たちが前例のない勢いで団結しはじめた頃よ。アーティストたちが集結したこのコミュニティに、音楽業界の人間がどのように関わっていけるかを相談したいと、彼女から連絡をもらったの。女性たちが団結して社会正義のために活動することについて、わたしたちは意気投合したわ。アリシアの素晴らしいところは、有言実行であること。気になるテーマであれば、それがワシントンD.C.でのデモだろうと、有権者集めの集会だろうと、かならず参加してくれる。あれこれ迷ったり、躊躇したりせず、行動するの。２０１８年のFamilies Belong Together運動（トランプ政権の家族分離政策に対する抗議活動）のとき、わたしはちょうど出産したばかりで2時間おきに授乳していた。「それでもどうにかして集会に参加したいの」とアリシアに訴えた。彼女は『わたしが付き添うわ』と言って、本当に来てくれたの。息子のエジプトを連れ、わたしと一緒にニューヨーク・シティ朝6時発の電車に乗って、ワシントンD.C.まで行ってくれた。彼女はただその場にいるだけじゃなくて、心の底から相手に寄り添ってくれる人。行動力と存在感ある女性でいることについて、わたしは彼女からたくさん教わったわ。

ソウルメイトである夫スウィズとの絆、そして子どもたちへの無限の愛。これらの幸せ以外に、わたしはアーティストとして3回、最高の瞬間を経験している。あまりにもけた外れの出来事で、思い出すたび鳥肌が立つほどだ。

ひとつ目はオプラが企画した「レジェンズ・ウィークエンド」。志ある女性たちの交流の場となったこの会合には、信じられないオーラが満ちていた。オプラの家を去る頃には、胸がいっぱいになり、より高みへ、より大きな夢へと歩んでいくことをあらたに心に誓った。

2つ目は、兄と慕うボノとともにホワイトハウスに招かれ、オバマ大統領と昼食をともにした経験。そして3つ目にして(少なくとも今までのうちで)最大の出来事は、ジョン・レノンの誕生日にタイムズスクエアをジャックして、ライブを行ったことだった。

このアイデアが持ち上がったのは、2016年11月に『HERE』がリリースされる1年ほど前だ。われわれの文化が岐路に立たされているこのときに、わたしを羽ばたかせてくれたこの街でライブコンサートを行ってはどうだろう？　これは音楽と社会活動を完璧に融合させるアイデアだった。わたしは様々なタイプの曲を15曲やる。古い曲、新しい曲、ホームタウンへの愛を歌った曲をたくさん。そして同時に、平和と非暴力を訴えるのだ。音楽と平和の両方を体現していたレジェンドの誕生日に。

計画当初から、これを単なるコンサート以上のものにしたいと思っていた。ここ数十年来なかったほど激しい大統領選が行われている歴史的なこの瞬間に、コンサートという場を利用して、光を照らしたいと思った。それを実行するのに、この国の中心地であり、毎年5千万人が訪れ、世界中の何百万もの人々にインスピレーションを与えてきたあのコンクリートジャングルほど、ふさわしい場所があるだろうか。

勇気ある者の拠点であり、ヒップホップが生まれたあの街。わたしが初めて音楽のレッスンを受け、夢を見た場所。あの界隈(かいわい)のにおい、連なるイエローキャブ、叫び声やクラクションの音、それらすべてがごちゃまぜになって、今のわたしを作っている。わたしたちはこの無料コンサートを「シークレット」にし、SNSを通じて少しずつ内容を告知していくことにした。まずは日付(10月9日の日曜日)、それから時刻(午後8時)、そして最後に開催場所を発表する。そう、タイムズスクエアでの『HERE』コンサートは、NYC版ブロックパーティ(町内の一部を通行止めにして行う屋外パーティ)として計画された。

わたしの「庭」で屋外ライブを行うのは、簡単なことではなかった。アルバムのリリース日はもう確定していたので、スタッフはその日からさかのぼって、コンサートのスケジューリングをしていった。これだけ大規模なイベントを行うには莫大(ばくだい)なお金がかかるため、様々なレベルでのパートナーシップを模索した。困ったのは、そのような協力関係が締結される前に、初期費用が膨れ上がってしまったことだ。本番が近づく頃には、わたしのチームは撮影部隊の確保と、当日のライブ映像を15〜20台ある巨大スクリーンに映し出すために、数十万ドルも費やしていた。

それでもなお、これにはお金には代えられない価値があると感じた。ライブ当日の朝、チームメンバーは47番通りとブロードウェイの角にあるホテルWの最上階、57階の持ち場に散った。ここはステージが設営されたタイムズスクエアの北側に隣接している。近くにはかの有名なチケット販売所、ＴＫＴＳブースもある。

本番2時間前にサウンドチェックが行われた。ホテルを出て、手にしたコーヒーをこぼさないように気をつけながらステージへの入口に行くと、見たこともない光景が目に飛び込んできた。そこにはたくさんの巨大スクリーンが設置され、「Alicia HERE in Times Square」のメッセージが掲示されている。そして過去の様々なアルバムのジャケット写真とともに、「Peace」や「Imagine」といった美しい言葉が流れていた。

わたしは緻密な計画を立ててきた。チームのミーティングに参加し、細かい点まで確認していた。全体のビジョンを考え、自分の希望を伝え、出てきた多くのアイデアを実際に試してみた。練りに練った演出だったけれど、実際にその場に立ったときの驚きと感動はけた違いのものだった。わたしはスクリーンを見上げ、今この瞬間の空気を胸いっぱいに吸い込んだ。

タイムズスクエアと言えば真っ先に思い浮かぶあのナスダックの電光掲示板の周りには、すでに数千人の人たちが集まっていた。生まれ育った地元で仕掛けた「シークレット」は、もはやシークレットではなくなっていた。ニューヨーク市警察の警官が周辺の道路を通行止めにし、車を迂回させているのが見えた。世界で最もにぎわっている交差点が、このコンサートのためにストップしているのだ。人生でいくつも途方もない夢を抱いてきたが、これは想像すらしたことのない状況だった。

タイムズスクエアの周りを見渡すと、わたしが偽ＩＤを買いに行った小さな店が見える。凍てつく寒さの中でバスがくるのを待っていた市バスのバス停がある。そして、わたしが子ども時代を過ごした2棟のタワー。アップライトピアノで仕切られたあの小さなリビングで、ピアノの練習を重ねた。そして48番通りと9番街の近くには、巨匠たちの作品を学び、アーティストとして切磋琢磨した母校、パフォーミングアーツスクールが見えた。

自分が育ったまさにその地で、1万5千人もの人たちに出迎えられるなんて、想像できるだろうか？　あり得ない光景を目にして、わたしはサウンドチェックの間、涙腺が決壊しそうになるのを必死にこらえた。『Songs in A Minor』がヒットしてから15年、わたしはここに立ち、６枚のアルバムから選りすぐった歌を披露しようとしている。

本番直前、わたしはチームのみんなとともに祈り、全員が同じスピリットを感じながらステージをやり通せるよう願った。そして観客の前に出ていく寸前、ライブ前にはかならず自問自答している言葉を繰り返した。〈アリシア、あなたは良いパフォーマンスがしたいの？それとも最高のパフォーマンスがしたいの？〉それから1時間半、全身全霊をステージに捧げたことがその問いへの答えだ。

オープニングの「The Gospel」から、ジョン・レノンの「Imagine」とわたしの「Holy War」をミックスさせた曲。わたしは観衆のエネルギーに持ち上げられ、文字どおり天に昇った。わたしのチームはあえてステージに屋根をつけていなかった。オープンエアにすることで、集まった人たちに天井のない無限の可能性を感じてもらい、高層ビルを超え天国に届くほどの体験をしてもらいたかった。ヤマハ製のピアノの前で立って演奏しながらも、できるだけ観客の姿が見えるステージの前方に出るようにした。そして曲の合間には、激励の言葉をかけた。

「わたしたちが声を上げることは、変化(change)を意味します！」

と叫ぶ。

「自分の生活を、人生を、子どもたちを大切に思うなら、そのために投票して……お願いします」

「She Don't Really Care」を歌い出す前に、サプライズの雰囲気を盛り上げた。

「大急ぎでお兄ちゃんに電話しなきゃ」

と、マイクに向かって言う。ラウドスピーカーから電話の呼び出し音が聞こえてきた。

「もしもし？」

答えたのはQティップだ。その直後、彼はステージに上がってきて歌い出した。それはほんの手はじめだった。ナズと「One Love」を、ジョン・メイヤーとは彼の「Gravity」とわたしの「If I Ain't Got You」をミックスした曲を歌い、観衆を沸かせた。クエストラブはドラムで魅せた。1曲ごとに、曲に合わせた映像がスクリーンに映し出される。そしてジェイ・Zがどこからともなく現れて、「Empire」のリズムを取りはじめると、観衆の興奮は最高潮に達した。

わたしは風にアフロをなびかせ、腕を高く挙げ、化粧気のない顔は喜びにあふれ、電流が全身を走っていた。ステージから、KJ、エジプト、ジェネシスがいるのが見える。ウーミの名前が電光掲示板に表示されていることに驚き、スクリーンを指差す彼らを前に、「Blended Family」を歌った。

「みんな、心から愛してる！」

コンサートの締めくくりに叫んだ。許されるなら、一晩中ここで歌っていただろう。さすがにニューヨーク市警がそうはさせてくれなかった。予定時刻を15分オーバーした時点で、彼らはわたしにステージから降りるよう促しはじめた。ライブが強制終了させられる直前、最後の一言を叫んだ。

「立ち上がって世界を照らしましょう!」

ライブ中ずっと、卒倒しそうな気持ちだったが、バックステージに引っ込んでからもそれは変わらなかった。これほどまでに喜びで頭がクラクラしたことはない。「これが人生最後の日になってもいい!」クルーに向かって言った。何千人もの観衆が地下鉄に乗るため42番通りに向かうのが見える。頭上のスクリーンには、わたしが思い描く理想の世界が次から次へと文字になって表示されていた。「性差別は終わった」「エイズは終わった」「暴力は終わった」「難民ウェルカム」いつの日かすべてが叶いますように。

コンサートから1ヵ月後(そしてアメリカ大統領選挙の4日前)、『HERE』がリリースされた。このタイトルをつけるために、一大リストを作って検討した。『HERE』はわたしが言おうとしていることを正確に表していた。今このときを生きよう。今経験していることを意識し、すべてのワクワクすること、すべての恵みを自分に取り込もう。自分自身にも、そして周囲に対しても、もっと気づきと意識を持って毎日を生きよう。今ほど、この地球上で起こっていることに関心を持つべき時代はない。今ほど、時代の流れに対してどう行動するか、自分の意志を明確にすべきときはない。

今、わたしは覚醒モードで生きている。すべての瞬間が気づきであり、ありのままの自分に出会うチャンスだ。浅はか。短気。脆い。間が抜けている。活気に満ちている。そのすべてを、自分の一部として受け入れられるようになった。それがどんな姿であっても、それがわたし。日々の瞑想で意識していることでもある。そしてみんなに対しても祈っている――自分に許しているのと同じ表現の自由を、他人にも許せますように。

大統領選挙の数週間前、スウィズはハーバードで3週間の集中講座を受けるため家を空けていた。ある朝、授業の合間に電話をかけてきた。

「ベイブ、彼が勝つってよ」

と彼は言った。

「何ですって？」

「トランプが大統領になるってさ」

「何の話をしているの、スウィズ？」わたしは言った。「そんなこと絶対言うべきじゃないわ」

「トランプの当選の可能性について、今初めて知ったところ」

その日の授業で、教授が学生たちに挙手を求めた。

「トランプに投票する人は？」

世界中から集まった200人以上の学生が座る教室で、90%の人たちが手を挙げたという。もちろん、外国人の学生たちは投票はできないが、政策を支持していれば手を挙げる。その分を除いてもなお、手を挙げた人の多さにスウィズはショックを受けていた。白人、黒人や肌の茶色の人、様々な人種の人たちがトランプを支持していた。

「絶対に違うだろうと思った人たちでさえ手を挙げていた」

と彼は言った。

「予告するよ――あいつが勝つ」

これほど強い拒否反応を感じたことは今までなかった。〈アメリカ人がそこまで判断力が欠如しているはずがない〉と信じていた。タイムズスクエアのコンサートの2日前に報道された、「アクセス・ハリウッド」のテープ(トランプが自分は女性を自由にできるとテレビ番組の司会者に話している)は、トランプ陣営にとっては致命傷だったはずだ。女性の性器を自由に触れると冗談を言うような人間が、国家の最高の地位にふさわしいなんて、どうしたら考えられるというのか?

わたしの感覚では、彼が勝つなど絶対にあり得なかった。しかも対立候補は、人生を公務に捧げてきた人だ。あの7月、バーニー・サンダースが撤退を表明した2週間後、わたしはフィラデルフィアで開催された民主党全国大会でステージに立ち、ヒラリー・クリントンへの支持を表明し、分裂してしまった党が少しでも立ち直れるように、音楽を通じてできることをすべてやった。怒りや無関心に国を支配させるわけにはいかない。大統領候補として、これほどの実績がある人はいない。

わたしは、自分が懸念している様々な問題を、ヒラリーはないがしろにしないと信じていた。核兵器のボタンを押す権利に関しても、信用できると思っていた。だけどトランプは？　強迫神経症。不安定。不正直。何年にもわたり、オバマ大統領に対するバーセリズム〈オバマはアメリカ国外で生まれたため大統領になる資格がないとする主張〉を煽り続け、彼がアメリカ人ではないとすらほのめかした男。この国が長年抱えてきた人種差別を利用し、差別を助長させて人種間の敵意を煽る大統領候補。〈あの男が？　まさか、この地球上ではあり得ない〉しかし、11月8日の選挙結果は、そのまさかだった。何という衝撃だろう。

翌水曜日の朝、わたしは完全に打ちのめされていた。家族や友人も皆ショック状態だった。ファンたちもSNSを通じて共感してくれた。何千人もの人たちが、これがアメリカや世界にどんな影響をもたらすのか、不安を声にし選挙結果に言葉を失っていた。1日にして空気そのものが変わってしまったように感じられた。すべての物質が分子単位で入れ替わってしまったような。寝る前の世界では空は青かったのに、目覚めてみたら尿のような黄色になっていたかのようだった。〈待って……いったい何が起こったの？〉

選挙後は、正常で正しいことは何ひとつないような気がした。そしてわたしにとっての最大の茶番は、1千万人以上もの人たちが、選挙に、行かなかった、こと。そのうち数%の人たちが投票に行っていれば、結果は変わっていたかもしれない。

ニュースはすでに24時間365日、のべつまくなしに流れ込んでいたが、そのスピードはさらに上がった。当時の状況を思い返すと、様々なことが立て続けに起こりすぎてわたしたちはそのスピードに呑み込まれてしまっていた。

第45代大統領は1月に就任の宣誓を行い、そのスピーチはきたるべき世界を予感させるものだった。翌日、全米各都市で300万以上、世界で数千人の人たちがウィメンズ・マーチのために集結し、アメリカにおける抗議活動としては、1日あたり最高の人数を記録した。ワシントンD.C.で行われたデモで、わたしは意志ある女性たちの代表として力の限り歌い、マヤ・アンジェロウの詩「Still I Rise」を披露した。あれから数年（実際には10年以上も経ったような気がするけれど）ニュースが入れ替わり立ち替わり、慌ただしく飛び込んできては去っていく状況は変わっていない。

政治以上に世の中を騒がせたことがある。ハーベイ・ワインスタインの件が明るみに出たのはちょうど選挙の頃だった。女優アシュレイ・ジャッドが、当時ハリウッドで最も影響力のあった男を訴えたのだ。多くの女性たちが彼女の勇気に共感し、自分も性的暴力を受けたと公表した。衝撃はハリウッドを超えて広く波及し、女性たち（中には男性も）が１人また１人と手を挙げ、タラナ・バークが２００６年に掲げたスローガン「MeToo」を訴えるようになった。女性たちの地道な活動はそれからも続き、60人の女性たちが性的暴行を受けたとしてビル・コスビーを訴え、裁判に発展した。そして、アフリカ系アメリカ人が殺害されるという痛ましいニュースが続く中（その中には氏名さえ報道されない人たちが何百人もいた）、「Black Lives Matter」運動は最高潮に達し、今も衰えを見せていない。

２０１６年、We Are Here チームはビデオを制作した。「アメリカに住む黒人が殺害される23の理由」と題されたこのビデオを観ると、今でも心が痛むと同時に鳥肌が立つ。１週間おきぐらいの頻度で黒人の命が不当に奪われるのを見て、多くの人が〈わたしたちに何ができる？〉と考えていた。このビデオは微力ながら答えのひとつになったと思う。出演してくれた人たちの中には、個人的に連絡をして依頼した人たちもいた。リー・ブレイクは最初、わたしが23項目すべてを読み上げることを提案したが、わたしが乗り気でないのを見て23人の人たちにそれぞれ読んでもらうことを思い立ち、知人たちに連絡を取ってくれた。

ビデオ撮影はお金をかけず、華やかさもなしにした。各自が自分のスマートフォンで自分を撮影するという、原始的でシンプルな映像だ。わたしたちは、アフリカ系アメリカ人がこの国で殺害された理由を、ひとつひとつ明かしていった。車線変更のシグナルを出さなかったから(サンドラ・ブランド)、ガールフレンドの子どもを後部座席に乗せて運転していたから(フィランド・カスティール)、フードつきのパーカーを着ていたから(トレイボン・マーティン)、コンビニエンスストアの外でCDを販売していたから(アルトン・スターリング)。夫スウィズ、そしてボノ、ビヨンセ、ジャネール・モネイ、タラジ・P・ヘンソン、クイーン・ラティファ、クリス・ロック、リアーナ、レニー・クラヴィッツ、ファレル・ウィリアムスなど多くの友人たちが、わたしとともに声を上げてくれた。

音楽は最も強力な抗議の形であり、連帯への入口でもある。人々の意識を喚起し、対話を促すためにマイクを手にすることが、これほど重要な時代はない。歌は、突き詰めれば誓いだ。個人的にも集合体としても、伝えたいことを伝える伝達方法だ。悩み事を一瞬忘れる手段でもあり、自分がどう感じているかをあらためて意識する媒体でもある。歌には、わたしたち1人ひとりの心の中に浸透し居座り続ける力がある。社会正義を訴えるスピーチも上達したわたしだが、音楽こそがわたしの母なる言語であり、世界に呼びかける手段だ。

NBCの番組『The Voice』で3クールの間コーチ役を務めたのも、そういう気持ちがあったからだ。これは新人アーティストに演奏の機会を与える発掘番組だ。素晴らしいのは、ブラインド・オーディションという選抜方法だった。コーチ役(2018年の最後のシーズンではケリー・クラークソン、アダム・レヴィーン、ブレイク・シェルトン、そしてわたし）はステージに背を向けた状態で座り、コンテスト参加者の歌を聴く。演奏中、ピンとくる瞬間があればボタンを押し、椅子をくるりと回転させて歌い手を見ることができる、という仕組みだ。

歌い手とコーチはその場でチームを結成する。複数のコーチが手を挙げた場合は、歌い手が誰にコーチをしてもらうか決めることができる。そこから、歌い手はチームを組んだコーチから指導を受け（わたしのお気に入りの部分）、週1回番組で歌う（この部分もお気に入り）。そして、視聴者が最も良かったアーティストを投票で選ぶというわけだ。最後に決勝大会が行われ、優勝者は「the voice」と呼ばれる（わたしが出演したシーズン12の優勝者はあのクリス・ブルー！）。

ブラインド・オーディションの最中、わたしは心で歌を聴く。そうすれば天賦の才能とソウルフルな表現をあわせ持つ人を感じることができるからだ。そして、椅子を回転させて見ると、古式ゆかしいクルーナーだと思った相手が16歳のエネルギッシュな歌手だったりと驚かされることになるのだ。わたしの「Fallin'」を初めてラジオで聴いた人たちも、きっとそう思ったことだろう。アーティストたちが自分のアドバイスや意見を採り入れ、週を重ねるごとにどんどん花開いていくのを見るのは、喜び以外の何物でもない。

2011年に番組がスタートした当初から、コーチになって欲しいと依頼されていた。何となく自分の得意分野ではないような気がして、最初は断り続けていた。でも時とともに自分らしい生き方ができるようになり、そういうエネルギーや気づきをコンテスト参加者と、そして視聴者とも分かち合いたいと思うようになった。

番組出演を決めた理由は、新人ミュージシャンを発掘し育てるために役に立ちたかったからだ。様々なジャンルのアーティストにスポットライトを当てることで、芸術的表現の領域を広げていきたいと思った。シーズン14でわたしと組んだクリスティアーナ・ダニエレがその良い例だ。彼女はダークチョコレート色の肌をした魅力的な女性で、全身から個性がにじみ出ていた。ファッションにも歌にも素質があり、すべて自分の思うがままに表現していた。キラキラと輝いていて、歌唱力にも恵まれている。プレッシャーにさらされても輝ける能力があり、アメリカにはあまりいないタイプのユニークなアーティストだった。

もし世界中の才能や美に光を当てることができるなら、この世には多くの選択肢や意見やスタイルや身体のサイズがあることに気づかされるだろう。そして、様々な束縛や決めつけやステレオタイプを打破して、それぞれの真のアイデンティティを表現できる日がくるかもしれない。

『The Voice』への出演は、思っていたよりもずっと楽しい経験だった。マイリー・サイラス、グウェン・ステファニーなど、共演者の中には友だちも何人かいたので、番組の収録に行くことは、女友だちと夜通し過ごしているような気分にもなれた。本番がはじまる前から、わたしは他のコーチたちとステージ裏で冗談を言い、笑い転げていた。

わたしたちの間で交わされるジョークはいつだって本音ベースだった。おたがいに好印象を抱いていることは（そうじゃないと嫌味になってしまうけれど）、隠しようがない。カメラが回っていないときでも、わたしたちはよくふざけ合っていた。（ブレイク・シェルトンとともに）番組に最も長く出演しているアダムは、コーチ陣の長老みたいな存在だった。いつも冗談ばかり言っているけれど、やるときはやる。それに、他のみんなもそうだったけれど、コーチとして抜群の能力があった。

本番以外でいちばん面白かったのは、２０１７年に起こった出来事だ。その夜の番組に備えてわたしがメイクをしているのを、アダム・レヴィーンが見かけたのだ。

「君はメイクをしないんだと思ってたよ」

と彼はわたしをからかった。わたしは彼をじっと見て、少しニヤッとしながらも大真面目に答えた。

「あたしが何しようと勝手でしょ！」

アダムは笑い、あきれたように立ち去った。そう、わたしは自由に突き進むのだ。ステージの上でも。オフステージでも。人生でも。

選挙結果が全米を震撼(しんかん)させた後、わたしはしばし茫然(ぼうぜん)とし、それから忙しく再スタートを切った。人生の危機と国家の危機には共通点がある。どちらも人をシャキッと目覚めさせるのだ。わたしも1週間ほど悲嘆に暮れた後は、絶望感を過去に押しやって、靴紐(くつひも)を締め直した。機運は盛り上がっていた。選挙結果に言葉を失った何百万もの人たちが、組織を作って対抗しようと動きはじめたのだ。国が急速に変化しているこのときこそ、社会のあらゆる人たちがあらためて連携し、力を結集する必要がある。

2017年はじめからは We Are Here プロジェクトとは別の活動に力を注ぐようになった。We Are Here はこの3年間で広く認知されるようになり、何百万ドルもの寄付を集められるようになった。複数のNPO団体を通じて、この活動は今後も継続していく。しかし、強い政治的逆風が吹き荒れる今、わたしは別の熱い志を抱いていた。全米のリーダーたちによるコミュニティを作って、持続可能(sustainable)な変化を起こすことだ。団結して行動してこそ最大の効果が得られることを、わたしは学んでいた。

2017年後半にアメリカ・フェレーラに連絡を取ったのも、それがきっかけだった。ワインスタイン騒動の真っただ中にあって、彼女は Time's Up 運動の一環として数十人のハリウッド女優たちとともに団結し、労働市場における女性の権利を強化するための非公開の話し合いを行っていた。わたしも、ロサンゼルスで行われたミーティングにジャネール・モネイとともに参加した。意見交換をするだけでなく、音楽業界にも変化をもたらしたいと考えていた。

グラミー業界とオスカー業界には共通点もあるが、大きく異なることも多い。映画や舞台の世界にとっては改革となることが、かならずしも音楽業界に当てはまるとは限らない。それでもこれは発想を刺激する、有意義な出発点となった。ニューヨークに戻ったわたしは、どうしたらより多くの音楽業界の女性に参加してもらえるか、アンと知恵を出し合った。

アンとの話し合いを経て、２０１８年にＮＰＯ法人She Is the Musicを共同設立した。わたしと、３人の業界のリーダーたち（音響エンジニアでジャングル・シティ・スタジオの設立者アン・ミンシエリ、ユニバーサル・ミュージック・パブリッシング・グループのＣＥＯ兼会長ジョディ・ガーソン、タレント・マネジメント会社ＷＭＦのパートナー兼イーストコースト・ミュージック部門のヘッド、サマンサ・カービー・ヨー）が発起人となったが、今では音楽業界のリーダー格の女性たちが１００人ほど参加している。

数字が増え続けていることがポイントだ。わたしたちは、音楽業界のあらゆる場面で女性にもチャンスが与えられるよう、ともに活動している。振付から照明デザイナーからエンジニア、弁護士、舞台の裏方、プロデューサーに至るまで。女性のための文章講座など、メンターシップにも取り組んでいる。賃金や権限の不均衡をなくすために、女性たちを主要な意志決定ができる地位にまで引き上げるのが、わたしたちのやり方だ。アンやわたしのように人を雇用する立場の人は、女性を採用しきちんと昇格させる責任がある。そう思ったことが、She Is the Music のアイデアへと発展した。

２０１８年夏、変化を起こすために連帯して何ができるか、ロザリオ・ドーソンと電話でパワフルな会話を交わした後、わたしは再びアメリカと手を組んだ。今回は、大統領の「不寛容政策」によって国境で収監された移民のために立ち上がるのだ。３千人以上の子どもたちが親から強制的に引き離されていた。今もなお、何十人もの子どもたちが、移民拘留センターに収監された親と引き離されたままだ。わたしは宝である我が子たちの目をのぞき込み、アメリカに電話をかけた。

「わたしたちにできることは何？」

と彼女に訊いた。そして Families Belong Together 集会当日の朝6時、彼女とわたし（それにエジプトと弟のコール）はニューヨークのペンシルバニア駅発のアセラ・エクスプレスに乗り込み、首都へと向かった。この日、全米７００以上の都市で何万もの人々が集い、この残酷な政策をやめるよう、政権に訴えた。

「7歳の息子が今日一緒に来ています」

とわたしは集まった人たちに呼びかけた。

「名前はエジプトと言います。息子がどこにいるか分からなくなるなんて、想像すらしたくありません。彼と引き離されるとか、どこでどんな扱いを受けているか分からないなんて、恐怖でしかありません。今、民主主義が危機にさらされています。人の道が危機にさらされています。わたしたちは、国としての善意を守るためにここに集まりました。すべての子どもは親と一緒にいるべきです。わたしたちは、非人道的政策をやめるよう要求します」

女性同士の連帯にはパワーがある。数多くの共感の声の中で、われわれ女性の声は最も強く響きわたる。あらゆる問題について、わたしたちは様々な方法で団結することができる。最近は、活動家の女性たちによる共同体のようなものを作れないか、と考えている。

夢のような話だが、志を同じくするインフルエンサーたちがコミュニティを作り、定期的に対話をしアクションを起こすのだ。そう、「アクション」こそがキーワードだと思う。デモ行進にはデモ行進の意義があり、街頭や首都の国立公園を人で埋め尽くすような活動も続けなくてはならない。しかし、抗議の声を政策変更につなげる方法も考える必要があると思っている。議論するだけの時代はもう終わった（Time's up）。台本をめくり実行に移すときが来ているのだ。

18

故郷

HOMELAND

スウィズの話

アリシアが初めてエジプトに旅をしたのは、静養のためだった。スローダウンして、息継ぎをして、色々なことを整理して考え直すためのね。二度目は、まさに巡礼の旅だった。人生のとある時点でしか理解できない、その場所の本当の姿っていうのがあるんじゃないかな。この旅は、学びが目的だった。出発の何ヵ月も前から、アリシアはたくさんリサーチをして熱心に予習をしていた。２人とも、本物が放つオーラを経験したいと思っていたんだ。

アリシアは、俺と一緒になってからずっとスピリチュアルな世界を模索してきた。彼女はいつもオープンマインドだ。キリスト教、仏教、イスラム教、色々な宗教の勉強をしてね。どの宗教もリスペクトしていて、それぞれの英知を取り入れてる。今回の旅で、彼女は特定の宗教にとらわれない、いと高き神に近づいたんじゃないかな。答えを求めて、自分の内面と向き合っているのが分かるよ。自分の心の声を聞こうとしてるんだ。彼女はどんどん本当の自分に近づいていってる。

初めてエジプトに旅をしたのは、孤独を求めてだった。そして12年後の家族との再訪、この旅でわたしは自分のアイデンティティを発見することになった。

母なる大地への再訪のため、1年も前から準備をはじめた。わたしは自分の子どもたちにこの国を作り上げてきた英雄たちについてきちんと教えたいと思ってきた。ペンの力で奴隷廃止論を唱えたフレデリック・ダグラス。アフリカ系アメリカ人として初めて博士号を取得したW・E・B・デュボイスの聡明さ、「わたしは女ではないの？」のスピーチで有名な闘士、ソジャーナ・トゥルースの勇敢さ。勇気を振り絞って多くの人たちを湿地や暗闇の中で導き、自由の地へと逃がしたハリエット・タブマン。

でも、これら偉人について教え、隷属化制度とは何かを説明する前に、わたしはまず先祖が住んだアフリカについて、子どもたちに伝えたいと思っていた。そして２０１７年のある日の午後、息子からの問いかけによって、わたしはレッスン開始を急がなければならないことを悟った。

「ママ」

学校へ送り届ける車の中で、エジプトは言ったのだ。

「Nワードって何？」

わたしは息をぐっと呑み込み、平静を装った。いつかこの質問がくることは分かっていた。

ただ、7歳でとは予想していなかった。

「どこでその言葉を聞いたの、ベイブ？」

「友だちがそう言ってたんだよ」

「そう？　どの友だち？」

彼は答えようとしなかった。

「教えてくれてもいいんじゃない？」

彼がためらっているのを感じて、畳みかけた。

「分かった」と息子は答え、同じクラスの女の子がその言葉を使った、と言った。僕に対して直接言ったわけではないし、具体的な言葉は何も言わなかった、とも。

「それで、Nワードってどういう意味なの？」

と彼はまた尋ねた。

「使ってはいけない言葉よ……有色の人を指す、意地悪な言葉なの。だから使ってはいけないのよ」

この会話の後、わたしは気を引き締めた。以前から、アメリカの学校の歴史の授業で教えていること（そして教えていないこと）について、疑問を感じていた。アメリカの授業では、黒人は「隷属化」の箇所で登場する（わたしは、非人間的な「奴隷」ではなく、「隷属化」という言葉を使う。「奴隷」という言葉には、その人が誰かに所有されることを望んでそうなったような響きがある。それに対し、隷属化という言葉は、自由を奪われたことを意味する）。

わたしが本を読み、勉強することによって歴史意識を高めていったように、子どもたちにも歴史をきちんと学んで欲しいと強く思っていた。何よりも、彼らには自分の本当のアイデンティティを理解して欲しい。400年間も拘束される前の、わたしたちの先祖はどんな人たちだったのか。その精神力、忍耐力を知って欲しい。そしてわたしたちの歴史を、虐げられたものとしてでなく、勇気の源として受け止めて欲しい。

エジプトに質問されてからというもの、わたしは考え込んだ。〈どうやったら彼にショックを与えずに、隷属化についてうまく説明できるだろう？〉そして、ある方法を思いついた。歴史上、様々なバックグラウンドの人たちが人の手によって想像を絶する残虐さや死、苦しみを味わってきたことを、まず話して聞かせるのだ。悲しいことに、ホロコーストをはじめそのような歴史は枚挙にいとまがない。

わたしはまず、ナイル川流域におこった驚異的な古代文明について、エジプトに教えた。星の動きを詳細に把握し、それが現代の天文学の基礎となっていること。農業技術を発達させ、大量の穀物を収穫できるようにしたこと。

「これは〈僕〉だよね、ママ？」

わたしが語り聞かせる偉大な土地と、自分の名前とを結びつけて息子は言う。

「そう、あなたよ」

1回ごとにひとつのお話、それを数週間続けた後で、わたしは少しずつ、テーマを戦争や大虐殺に移していった。まずは難民や先住民族に対する虐待の話からはじめ、じょじょにホロコーストへと方向転換していく。ついに、ある日の午後、エジプトが近くの小川で捕まえたバケツいっぱいの小魚とともに興奮気味に帰って来た後で、彼にこのシリーズ最後の話をした。

「Nワードって何？　ってママに訊いたこと覚えてるわよね？」

彼はわたしを見てうなずいてから、バケツの中で泳ぎ回る魚に関心を戻した。

「ママ、見て！」

小魚を指差しながら声を上げる。

わたしは彼を抱き寄せた。

「ベイブ、ママの話を聞いて。あなたも大きくなってお利口だから……もう、この話をしてもいいと思うの。ちゃんと聞ける？」

彼の目が見開かれる。

「うん」と息子は答えた。そして急に真面目な顔になった。

できる限りの穏やかな口調で、わたしはわれわれの先祖が遺してくれた驚くべきレガシーについて、再び語った。それから、簡単な言葉を使って、人類はたくさんの争いを経験してきたことを話した。両親が捕えられ、子どもたちと離ればなれにさせられ、別の人に売り飛ばされたことを。

「それを、隷属化、と呼ぶのよ」

わたしはゆっくりと言った。

「それは恐ろしいことで、間違ったことなの。誰かが誰かの持ち物になるなんて、あってはいけないでしょ？」

ここ数週間のお話の中で出てきた残酷な例をいくつか挙げてみたが、息子が本当に理解できているかはよく分からなかった。しかし、次の言葉でハッとした顔つきになった。

「捕えられた人たちは、読み書きすら許されないこともあったの」

息子は息を呑んだ。

「本当に？」

これが彼にはショックだったようだ。本が大好きな息子は、自分が毎日やっていることを許されない人がいるということが想像できなかったのだ。

「彼らが許された生活は、とても不公平なものだったの」

とわたしは言い、この話はここでいったん区切りをつけようとした。しかし、息子はこう言った。

「ママ、質問に答えてないよ。Nワードって何？」

わたしは一瞬黙った。

「スペイン語で、黒を何と言うか、教わったでしょう？」

シッターの1人、キキ先生はスペイン語が話せるので、彼に教えてくれていた。

「うん」

と息子は答えた。

「negro って言うんだよ」

「ええ、ラテン語では〈niger〉と言うの。この2つの言葉から、Nワードはヘイトワードになったの」

彼はわたしをじっと見つめた。

「Nワードのスペルは？」

1語ずつ、ゆっくり声に出した。

「これが、わたしたちの先祖に対して使われた意地悪な言葉よ。そして残念なことに、あなたはこれから大きくなるにつれ、この言葉を何度も聞くことになる。だからこそ、わたしたちがこの言葉を使わない理由を分かっていて欲しいのよ」

人生のある時点まで、わたしもこの言葉を使っていた。16歳頃から20歳になるまで。わたしの初期の曲「Girlfriend」では、オール・ダーティー・バスタードの「Brooklyn Zoo」をサンプリングしているが、終わりのほうで今は忌み嫌っているあの言葉を歌っている。「It's enough to make a n—— go crazy」。この曲を作っていた当時はスタジオで個人的に作業をしていたし、誰かがこれを聴くことになるとは思ってもいなかった。それに、オリジナル曲の中でも印象的な箇所だったので、この部分を使うのが新鮮でいいと思っていた。

ずっと後になって曲がリリースされると、世界中の人がわたしがあの言葉を発するのを聴いていることに気づき、今までにないほど動揺した。それまで、その事実をきちんと考えてみたことがなかったのだ。そのとき、わたしは自分に誓った。〈もう二度とあの言葉は使わない〉と。

この言葉をめぐっては様々な意見があることも、じゅうぶん承知している。「あの言葉は今や別の意味を表す言葉に生まれ変わった」という説があることも。ものの見方は人それぞれであり、他の人たちの意見ももちろん尊重している。それでも、この件に関するわたしの見解は明確だ——言葉にはとてつもないパワーがあり、あの言葉にはつねに痛ましくて恐ろしい過去がついて回っている。

有毒な負のエネルギーにどっぷりと浸かった言葉を、愛情を表す言葉に生まれ変わらせるのは不可能だ、というのがわたしの見解だ。だとしたらなぜ、自分の兄や弟に向かって「ヘイ、ブラザー」と呼びかけないの？　ということになる（「ブラザー」は、黒人が黒人男性を親しみを込めて呼ぶのに使われることが多い）。

これについては、スウィズとわたしはもっと敬意ある呼び方を編み出した。「キング」だ。夫はごく親しい友人や自分の息子と過ごすとき、今はこう言うようになっている。「ヘイ、キング」「行こうぜ、キング」「またね、キング」

息子はいつの日か、痛ましい歴史にまみれた言葉を使うことに抵抗はないと考えるかもしれない。そうならないことを願うが、大人になれば、それも本人の選択だ。わたしにできる精いっぱいのことは、彼のルーツについてすべて伝えること。そして、わたしの家の中ではけっしてあの言葉を使わせないことだ。

この問題に関する意見は、夫とわたしで少し異なるが、彼はわたしの見解をサポートしてくれ、それが子どもたちのためになることを理解している。かつて暴徒たちのリンチにあい、その亡骸（なきがら）に唾とあの言葉を吐きかけられてきた、おびただしい数の黒人たち。彼らの名において、わたしは二度とあの言葉を使うことはない。

息子との対話を終えて、わたしは彼の名をもらった国への旅を計画しはじめた。エジプトは、今はウガンダ、エチオピア、スーダン、ブルンジとなった国々とともに、古代文化の中心地となった、ナイル文明発祥の地だ。現代の建築家を困惑させるほどの数学的な緻密さでピラミッドを建設した、世界最古の文明の地のひとつを、どうやってエジプトに見せたらいいだろう？　彼の先祖が築いた豊かな歴史を、どうしたらより深く理解してもらえるだろう？

こうして２０１８年８月、素晴らしい先人たちのすべてを家族に見せることを目的にカイロに向かって出発した。この旅が家族全員に強い影響を与えることになるとは、まだ知る由もなかった。

エジプトへの旅に出かける2年前のクリスマスに、義理の父（スウィズの継父エイドリアン。わたしたちはポピと呼んでいる）が勇気が湧いてくるビデオを見せてくれた。ビデオでは、非西洋的な視点からナイル文明を研究しているケメトロジスト、故ヨセフ・ベン＝ジョカナン博士がワクワクするような講義をしていた。

ベン博士は、２０１５年に亡くなってしまったが、古代のナイル文明が世界にもたらした影響の研究に生涯を捧げた人だ。３時間におよぶビデオ講義の中で、ベン博士はアフリカ文明がいかに進んでいたか、証拠を示しながら語っていた（実際には、全部見終わるのに数週間かかった。忙しい母親にとって、誰にも邪魔されない時間を確保するのはなかなか難しい)。

見れば見るほど、彼の講義に心を奪われた。ベン博士の主張は、わたし自身が本を読んで学びはじめていた内容と一致していた。わたしたちが教わる「歴史」の多くは、ひとつの視点から語られたものだ。そしてそれはほとんどの場合、アフリカ人の視点から見た歴史ではない。昔から語り継がれてきた物語の中にはその一部だけが真実だったり、裏づけがないいま史実として定着してしまったりしたものもある。ベン博士はそうした歴史について検証し、異議を唱えていた。

彼はエジプトを、古代名であるケメトと呼んでいた。「黒い土の国」という意味だ。当時のわたしは講義内容には惹きつけられたものの、エジプト旅行までは考えていなかった。だが1年後、息子とバケツいっぱいの小魚を間に例の意義深い対話をした後、わたしは探検の旅を考えはじめるようになった。そこでベン博士の講義を思い出し、ケメトロジストを探しはじめた。わたしたちの先祖の地についての知られざる話をしてくれる、エジプト学者ではない指南者はいないものだろうか。

調べた結果、アシュラとメリラ・クウェシという、ケメトツアーを行うダラス在住のカップルにたどり着いた。アシュラはナイルの谷で30年以上も実地調査を行ってきた人で、ベン博士のもとで14年間学んでいる。メリラはケメトのファッション、文化、スピリチュアリティを研究しており、アシュラとともに世界中で講義を行っていた。アシスタントに頼んで、彼らにプライベートな家族旅行の手配をお願いした。最初は返事がこなかった。後で知ったことだが、アシスタントからのEメールを何かのイタズラだと思ったそうだ。

彼らがハーレムのナショナル・ブラック・シアターでのイベントに参加していることを突きとめ、ついに直接会うまで漕ぎつけた。彼らは15日間の団体旅行のガイドを務めることに同意してくれた。カイロ、ルクソール、アスワン、その他ナイル川流域の都市を回るのだ。時期は、子どもたちの学校が休みで、かつスウィズとわたしのスケジュールが調整できる8月に決めた。

「ベイブ、君を愛してるよ」

とスウィズは言った。

「これが俺たちにとって、人生で二度とないような旅になることも分かってる。でもさ、8月のカイロって気温43℃だって知ってる?」

現地に住む友人から、旅行するには最悪の時期だと言われたらしい。

「だってエジプトだもの」

とわたしは笑いながら答えた。その日は2人とも暑さ真っ盛りのアリゾナにいた。

「でも今だって43℃くらいあるわよ。この暑さに慣れてね」

　夫は承知し、わたしたちはフライトを予約した。出発が近づいてくると、アルバム『Poison』を制作中だったスウィズが15日間フル参加できない可能性が出てきた。

「全部一緒に回れたら嬉しいわ。でも何日か遅れても、それはそれでかまわない。あなたが決めたことに賛成する」

　とわたしは言った。心からそう思って言ったのだ。でも彼のアシスタント、モニークは承知しなかった。彼女はうちの家族の一員みたいな人で、何ヵ月も前からこの旅の企画を手伝ってくれていた。

「最初から最後まで参加しなさい」

　と彼女は冗談ぽくスウィズに命令した。

「アリシアとわたしはずーっと前からこれを企画してきたんだから」

　いくつかの予定をずらせることになり、結局彼も初日から参加した。

　旅のメンバーは幅広く誘った。加わった仲間は……ナス、エジプト、ジェネシス、ニコル、KJといった子どもたち。スウィズの祖母であり一族の家長でもあるサンドラおばあちゃん。わたしの母。弟のコール。わたしが名づけ親になった娘とその母親。友人ナキとニハイク、彼らの息子ニエン。そしてもちろん、ベン博士のビデオを紹介してくれたポピとスウィズの母キム（子どもたちはナナと呼んでいる）。

２００６年の一人旅と比べ、何という違いだろう。この迫力ある17人の仲間たちで、探検とバカンスが交錯する旅に出るのだ。マルガリータを手にビーチで寝そべっているのが誰よりも好きなわたしだが、今回はそういう旅ではない。これは人生に一度あるかないかの冒険、旅する教室なのだから。

カイロは予想していたとおり、かまどの中のように暑かった。着いた日は38℃。ちょうど「イード・アル＝アドハー」という、４日間のメッカ巡礼の最終日で、国を挙げて祝祭が行われていた。とても学ぶどころではなく、街はパーティモードに突入していた。夕方頃から家族や友人が集まってタヒニやクスクス、カレーなどの美味しそうなご馳走（ちそう）を囲み、翌朝まで食べ、歌い、祝う。そして日の出からお昼すぎまでは、人口１２００万人の都市がしんと寝静まる。午後になると目をショボショボさせた人たちが再び繰り出してきてお祭り騒ぎがはじまる、というわけだ。

朝の静けさは、わたしが10年前にここを訪れたときのカオスとは対照的だった。当時は信号や車線もあまりなく、車は割込みし放題で、１台のバンに大家族が詰め込まれ、立ったままシートベルトもせずに走ったり、タクシーのすぐ横にロバに引かせた荷車がいたりした。

暑さをなるべく避けるため、わたしたちは日の出とともに活動を開始した。まず朝７時きっかりに出発し、車でその日の観光先へと向かう。現地に2時間滞在し、ホテルに戻って昼食を取り、子どもたちはプールで遊ぶ。その後、夕方には翌日の訪問地に着いて、アシュラとメリラから貴重なレクチャーを受ける。スウィズはまったく早起きタイプではないのに、旅の間毎朝6時には着替え終わっていた。それだけこの旅に入れ込んでいたということだ。いちばん熱心だったのはわたしだが、ポピもこの旅に興奮冷めやらぬ状態だった。

レクチャーには子どもたちも参加したが、じっと座っていられるのはせいぜい30分が限度で、後はダッシュで遊びに行ってしまう。わたしは夜の時間が大好きだった。ブラッドオレンジみたいな月の下でリラックスしながら、今学んでいることについての深い会話を心おきなく続けた。

初めてのエジプト旅行のときにも、世界最大の宗教施設であり、いくつもの神殿が集まるカルナックを訪れた。今回は、ケメトの視点から見たこの神殿について、驚くような再発見をすることになった。ケメトでは「神聖な家」を意味する「イペト＝イスゥト」と呼ばれるカルナック神殿の壁は、精緻なヒエログリフで覆われている。これはアシュラが言うところの「石に刻まれた書物」であり、消去不可能な古代の新聞のようなものだ。ケメトがみずからのレガシーを記した、永久的な記録である。

何世紀にもわたり、その時々の征服王朝は神殿を冒とくしてきた。炎で黒くすすけた壁に弾痕が残っている箇所も見られる。しかし、ギリシア人も、ペルシア人も、ここを征服したあらゆる者たちも、この遺跡に書かれていることを完全に破壊することはできなかった。世界のおもな宗教の教義の多くを、最初に文字に記録したのはケメトなのだ。

実際、古代において、イペト＝イスゥトは世界の文化の中心地とみなされていた。それなのに、最近の学説によれば、昔のエジプト学者たちは、古代ナイル文明は洗練されたものではないと定義づけてしまった。わたしの先祖たちが何千年もの間、王と女王（ネスとネサ）として君臨した土地だ。

古代ギリシア人たちがケメトから学んでいたのは明らかだ。ギリシアやローマの哲学者たちがイペト＝イスゥトやイシスの神殿にもうけられた大学で、ときには何年も過ごしていたことは、記録にも残っている。ソクラテス、アリストテレス、ヒポクラテス、プラトン、ピタゴラス、ホメロスは皆、ケメトの学問制度で学んだ。これは、４５００年にもわたって発展した、膨大な知識の宝庫で、数学、物理学、超自然学に関する高度な原理の蓄積だ。ヒポクラテスという名前は、イムホテプ（サッカラのピラミッドを設計した占星術師・建築家）のギリシア名でもある。

最初に科学的な医学をはじめたのは、本当はケメト人だった。ギリシア人の何千年も前に診断法を取り入れていたのだから。ホメロスの有名な叙事詩『イリアス』『オデュッセイア』

も、その起源はケメトにある。そしてローマ数字に至っては、ケメト人が生み出した数字に衝撃的なまでによく似ていた。

様々な場所を訪れ、アシュラからレクチャーを受けるたびに、ケメト人の発明がいかに現代社会に反映されているかを知って衝撃を受けた。建築手法、灌漑システム、計算と幾何学、占星学、医学、宗教、そして政治。ひとつひとつ学びが増えていくことが、本当に素晴らしかった。古代ローマの哲学者の中には、ケメトを古代世界の学問の中心地だと認めていた人もいる。たとえばアリストテレスは著書『形而上学』の中で、ケメトを「数学のゆりかごである――つまり、ギリシア文明における数学の源である」と記している。

西洋社会がアフリカ人を隷属化する過程で、ナイル文明とケメト文化が果たした大きな役割を過小評価し、アフリカ人との系譜も隠そうとしたのではないか、と考える歴史学者もいる。わたしはこの分野の専門家ではないし、世界の歴史の詳細や解釈をすべて理解しているとも思っていない。しかし、この旅の間に見たり聞いたりしたことは、自分が今まで教えられてきた歴史に疑問を抱くにはじゅうぶんだった。

わたしはケメトのスピリチュアリティにも強く惹かれた。形而上学的なものの考え方で、男と女のエネルギーの交流を何よりも重要視している。女性なしには男性は存在せず、すべての創造物には男女それぞれの要素がある。男の神が作られるときは、女の神も作り、それぞれが平等に何かをつかさどる。ケメト人はまた、物事はつねに変わりながら続いていくもの、と信じていた。人は母のお腹にいるときから墓場まで、ひと呼吸ごとに生まれ変わるのだと。

これがわたしには、すんなり腑に落ちた。実際、ケメト人の信条や考え方の多くに、自分の感覚と近いものを感じる。生きているすべてのものには振動周波数がある（わたしはこれをバイブ、雰囲気と呼ぶ）。生命にはリズムと流れがある。すべての原因には結果が伴い、どちらかだけ取ることはできない、など。

エジプトに滞在したほんの2週間で、当時3歳だった小さなジェネシスは目に見えて成長した。ギザのクフ王のピラミッドに行ったとき、彼はその小さな足で急な階段を一歩ずつ上がり、抱っこをせがんでぐずることもなく、てっぺんまで上りきった。歴史の授業はあまり理解できていなかったようだけど、1人で何かをやり遂げるという大きな進歩を見せた。エジプトとＫＪは教わった内容に熱中し、見聞きしたものがいかにすごいのかを理解した。

わたしたちはそれぞれ、カルトゥーシュのレプリカを受け取った。カルトゥーシュは、別名「シェヌ」とも呼ばれる両面のペンダントのようなネームプレートで、ケメト人が王や女王の棺につけていたものだ。

「あなたのシェヌには何と入れてもらうの？」

とエジプトに訊いた。

「片面にはエジプト」

と息子は誇らしげに言った。

「そして反対側にはケメトだよ」

彼は先祖とつながっていたのだ。

後に、スフィンクスを訪れたとき、ジェネシスがネフェルティティとツタンカーメンの小さな像が店に並んでいるのを見つけた。

「ママ、僕の先祖たちだよ！」

と指さしながら言う。わたしはにっこり笑ってうなずいた。わたしたちは皆、先祖の歴史に新たな誇りを抱いて、ケメトを後にした。70代半ばのサンドラおばあちゃんでさえ、旅の終わりに、

「わたしはずっとここにくるべきだったんだわ」

と感慨深げに言った。彼女の中で足りないような気がしていた何かが、満たされたのだろう。これまでずっと、黒人は勝利者よりは犠牲者として、革新者よりは犯罪者として、かつての憲法のもとで白人の5分の3人分としてしかカウントされない人種として描かれ、イメージを植えつけられてきた。それが今、真実の歴史を見、聞き、知ることによって、あら

ためて胸を張って先祖を誇れる。王の気品が自分のＤＮＡにあると知ることで、夢はより大きく広がっていく。そして誰かに押しつけられた先祖の歴史でなく、自分自身で真実を探究することがいかに大切か知ることができた。

自身の系譜に誇りを持つことは、誰かと分断することではない。つながることだ。今この世界に生きている1人ひとりが、同じエネルギーの流れ、ケメト人が強く信じていた命のリズムの一部なのだ。わたしたちが見上げる空は皆同じ。価値観は違っても、それ以上に共通点もたくさんある。そして偉大な先祖に誇りを感じるからこそ、その尊さをコミュニティで分かち合い、自分がどこから来たのか、その歴史を学ぶことで、今生きている世界でベストを尽くすことができる。

自分の真の価値を知ってこそ、人は顔を上げ、この地球上に生きるすべての人と肩を並べて歩いて行くことができるのだから。ケメトからの帰途につきながら、わたしは世界中の人がエジプトを訪れることができたらいいのに、と思った。われわれがたがいにどれほどつながり合った存在であるかを理解するために。

わたしは、古代の祖国のスピリットを胸に抱いて帰国した。今すごく自由を感じているということは、自分という人間の核の部分に近づいているのだろう。もう、自分ではない誰かのふりはしない。めいっぱい、自分という人間になるのだ。わたしは誰か。有力な女性のファラオ、ハトシェプストの子孫。歴史とミステリー、知性と精神性に包まれた文明の娘。いと高き神、そしてすべての創造の源となった女性の子。そしてあらゆる言葉と意志を持って、わたしは傑作という名のわたしの人生を作り上げる。

19

完全な輝き

FULL WATTAGE

ミシェル・オバマの話

アリシアの真の姿を見たのは、娘たちとともにニューヨークの彼女のレコーディングスタジオを訪れたときよ。当時、わたしたちはバラクの再選活動の真っ最中だったので、ちょっとした息抜きの気分だった。アリシアにはすでに何度か会っていた。バラクが初当選したときの就任式をはじめ、わたしたちの式典やイベントで歌ってくれたり、ホワイトハウスの育成プログラムを一緒にプロモートしてくれたり。でもスタジオに行って何をすればいいのかはよく分からなかったわ、すごく素敵な歌が聴けるかもしれないという以外にはね。

彼女が制作中だったアルバム『Girl on Fire』は聴いた瞬間から夢中になった（今も大のお気に入りのひとつ）。でもそれ以上に、アリシアのスピリットをそこに感じたの。彼女の息子エジプトはこの上もなく楽しそうにそこら中をヨチヨチ歩いてた。彼女の母テリもそこにいて、わたしや娘たちとおしゃべりしたのよ。

アリシアは人生における様々な役割（母、娘、友人、パフォーマー）を、ナチュラルに優雅に演じていた。自分を必要以上に良く見せようとせず、セレブリティにありがちなガツガツした感じもない。そこには素のアリシア、軽やかさ、可愛らしさ、創造力とパワー、平和と希望があった。スタジオで会ったとき、そのすべてが本物だと分かったの。ときとともに、わたしたちはより親しくなっているわ。アリシアは彼女にしかできないやり方で輝き続けている。今は家族の人数も増え、賞もさらにたくさんもらっている。それでも大きな問いに向き合おうとする彼女に、わたしは感銘を受けているの。わたしの目的は何？　人のために何ができる？　この名声をどうやったら良いことに使える？　問い続けることで、たとえ答えが見つからなかったとしても、誰もが求めている真実のわずかな兆しは見えてくると思う。そして自分の音楽とソウルを表現することによって、アリシアは自分でも気づかないうちにみんなを真実へと導いているのよ。

「わたしがグラミー賞授賞式の司会をしたときのこと、覚えてる？」こんなセリフが言える立場になるとは夢にも思わなかった。２０１９年2月、第61回授賞式の冒頭で、わたしはアーティスト仲間の女性たちと腕を組んで登場した。ジェイダ・ピンケット・スミス、レディー・ガガ、ジェニファー・ロペス。そして永遠のファーストレディ、ミシェル・オバマ。本当の感動はこの瞬間だけでなく、ここに集うことになるまでのストーリーだった。

女性たちの素晴らしい連帯が実現したのは半年前の秋、アンがこう言ったことからはじまった。

「授賞式の司会をやってみたいって思ったことある？」

アンはわたしの音楽面でのパートナーであるだけでなく、グラミーの理事も務めていた。

「決まってるじゃない、もちろんよ！」

とわたしは答えた。

「むちゃくちゃ楽しそう」

「よし、分かった。理事会が司会者を探してるのよ。あなたを推しとくわ」

前回まで2年連続で司会を務めたジェームズ・コーデンは、今回は登壇しない。他の名前も色々挙がってるんだけどね、とアンは言った。

「だったらそこにわたしの名前も入れてくれない？　特に今年は素晴らしい女性アーティストたちが大勢ノミネートされてることだし、ね？」

マネージャーの1人にこの話をした。

「ねえ、グラミーの司会ってどう思う？　やばくない？」

彼は賛同し、その話についてCBSにかけ合うと、彼らはこう提案してきた。誰か別の人と一・緒・に司会をするのはどうでしょう？　と。

それは違うと思った。わたしの人生の目的は、自分らしさをめいっぱい出して、自分の輝きは自分でつかむことなのだから。そこで、1人でもかまわないならぜひやってみたいと返事をした。

12月になって、そのマネージャーから電話がかかってきた。

「1人での司会ということで、オファーが来ましたよ」〈やった〉しかしその電話をもらった頃には、ちょっと迷いはじめていた。他の信頼できるスタッフにも相談したところ、反対意見がかなりあったのだ。

「司会っていうのはどうかな？」と別のマネージャーは考えていた。「君がミュージシャンという本業から遠ざかってしまったように見えるのでは？」

スウィズですら、あまり乗り気ではなかった。

彼らの懸念の理由は分かっていた。グラミー賞の司会は大変な仕事だ。局側が求めるものと、自分が演出したい形の間でうまくバランスを取らなくてはならないからだ。わたしはやれると思っていたが、スタッフの意見を聞いた後で悩んでしまった。そこで、長年の友人でありわたしの会社の社長でもあるＤＪウォルトンに相談してみた。

「俺に言わせれば、悩むような問題じゃないな」

と彼は言った。

「君なら絶対うまくやれるよ。心の声が『イエス』と言ったのだろ？『イエス』が聞こえたらそれに従うのが君のこれまでの生き方だったじゃないか」

彼の言うとおりだった。最初に話を聞いた瞬間、イエスは心の中で鳴り響いていたのだ。それが周囲の人たちに相談し様々な意見を聞いているうちに、迷いが出てしまったのだ。

わたしは瞑想を行うことにした。「明日には結論を出すわ」12月はじめにスタッフに告げた。静かに座り、自分のスピリットに向かって、これが正しい道なのかを訊いた。外から情報や意見をもらうのは自分を見失わないためにも必要なことだ。フィードバックも大事。けれど、最終的な判断は自分で下さなくてはならない。日の出の時刻、寝室の静けさの中で、わたしの心がイエスと言った。

「やるわ」とみんなに告げた。この一言で、様々なアイデアが一気に浮かんできた。〈特別感を出すために何をしよう？　「年1回のいつもの授賞式」ではなく、視聴者が忘れられない一夜にするにはどうしたらいい？〉クルーとともに、授賞式の全体的なコンセプトを作り出すところからはじめた。グラミーのプロデューサー側からもアイデアが出された。わたしは自分らしく番組を進行できるよう、専属の台本作家を雇い入れた。同時に、衣装チームがアイデアを練りはじめた。12月、ブレインストーミングの最中にスウィズが入ってきて、ホワイトボードに書かれたアイデアの一覧に目をとめた。

「中には良いアイデアもあったよ」後になって彼はわたしに言った。「でもこれは、ぶっちぎりの成功にしなきゃダメだ。試合がはじまる前から優勝トロフィーはすでに君のロッカーに入ってるというぐらいの。君はあの場に出て行ったら、全部持って行かなくちゃならない」

「何をすればいいかしら？」

とわたしは訊いた。

「ミシェル・オバマに電話するんだ」

「えっ！　何ですって⁉」

わたしは金切り声を上げた。

「今がそのときだよ」

と彼は続けた。

「ミシェルに連絡をして、女性たちの強い連帯の証として一緒にステージに上がってほしいとお願いするんだ」

どこまでもスウィズらしい、キング・オブ・ドリーマーズの意見だった。彼のようにすべてを吹き飛ばすようなことを言い出す人をわたしは他に知らない。唖然として言葉を失ったままのわたしを見ても、彼はこんな感じだった。

「ベイブ、俺は大真面目だよ。おかしなことや争いばかりの今の世の中で、君が影響力ある女性たちを集めて、誰もが共感できるものを称えてみせたら。計り知れないぐらい意味のあることだと思う」

オバマ夫人とは、最近も会う機会があった。ベストセラーとなった回顧録『Becoming』（邦題『マイ・ストーリー』）の宣伝ツアー中、ブルックリンのバークレイズ・センターで行われたイベントに一緒に出てくれないかと頼まれたのだ。わたしは喜んで承諾し、ニューヨーク入りした彼女とランチをして旧交を温めた。そういうわけで、良いタイミングではあった。それでもなお、わたしが彼女にグラミーについてお願いするのは、突拍子もないことのように思われた。

メキシコのトゥルムへ旅行中（スウィズがわたしの誕生日のサプライズとして、短い旅を計画してくれた）、わたしは勇気を奮い起こして彼女に相談したいことがあるとショートメールを送った。すぐに返事がきて、明日なら電話に出られるという。

トゥルムの携帯電話の電波事情はひどかった。普段なら静かでいいわと喜ぶわたしだが、今回ばかりはそういうわけにいかない。オバマ夫人との電話中に通話が途切れたらどうしよう？〈う、考えたくない〉どうか切れませんようにと全身で祈りながら、ホテルの部屋から電話をかけた。

「それで、どうして自分の誕生日にわたしに電話をくれたわけ？」

ミシェルは笑いながら電話に出た。

「何を言ってるの、この電話が人生最高のプレゼントよ！」

声が震えるのを隠しながら答えた。そして、考えている計画を打ち明けた。

「あ、つまり、その……グラミーの司会を務めることになったんです。それで、オープニングをその日最高の、盛り上がる瞬間にしたくて。わたしたち女性の連帯を止められるものは何もないと示したい。そして誰もが音楽を通じてつながれるというメッセージを発信したいの」

そこで、授賞式の冒頭にわたしと、数人の仲間たちとともにステージに立ってもらえないかとお願いした。

「素晴らしいアイデアね！」

と、彼女はためらうことなく答えた。

「確か、2月10日は西海岸にいる予定だったはず。スタッフに確認して折り返すわね」

「来てくれるって！」

ぴょんぴょん飛び跳ねながらスウィズに言った。と言っても、まだ最終的な回答はもらっていなかったけど。それが金曜日のことだった。そして月曜日、最高のニュースが入ってきた。オバマ夫人は出席します。本の宣伝ツアーは日曜日はオフなので、喜んでシアトルからロサンゼルスへと飛びます、と。〈ワオ〉踊り出したいような気分だった。

オバマ夫人以外にも、オープニングでともにステージに立ってくれる最高な女性たちを考えてみた。セリーナ・ウィリアムズ、ミスティ・コープランド、エレン・デジェネレスなど。しかし、プロデューサーたちは、ミュージシャンにスポットを当てたいと考えていた。確かに一理ある。そこでまず頭に浮かんだのはジェイダ・ピンケット・スミス。彼女とはずっと前から親しくしていた。

「あなたのそういう前向きなエネルギー、素晴らしいと思うわ！」

と彼女は言った。

「もちろん参加させて」

それから、ガガに電話をかけた。彼女の返事はこうだった。

「ワオ、アリシア。その企画の裏にある意図は、本当にパワフルで意味のあるものだと思う。参加させてもらえるなんて光栄よ」

そしてジェニファー・ロペスに電話したときには、彼女が時事ネタをちゃんとチェックしていることに感動した。

「一般教書演説で女性議員たちが白い服を着ていたでしょ？（女性参政権運動を象徴する白を着ることで女性たちの連帯を表明した）ああいったことをやれないかしら」

結局服装を合わせることはしなかったけれど、彼女のアイデアはわたしがみんなに声をかけた目的とぴったり合うものだった。一緒にオープニングに参加してくれる仲間を得て、わたしは有頂天だった。

日曜日の本番に至るまでの1週間は、ものすごく忙しかった。わたしは普段、ストレスとうまくつき合えるタイプで、クラシック曲を演奏するとき以外は、パニックになったりビビってしまったりすることはない。でも今回は、今までとは違うレベルの重圧だった。人生で初めて、3時間以上におよぶ生放送番組で、最初から最後まで司会を務めるのだ。

動きなどの段取りもたくさんあり、ひとつ間違えたらすべてが台なしになってしまう。一瞬のタイミングを見計らってビシッと決めなくてはならないのだ。そこに衣装合わせやら、プロモーションやら、演出やらの予定が入ってくる。自分では平気だと思っていたが、身体は正直だ。本番6日前の月曜日、首と右の肩甲骨に激痛が走った。マッサージをし、水を何リットルも飲み、ヨガとピラティスをやってみた。どれも効き目はなかった。さらに、顔じゅうに16歳かと見まごうような吹き出物ができた。

毛穴の黒ずみを気にしているところに、オバマ夫人のスタッフから連絡が入った。元ファーストレディがイベントに参加するには、何重ものセキュリティ項目を事前にパスしなければならない。バックステージ、オンステージ、それ以外の場所すべて。彼女をブックツアー先のシアトルからロサンゼルスのステイプルズ・センターに送り届けることすら、一大ミッションなのだ。彼女のスタッフの話はこうだった。オバマ夫人はあなたに大変な思いをさせるから、今回の予定を辞退したほうがいいのでは、と考えている、と。空から地上に叩きつけられたような気がした。もう一度、彼女に電話しなければ。スウィズも励ましてくれた。

わたしはオバマ夫人のスタッフに連絡し、翌日、リハーサルのためにロサンゼルス行きの飛行機に乗る数時間前に直接話をすることになった。彼女に電話をかける瞬間は、母とアシスタントのアナも同じ車の中にいた。

「今までこんなわたしを見たことがないっていうぐらい、ひれ伏してみせるから」

と笑いながら彼女たちに言った。

「彼女に来てもらうことがどんなに重要なことか、そのためになら何だってする」

3人で短いお祈りをしてから、電話をかけた。ママは祈りの言葉をつぶやいていた。

「ハロー」

オバマ夫人が電話口に出た。そしてすぐに、自分にとって本当に重要なこと（友人のためにステージに登場すること）がものすごく複雑化してしまったことを説明した。シークレットサービスによるセキュリティチェックの他にも、ブックツアーのスケジュールが過密であること、自分が移動するために多くの人の手を煩わせることになること。

「誰もがわたしが快適に過ごせることばかり考えているみたいだけど、これはあなたが輝くための場のはずよ。今のままでは、あなたに負担がかかりすぎてしまう」

わたしはまず、心配してくれたことに感謝し、それから懇願モードに入った。

「もちろん、自分の見せ場は作るつもり。でもあなたの出演はどうしても必要なんです。どうか考え直して。お願いします」

結束が失われてしまったこの国で、女性の連帯を示す力強いメッセージを発信したい、そのことを繰り返し強調した。

「女性同士の連帯は、1人では示せないんです」

と訴えた。

「あなたがわたしをしがらみから自由にしようとしてくれているのは分かります。でもあの場にあなたが来てくれなかったら、逆のことが起こってしまう。わたしは飛べずに墜落してしまうわ。だからお願い……なんとか考え直してもらえませんか？　ご恩はけっして忘れません」

オバマ夫人はため息をついた。

「本当に色々とごめんなさいね、アリシア。スタッフと相談して、折り返すわ」

そしてわたしの懇願から数時間後、奇跡が起こった。オバマ夫人は出席する――わたしは再び有頂天モードに戻った。翌日、わたしが身に着ける衣装の色やスタイルを彼女がテキストメッセージで問い合わせてきたのを見て、本当に現実になることを確信した。オバマ夫人は、リアルにグラミー賞授賞式にくるのだ。

式の冒頭、仲間の女性たちとともにステージに登場した瞬間から、わたしは世界を沸かせるつもりだった。そのための様々なアイデアが出たが、どれもパッとしない。

「全員をシルエットにしておいて、前に出ると顔が見えるという演出はどう？」

と提案してみた。クルーはその提案を試みたが、テレビやストリーミング配信ではうまくいくものの、会場の観客にはシルエットの顔が見えてしまうという間が抜けた結果になった。プロデューサーたちはこれ以上どうしようもできないと言う。わたしは抵抗した。

「絶対にグレイトなオープニングにしたい！」

また試行錯誤がはじまった。４人の象徴的な女性たちとともに登場するオープニングは、格別なものでなくてはならない。その後、わたしたちは当初のアイデアを実現させることができた。

わたしは司会に加えて、演奏もすることになっていた。

「どんなすごい演出を考えてるんだい？」

とトゥルムでスウィズに訊かれた。

「ヘイゼル・スコットがやったみたいに、２台のピアノを弾こうと思ってるの」と答えた。１９４３年の映画『The Heat's On』でヘイゼルが２台のベビーグランドを同時に弾くのを観て以来、わたしは彼女のファンだった。トリニダード・トバゴ生まれのクラシックおよびジャズ・ピアニストだった彼女は、新しい境地を切り開いていった。レナ・ホーンとともに、ステレオタイプな黒人役を演じることを拒否した初めての役者であり、１９５０年には『ヘイゼル・スコット・ショー』の進行役を務めて、アフリカ系アメリカ人として初めて自分の番組を持つことになった。

２台のピアノを弾く姿がかっこよかっただけでなく、先駆者のスピリットをグラミー賞のステージに反映させたいという気持ちもあった。そこでヘイゼルへのトリビュートとして、スコット・ジョプリンの「The Entertainer」を２台のピアノで弾くことにした。

その週は、ロサンゼルスからニューヨークへ、そしてまたロサンゼルスへと、移動する先々に２台のキーボードを持っていき、練習した。月曜日は、弾き方に慣れるのに精いっぱいだった。右手でト音記号、左手でヘ音記号を弾きつつ、両足で両方のペダルを踏む？　あらためてヘイゼルを尊敬した。火曜日には、自分らしい弾き方がつかめるようになった。でも何をテーマにしよう？　１９５９年に第１回グラミー賞がはじまって以来の最優秀楽曲からいくつか選ぶことを考え、まずはナット・キング・コールの傑作「Unforgettable」に行きついた。娘のナタリーとデュエットしたバージョンは１９９１年に複数のグラミー賞を獲得している。そこからスタートして、わたしがインスピレーションを受けた女性アーティストをたどってみた。

ニーナ・シモンやパトリース・ラッシェン……。彼女たちも素晴らしいけれど、もっとインクルーシブにしたかった。そして結果的に、自分が書きたかったと思う曲を集めてメドレーにすることにした。ナット・キング・コール、ロバータ・フラック、ローリン・ヒル、ジュース・ワールド、ドレイク、エラ・メイ。そしてメドレーの最後は「Empire」のコーラスで締めくくる。

頭の中で組み立てたときは、最高のアイデアだった。でも実際に演奏してみるとまったくまとまらない。２台のピアノでヘイゼル・スコットのナンバーを弾きはじめるのだが、そこから他の曲にスムーズに移行することがどうしてもできないのだ。２台のピアノを活用できなければ意味がない。さらに、このメドレーのために与えられた時間が5分しかないという問題もあった。日付が変わる直前、音楽ディレクターのアダム・ブラックストーンに言った。

「明日このメドレーをやってうまくいかなかったら、本番で演奏するのをやめるわ」

木曜日の朝早くにセットに入り、メドレーから何曲かをはずして、ピアノとピアノの間をスムーズに動く練習をした。１００％満足のいく出来ではなかったけれど、ストリームラインで入ったバージョンはまあまあだった。番組プロデューサーのケン・アーリッチ（わたしがこの業界に入った当時から知っている人でもある）が来て、わたしの通し演奏を見ていた。

「これは特別なショーになるよ」

と彼は言い、そこから様々なアイデアを出しはじめた。こんなのはどう？　こういうの考えたことある？　彼の提案をいくつか採り入れて、再び演奏した。6分かかったのに、彼は一言もコメントしなかった。満足しているのは明らかだった。まだ不安定な箇所はあるが、これを「グレイトな」から「ぶっちぎりの」出来にするのに、まだ2日ある。金曜日から土曜日の夜にかけて、わたしはほとんどの時間をピアノの前で過ごした。首の痛みはようやく消えた。

本番当日がきた。朝はいつものように、瞑想からはじめる。わたしはこの日のために、グル・ジャガット師と1対1のセッションまで行っていた。〈世界はこのエネルギーを受け取る権利がある〉と繰り返す。〈そしてわたしはこの場に立つだけの価値がある〉そう、わたしはあの場に立ったのだ。

あの夜、「Superwoman」の曲に合わせて登場し、スクリーンが左右に開かれて4人の女性たちのシルエットが現れると、目に涙があふれてきた。思い描いてきたことが実現したのだ。想像してきたことが、そのまま現実となって目の前にある。現実は、夢よりずっと夢のようだった。〈この大舞台のはじめから泣いてはダメ〉とずっと自分に言い聞かせていた。耳をつんざくような拍手を胸に刻み、怒濤(どとう)のように押し寄せる涙をこらえながら、わたしは友人たちと腕を組み、列の真ん中に立った。

それからの3時間は、まさにガールズパワーだった。ドリー・パートンとアレサ・フランクリンへの心温まるトリビュート。豪華な赤のドレスに身を包んだダイアナ・ロスの心からのパフォーマンス。すごいギターとムーンウォークで観る人をあっと言わせたジャネール・モネイ。ギラギラのボディスーツで観客を沸かせたレディー・ガガ。クロイ&ハリーが故ダニー・ハサウェイに向けて歌う「Where Is the Love」。数多くの女性アーティストが、トロフィーを手にし、夢を実現させていた。そしてわたしは、2台のピアノを前に、音楽の他に類を見ないパワーに、そしてわたしに音楽を教えてくれたあの街に、敬意を込めて歌った。

グラミー賞の司会をするのは名誉なことだ。次の司会者にマイクを渡した後も、その経験から学んだことは生き続けている。当日に至るまでの日々は、わたしを大きく成長させてくれた。心の声が「イエス」と言うのを聞いたとき、ついにその声に従う勇気が持てたのだ。何百万もの人を前にしたステージに立てるのは自分しかいない、それをかたく信じることができたとき、多くの人が加わり支えてくれた。

わたしはそこそこのところで手を打つことをやめ、最高のものを求めた。地球で最も素晴らしい女性の1人に電話をかけ、厚かましいお願いをすることさえした。もう何年も前から、わたしの日課である祈りの内容は同じ。最高バージョンの自分になれますように。日を追うごとに、もっと明るく輝けますように。薄暗い光ではなく、最高に明るい光で照らすことができますように。祈りを実践できているかの神様からのテスト、今回は合格できたと思う。

自分を発見する道のりは平坦（へいたん）ではない。一歩前に、三歩左に、少し戻って前へと飛ぶ。電球のように明るく照らされる日もあれば、次の日には真っ暗闇。自分に価値があることを信じているけれど、だからと言って永遠にその立場にいられるわけではない。そこにい続けるために努力が必要だ。

今も、自分の良いところを隠そうとしてしまうことがある。少し前、そのことで発見したことがある。わたしは家にいて、心いやされる茶色の部屋にいた。壁、ラグ、ソファなど、すべてが茶色の部屋だ。しばらく連絡を取っていなかった弟コールと話をしていた。「それで、元気にしているの？」「最近何かやってる？」「嫌なことはない？」おたがい楽しく近況報告をしていた。その会話の最中（そのとき何の話をしていたかも思い出せない）に突然、わたしが今までどれだけ自分を抑え込んでいたかに気づいたのだ。周囲の人がまぶしい思いをしたり、嫌な気持ちになったりしないように、あえて自分の輝きを消して生きてきたことを。

音楽のキャリアを歩み出したとき、わたしはまだものすごく若かった。人生のすべてが文字どおり一夜にして変わると、絶対に昔の友だちに嫌われたくないと思うようになった。足元の地面がどんどん動いていく中で、見慣れたもの、自分のベースになるものを求めていた。ママとケリーはもちろん協力的だったし、エリカはわたしと喜びを分かち合ってくれた。それでも、最も身近な人たちでさえ、わたしにとって世界がどれほど大きく変わってしまったかを理解することはできなかった。

あまりにも多くのことがあまりにも速いスピードで変わっていく中にあって、変わらないでいて欲しかったただひとつのことが、育った界隈とのつながりだった。近所の人たち、学校の友だち、同じアパートの住人たち。自分でもそうと意識しないまま、わたしは友人関係のバランスを変えたくないがために、自分を変えてしまっていた。

それは誰も気づかないようなひっそりとした変化だった。「ねえ、毎日すごいことがたくさんあるんでしょ、アリシア？　あなたはもう別の世界に行っちゃったんだものね」と友だちに言われるたびに、それを打ち消した。

「そんなにすごくないよ。疲れるし。いつも働いてばかりいるし」それがわたしの生きる術だった。〈わたしが経験してることなんて、大したことじゃないよ〉そう言いながら、仕事で海外に行き、ずっと憧れてきたレジェンドに会い、数百万ドルもの取引交渉が行われる役員会に同席していたのだ。あの頃、わたしの友人や周囲の有望なミュージシャンの中で、そのような立場にいた人はいなかった。クライブとの契約書にサインしたり、オプラの番組に出演するチャンスをもらったりする人はいなかった。わたしが手にしたチャンスは、周囲の誰も手に入れたことがなかったものだった。

しかし、自分が手にしたミラクルを享受する代わりに、わたしは萎縮してしまった。経験したことをすべて話し、ためらわずに喜びを爆発させたら、周囲の人たちはわたしから遠ざかってしまうのではないか、と恐れていた。キャリアが長くなるにつれ、その傾向は音楽業界とのつき合い方にも表れるようになった。〈そんなにたくさんいりません。豪華にしないでください。小さなピアノと、椅子と、水があればじゅうぶんです〉ある意味、それは本当だった。わたしは派手好きな女の子ではなかったから。でも、心のどこかで、自分はそれほどの人間ではないと卑下していたこともまた真実だった。

長年、それは単なる謙遜、慎み深さだと思っていた。自分のことをうぬぼれた、自分にしか関心がない人間だとは思われたくなかった。われわれ女性はそのようにして育てられる。多くを欲してはいけません。手柄を欲してはいけません。人より目立ってはいけません。でもあの日、ソファに座って弟と話しているときに、今まで謙遜だと思ってきたことはじつは隠蔽だったことに気づいたのだ。自尊心が欠けていることを覆い隠すためのマスク。それは大きな発見だった。

わたしの場合、自分には価値がないという感覚は子ども時代に植えつけられたものだった。クレイグは自分の生活が忙しい中でもわたしを気にかけてくれたが、父親の不在はわたしの心に穴を開けたのだ。

たとえそれが仕方ない状況であっても、親がそばにいなければ子どもはこう思うものなのだ。〈わたしにその価値がないから、会いに来てくれない。わたしは大事じゃないのね〉そしてアイデンティティが形成されつつある年頃に、わたしはそれと並行してこうも思うようになっていた。〈あなたがわたしを大事にしないということは、わたしは価値のある存在じゃないってこと〉わたしの人生の旅は、この見方を変えること、そして両親から植えつけられた他の思い込みを整理することに、その多くを費やしてきた。

「あなたが向き合わなくてはならない人は2人だけです」

カウンセラーから最近言われた。

「あなたの母親と父親です」

わたしに命をくれた男と向き合い、おたがいに新しい関係を築くため努力を重ねる中で発見したことがある。クレイグも、愛するママも、これからわたしがどこへ行くのかに関して責任を負うものではないのだと。自分の人生をフルに自分らしく歩むことを可能にするのは、自分自身なのだ。

人生では、欲しいものをねだっているだけでは手に入らない。それを信じることで手に入れられるのだ。そして自分が自分の何を信じているかは、それぞれが発するエネルギーに現れる。部屋に入って行くときの歩き方。コミュニケーションの取り方。「わたしはここにいるべき人間じゃない」と感じていたら、ボディランゲージを通じてそれは伝わってしまう。会議室で胸を張って座るか、部屋の後ろに隠れるように座るかで分かってしまう。

わたしも、心の中で「あるがままのミニマムで結構。それ以上はいらない」と思っていた時代がある。自分が輝くことを恐れ、自分の輝きを疑っていたために、みずから成長を止めてしまっていたのだ。22歳のわたしが、自分に価値があると思うかと問われていたら、わたしははっきりと誇らしげに「イエス」と答えただろう。しかし、「女性としての価値」を声高に宣言しても、自分自身のことはあんがい分かっていないものだ。

色々な意味で、わたしは豪快な人生を生きてきた。夢にも思わなかったような経験をたくさんし、最高の瞬間に何度も立ち会った。それでもわたしにできることはまだたくさんある。成長できる方法もある。そして学び続けている限り、もっともっとと欲することは許される。今わたしたちが立っている場所まで道を拓(ひら)いてくれた先人たちもそうしてきたのだ。

「控えめ(modesty)にする必要なんてないわ」

と、マヤ・アンジェロウは言った。

「でも謙虚（humility）でいることは大切。謙虚さは心から出るものだから。わたしより前に生きていた人たちがいて、その人たちのおかげで今のわたしがいる。わたしにはやるべきことがあり、それを実行する。なぜなら、それが次の世代の誰かのためになるだろうから」

自分の光をあえて暗く見せてしまえば、誰かのために何かをすることができなくなる。それは、その誰かに対する不利益だ。なぜなら、あのたぐいまれなマヤがそうだったように、輝きを放つ人のそばにいると、自分ももっと輝こうと思えるから。自分を尊重し大切にするエネルギーは伝染するのだ。

キャリアをスタートさせた当時、わたしは自分がとても未熟だと思っていた。それでも19歳の頃は、最も大切なことだけは分かっていた。自分の中心にいるわたしという人間だ。20代の頃よりも、本当の自分に近かったと思う。

20代以降のわたしのすべてが本当の自分ではない、とまで言うつもりはない。ただ、周囲を満足させたいという気持ちから、自分ではなく自分を取り巻く世界を判断基準にしてしまっていた。〈こんなふうな服装、言葉遣い、歩き方、話し方をしたら、みんなから好かれるだろうか？〉30代に入り、「Girl on Fire」のモードになって初めて、わたしは再び真の自分へと戻っていくことができた。

アルバム『HERE』のジャケットに写るわたしは、ヒッピーらしいヒッピーを前面に出しているのが分かる。あの扱いにくいアフロ。ありのままの、晴れやかな顔。わたしが言いたいことを表現できた、神がかったセットリスト。

これがわたしだ。本当はずっとここにいた自分。なのに、そのスピリットと再び出合うために、長い旅に出ることになった。何かに適応できなくたっていい。誰だってそうだ。1人ひとりの個性は傷ではなくて、その人を魅力的に見せる美しいほくろ。1人ひとりの違いは、自然で、力強くて、見事な、ありのままのその人なのだ。

おわりに

他の誰でもない自分であろうとすることは、昼夜を問わず人を皆似通ったものにさせようとしてくるこの世界にあって、ハードな闘いに挑むことを意味する。人間なら誰でも参加できる闘いだ。成長し、本当の自分になるためには、勇気が必要なのだ。

——E・E・カミングス〈詩人・劇作家〉

最近夫が口走った言葉は、今思い出しても笑ってしまう。

「君はイタリア人だってこと、誰にも言わないんだね」

何の脈絡もなく突然そう言ったのだ。

わたしは読んでいた本を脇に置いて、彼をじっと見た。

「え?」

「自分にはイタリア人の血が入ってるって、誰かに話すのを一度も見たことないなって」

「そんなことないわ」

そもそもわたしの民族性が話題になるなんていつ以来だろうと考えながら、答えた。「それに、わたしが半分イタリア系だってことは、みんな知ってることよ。言う必要ないでしょ？」

母の母国を訪れるたび、イタリアの人たちはわたしの出自を理解し、歓迎してくれた。

「でも実際に自分で言ってるのを聞いたことないよ」

夫は食い下がった。

「何が言いたいの？」

にっこり笑いながら訊く。

「自分のあらゆる面を受け入れたほうがいいんじゃないかと思ってさ」

と彼は答えた。

「それだけだよ」

スウィズが何を思って突然そんなことを言ったのかは分からない。でもそれがきっかけとなって、わたしは自分のアイデンティティについてあらためて考えるようになった。本当のところ、わたしたちは何者なんだろう？　わたしたちを作り上げている様々な要素は何なのだろう？　それらの要素のうち、どれを受け入れてどれを退けているのか、そしてそれは何を意味するのか？　多くの人は自分のある一面だけを表に出したがるため、別の面はおのずと陰に隠れてしまう。わたしにとっての後者は、明らかに無意識なものだった。自分でも気づかないうちに自己の一部を除外し、それについて話すこともなくなっていたのだ。それに気づいたこと、疑問に感じたことが、7枚目のアルバム『ALICIA』のコンセプトとなった。『ALICIA』は（わたしにとって、そして全般的にも）音楽を通じたアイデンティティの模索だ。わたしは長いこと、自分のすべてを見せることに慎重だった。見せようとするのは穏やかで理性的なアリシアであり、クレイジーで怯えた、激怒して大声を出し、叫ぶアリシア（つまり完璧ではない自分）は見せないようにしていた。

わたしが強く、情熱的で勇敢な人間であることは間違いない。しかし、バスルームの床に突っ伏して泣きじゃくり、弱音を吐くのも、またわたしなのだ。自分の足で立ち上がり、次の一歩を踏み出せないときだってある。このアルバム、この人生の一片は、こうしたわたしの弱い部分、裏の面を受け入れるというコンセプトで制作した。

『ALICIA』に収録されている曲はすべて、歌詞もリフレインも、何らかの形でわたしという人間を表現している。DJキャレドと、チャイルディッシュ・ガンビーノのプロデューサー、ルドウィグ・ゴランソンとともに書いた「So Done」には、わたしのアイデンティティが見え隠れする。この3人でコラボレーションしたのは、このアルバムが初めてだった。セッションから生み出されたのは、フレッシュでソウルフルなエネルギー。それは「I'm living the way that I want」という力強い叫びに結実している。

この一節は、今のわたしを的確に表していると思う。他人の期待や評価、自分はこうあるべきという他人の考えを気にしないようにすること。ひと呼吸ごとに、古い自分を乗り越え、新しい自分を迎え入れる。「Show Me Love」は「Diary」っぽさが感じられる曲で、その音からは真のわたしが伝わってくる。誰もが最も欲しているもの（あるがままの自分を愛し、見つめ、受け入れてもらうこと）を肯定した曲だ。

アルバム制作中は、スタジオに立ち寄ってくれた友人たちに曲を披露していた。そして何人もの人たちから、同じ感想をもらった。

「本当にあなたらしい曲。今まで聴いたことがないぐらいあなたらしい」

アーティストとして、これ以上の誉め言葉はない。レコーディング中は、自分の創造力を前面に出しながらも、みずからのＤＮＡに正直になろうと考えた。アルバムに自分の名前をつけたのもそのためだ。わたしはついに、フルに自分自身になることができた。このアルバムは、わたしというユニークな存在を細部に至るまで表現した作品だ。

キャレドとルドウィグ以外にも、多くの人たちとコラボレーションをした。アーティストとして駆け出しの頃は、ひたすら１人にして欲しい、誰もいない場所で曲作りをしたいと思っていた。その気持ちのほとんどは、恐れからきていた。自分の声がかき消されてしまうのではないかという恐れ。誤解されたり、絶対にフィットしない枠にはめられたりしてしまうという恐れ。誰かの前で、感情を丸裸にされてしまうことへの恐れ。

7枚目のアルバム制作に取りかかった今、わたしは一周回ってここにいる。最近では恐れの代わりに自由を感じるようになった。アーティストとしても女性としてもアイデンティティを確立し、以前のような不安はない。それどころか、色々な人たちとつながり、アイデアのやり取りがしたくてたまらない。それで音楽にどれだけ深みが出てくることか。

アルバム作りにどっぷりと浸かっている最中、ジョニー・マクデイドにも参加してもらった。彼はピンクやエド・シーランとも曲を書いている優れたシンガーソングライターであり、バンド、スノウ・パトロールのメンバーでもある。わたしにとって彼が特別な存在なのは、ワールドクラスの耳を持っているからだ。

パワフルに音を聴ける能力は、すべての傑作の根底にある。それに、彼はアイルランド人だ。わたしは昔からアイルランドの人たちに惹かれてきた。南部の黒人を思い起こさせるから。ケルトの伝統的な民族音楽の歌詞やリズムを聴いても分かるように、彼らにはディープなソウルがある。まるでブルースのようだ。純粋で、素朴で、詩的で、じんわり効いてくる。

ある日、夕日がハドソン川を赤く染める頃、ジョニーとわたしはスタジオのテラスに出て、ニューヨーカーたちが歩道をそそくさと歩くのを見下ろしながら、色々な話をしていた。話は世界中のあらゆる人々の話題になった。与える人と受け取る人。建てる人と破壊する人。夢見る人と傍観する人。

わたしは、すべての人に自分らしさを発揮して欲しいと願っている。誰もが与え、建て、夢見る人であって欲しいと。でも現実はそうじゃない。人生の中で、思ってもいない状況にはまってしまう時期もある。それに、人の考え方や行動形式はそれぞれ大きく異なっているものだ。それはそれで良い。わたしも、いわゆる完璧（すべてのものがつねに美しく秩序だっているべきだという考え）は現実的にはあり得ないということを、受け入れるようになっていた。

その日ジョニーと話した内容が「Authors Of Forever」という曲につながった。歌詞はこんな感じだ。

「わたしたちは迷える孤独な人々、そして理由を探している、でも大丈夫／夢見る人々を歓迎しよう、それぞれの違いを受け入れよう、大丈夫だから／みんな同じ舟の中、未来に向かって帆走する、だから大丈夫／すべてがもっと良くなる、わたしたちは永遠を編み出す創造者だから――だから大丈夫」

『ALICIA』はわたしの進化の振り返り、わたしの旅の今この瞬間を切り取ったスナップショットだ。生きている限り、わたしは成長し、向上し、自分だけの永遠を編み出すアーティストとしてペンを走らせ続ける。そして向上していきながらも、過去のスナップショットを忘れない自分でいたい。自分が何者なのかを知り、アイデンティティのすべてを受け入れられる自分でいたい。

わたしは恐れると同時に、怖いもの知らずだ。わたしは弱いけれど、戦士にもなれる。わたしは不安定でありながら、自信に満ちている。すべての矛盾を受け入れるたびに、わたしはもっと、わたしになる。

謝辞

この本が完成するまでの道のりに、感謝の気持ちでいっぱいです。何よりもまず、いつもわたしを支え、守り、光・真実・人生の素晴らしさを教えてくれるいと高き神に感謝します。あなたの光の戦士でいることが、わたしの喜びです。

今のわたしがあるのは、偉大な母テリ・アージェロの愛のおかげです。ママ、わたしをあきらめないでくれてありがとう。苦しかったときもわたしのために犠牲を払ってくれてありがとう。いつも夜遅くまで起きていて、わたしのことを心配してくれたこと、感謝しています。あなたの知恵と知識、そして女性としてのあるべき姿を見せてくれたことに感謝します。

夫スウィズ。わたしにとって、あなたは現実のロマンス小説です。あなたとの素晴らしい絆（きずな）は、とても現実とは思えないほど。あなたのおかげで、もっと自由に、もっと今を生き、もっと大きな夢を見て、自分では考えもしなかったようなことを成し遂げることができた。わたしの想像力を広げてくれたこと、感謝します。

わたしの人生最大の喜びのひとつは、母になったこと。エジプト、ジェネシス、ＫＪ、ナス、ニコルへ。わたしを愛し、教え、賢い人間に育ててくれてありがとう。感動や可能性はとても純粋でシンプルだということ、あなたたちから教わりました。限界を知らない、美しい北極星でいてくれてありがとう。

わたしを日々支えてくれるAKワールドワイド、そしてオーブン・スタジオのみんな。いつも前向きに、献身的に、てきぱきと、わたしを支えてくれてありがとう。より大きな目標のために、夜遅く、朝早く、あるいは夜を徹して、一緒に走ってくれてありがとう。すべて、あなた方なしにはなし得なかった。みんな大好きです。

ミズ・Oへ。あなたが光となって導いてくれるなんて、わたしは何という幸せ者なんでしょう。いつも絶妙のタイミングに最高のアドバイスをくれ、励ましてくれること、感謝しています。本当に大好きです。

ミシェル・バーフォードへ。辛抱強く、思いやりがあって、頼り甲斐(がい)があって、信用できる人。そして最高のセラピストでもありました。何時間もわたしの話を聞き、わたしという人間を深く理解してくれてありがとう。あなたとこの本を書き進める過程で、初めて腑(ふ)に落ちたことがたくさんありました。感謝してもしきれません。あなたは特別を超えた存在です。

ウィリアム・モリス・エンデヴァー・エンターテイメントのわたしの担当チームへ。とりわけジェニファー・ルドルフ・ウォルシュとアンディ・マクニコルへ。マネジメントを通じて、いつも最高のわたしを演出してくれる人たち。素晴らしいパートナーでいてくれてありがとう。あなた方の強いリーダーシップにはいつも力をもらいます。これからも一緒に羽ばたいていきましょう。

ボブ・ミラー率いるフラットアイアンのチームにも感謝しています。わたしの意見を聞きつつ、色々アドバイスをくれてありがとう。このパートナーシップは何かすごいことのはじまりの予感がしています！　そして編集のサラ・マーフィー、原稿に目を光らせ、洞察力のある編集をしてくれてありがとう。それ以外にも、前線、あるいは後方で、わたしのストーリーが世に出るサポートをしてくれたたくさんの人たちに感謝します。

とても大切な友だち、そして家族のみんな。インタビューのために時間を割いて、色々な出来事の話や、美しい思い出や、それぞれの意見を聞かせてくれたこと、深く感謝しています。みんな、愛しています。

ロック・ネイションのチームへ。限界を突き抜けた、途方もない未来に乾杯。

そして、ファン（fam）のみんなへ。心からの感謝を表すのには、言葉ではとても足りません。あなたたちはずっと、この旅の一員でいてくれた……そう、わたしのストーリーは、本当はわたしたちのストーリーだから。これからもともに成長し、もっとわたしたちらしくなり、さらに多くの素晴らしい思い出を作っていけますように。その未来に乾杯。

著者

〈アリシア・キーズ〉

現代のルネサンス女性とも言うべき存在。グラミー賞を15回受賞したアーティスト、ソングライター、ミュージシャン、プロデューサー、女優。「ニューヨーク・タイムズ」ベストセラーの作家、映画・テレビ・舞台プロデューサー、起業家、活発な社会活動家でもある。2001年にリリースされた記念碑的なデビューアルバム『Songs in A Minor』以来、ディスクの売り上げは6500万枚以上を記録し、他に類を見ないほど数多くのヒット曲を生み出す。スーパープロデューサー、起業家の夫スウィズ・ビーツと子どもたちとともに、ニューヨーク・シティ近辺に在住。
ウェブサイト：AliciaKeys.com

（共著者）

〈ミシェル・バーフォード〉

「ニューヨーク・タイムズ」ナンバー1ベストセラーを執筆したコラボレーション作家。「O, The Oprah Magazine」の創刊者、編集者。フェニックス出身。現在はニューヨーク・シティ在住。
ウェブサイト：MichelleBurford.com

訳者

永峯 涼（ながみね りょう）

上智大学外国語学部卒業。訳書に『ザ・クオンツ』『ぼくは数学で宇宙の美しさを伝えたい』『マインドフルネス』『危機と決断（共訳）』（いずれもKADOKAWA）、『セクシーに生きる』（プレジデント社）、『ヒュッゲ』（サンマーク出版）などがある。

もっと、わたしらしく（アリシア・キーズ自伝）

2021年4月20日　第1刷発行

著　アリシア・キーズ／ミシェル・バーフォード（共著）

訳　永峯涼

発行者　山本周嗣

発行所　株式会社文響社
〒105-0001　東京都港区虎ノ門2-2-5　共同通信会館9F
ホームページ　https://bunkyosha.com
お問い合わせ　info@bunkyosha.com

印刷・製本　中央精版印刷株式会社

ISBN978-4-86651-368-3
この本に関するご意見・ご感想をお寄せいただく場合は、郵送またはメール（info@bunkyosha.com）にてお送りください。